Y0-CAM-718

Bilderstreit
Kulturwandel in Zwinglis Reformation

Bilderstreit

Kulturwandel in Zwinglis Reformation

HANS-DIETRICH ALTENDORF · PETER JEZLER
(Herausgeber)

TVZ Theologischer Verlag Zürich

Umschlagbild:
Aus einer Abschrift von Bullingers «Reformationsgeschichte» Anfang 17. Jahrhundert. Zürich, Zentralbibliothek.

CIP-Kurztitelaufnahme der Deutschen Bibliothek

BILDERSTREIT: Kulturwandel in Zwinglis Reformation / Hans-Dietrich Altendorf; Peter Jezler [Hrsg.]. – Zürich: Theologischer Verlag, 1984.

ISBN 3-290-11555-0

NE: Altendorf, Hans-Dietrich [Hrsg.]

Inhalt

Vorwort

Die vorliegende Publikation geht auf ein kirchengeschichtliches Seminar an der Theologischen Fakultät Zürich zurück, das den Bilderstreit der Reformationszeit behandelte. Vor allem die Beiträge von CHRISTINE GÖTTLER, ELKE JEZLER, PETER JEZLER und Dr. MATTHIAS SENN erschienen als geeignet, neue Gesichtspunkte zum Verständnis des Zürcher Bilderstreits zu gewinnen: Der Bilderstreit stellte sich weniger als ein rein innertheologischer Vorgang dar, sondern schien vielmehr Ausdruck des tiefgreifenden Kulturwandels zu sein, den die Zürcher Reformation mit sich brachte. Die Unterzeichneten erlebten die Freude, dass sich weitere Mitarbeiter fanden, die von ihren Fachgebieten her neue Beobachtungen zum Thema beisteuern konnten. So entstand der Band, von dem einige Beiträge gleichzeitig im Mitteilungsblatt der Gesellschaft für Schweizerische Kunstgeschichte erschienen («Unsere Kunstdenkmäler», 1984, 3). Der Band erhebt keineswegs den Anspruch, die Problematik von allen Seiten her zu beleuchten, sondern greift markante und auch selten beachtete Aspekte heraus. Bewusst haben wir darauf verzichtet, die reformatorische und nachreformatorische Bildkunst breit zu behandeln; für sie findet man bis auf weiteres im Katalog der Asper-Ausstellung von 1981 reiches Material. Hingegen sollte die Architektur der nachreformatorischen Zeit nicht unberücksichtigt bleiben, wie auch ein Blick auf die massiven Buchzerstörungen nicht fehlen sollte. Wesentlich erschien es uns auch, ein für die Reformationsgeschichte nicht nur Zürichs so wichtiges Dokument wie Edlibachs Aufzeichnungen wieder zugänglich zu machen, die bisher nur in einer unzureichenden Edition von 1846 vorlagen. Nicht zuletzt wird das Nebenprodukt eines Aufsatzes breiteres Interesse hervorrufen können: möglicherweise geht das älteste Zwingli-Bild auf den Bildgegner Zwingli selbst zurück.

Es bleibt uns die angenehme Pflicht, sowohl der Gesellschaft für Schweizerische Kunstgeschichte wie dem Theologischen Verlag Zürich für alle Unterstützung zu danken.

DIE HERAUSGEBER

Abkürzungen

ADB	Allgemeine Deutsche Biographie. Leipzig 1875–1912.
Asper	Zürcher Kunst nach der Reformation. Hans Asper und seine Zeit. Katalog zur Ausstellung im Helmhaus, Zürich, 9. Mai bis 28. Juni 1981.
BULLINGER	Heinrich Bullingers Reformationsgeschichte. Hg. von JOHANN JAKOB HOTTINGER und HANS HEINRICH VÖGELI. 3 Bde. Frauenfeld 1838–1840. Band 1.
EAk	Actensammlung zur Geschichte der Zürcher Reformation in den Jahren 1519–1533. Hg. von EMIL EGLI. Zürich 1879.
Ed. 1846	GEROLD EDLIBACH. ‹Aufzeichnungen über die Zürcher Reformation›. Anonyme Edition von 1846. Anhang zu: Gerold Edlibachs Chronik. Hg. von Johann Martin Usteri. (Mitteilungen der Antiquarischen Gesellschaft in Zürich, 4, 1846, S. 266–279.)
Eidg. Absch.	Amtliche Sammlung der älteren eidgenössischen Abschiede. Zürich 1856–1886.
ESCHER	ESCHER, KONRAD. Rechnungen und Akten zur Baugeschichte und Ausstattung des Grossmünsters in Zürich bis 1525. (Anzeiger für Schweizerische Altertumskunde 29–32, 1927–1930.)
FIGI	FIGI, JACQUES. Die innere Reorganisation des Grossmünsterstiftes in Zürich von 1519–1531. Diss. Zürich 1951.
FRANZ	FRANZ, GÜNTHER. Der deutsche Bauernkrieg. München/Berlin 1933.
GÄBLER	GÄBLER, ULRICH. Huldrych Zwingli. Eine Einführung in sein Leben und sein Werk. München 1983.
GARSIDE	GARSIDE, CHARLES. Zwingli and the Arts. New Haven/London 1966.
GRIMM	Deutsches Wörterbuch, begr. von J. und W. GRIMM. Leipzig 1854–1960.
GUTSCHER	GUTSCHER, DANIEL. Das Grossmünster in Zürich. Eine baugeschichtliche Monographie. Bern 1983. (Beiträge zur Kunstgeschichte der Schweiz, 5.)
HALTER	HALTER, ANNEMARIE. Geschichte des Dominikanerinnen-Klosters Oetenbach in Zürich 1234–1525. Winterthur 1956.
HÜSSY	HÜSSY, HANS. Aus der Zürcher Finanzgeschichte in der Reformationszeit. (Zürcher Taschenbuch, 68, 1948, S. 40–58.)
Kdm Zürich IV, 1	Die Kunstdenkmäler des Kantons Zürich, IV: Die Stadt Zürich, I, von KONRAD ESCHER. Basel 1939.
KELLER	KELLER, ANTON. Zur Sprache des Chronisten Gerold Edlibach 1454–1530. Diss. Zürich 1965.
LOCHER	LOCHER, GOTTFRIED W. Die Zwinglische Reformation im Rahmen der europäischen Kirchengeschichte. Göttingen/Zürich 1979.
Luther Hamburg	Luther und die Folgen für die Kunst. Katalog zur Ausstellung in der Hamburger Kunsthalle, hg. von WERNER HOFMANN. 11. November 1983 bis 8. Januar 1984. München 1983.
Luther Nürnberg	Martin Luther und die Reformation in Deutschland. Katalog zur Ausstellung im Germanischen Nationalmuseum Nürnberg. Frankfurt a/M. 1983.
NÜSCHELER	NÜSCHELER, ARNOLD. Die Gotteshäuser der Schweiz, Heft 1–3. Zürich 1864–1873. Heft 3.
OBERMAN	OBERMAN, HEIKO AUGUSTINUS. Werden und Wertung der Reformation. Vom Wegstreit zum Glaubenskampf. Tübingen 1977.
SCHÄRLI	SCHÄRLI, THOMAS. Wer ist Christi Kilch? Die sin Wort hört. Zürich im Übergang von der spätmittelalterlichen Universalkirche zur frühneuzeitlichen Staatskirche. (Zwinglis Zürich 1484–1531. Eine Publikation des Staatsarchives Zürich. Zürich 1984, S. 14–47.)
SCHAUFELBERGER	SCHAUFELBERGER, WALTER. Franziskaner-Konventualen im Kanton Zürich. (Alemania Franciscana Antiqua 15, 1969, S. 61–162.)
SCHILLING	Die religiösen und kirchlichen Zustände der ehemaligen Reichsstadt Biberach unmittelbar vor Einführung der Reformation. Geschildert

von einem Zeitgenossen. Hg. von A. SCHILLING. (Freiburger Diözesan-Archiv, 19, 1887.)

SCRIBNER — SCRIBNER, ROBERT W. For the Sake of Simple Folk: Popular Propaganda for the German Reformation. Cambridge 1981. (Cambridge Studies in Oral and Literate Culture, 2.) Deutsch: Um des Volkes willen. Zur Kulturgeschichte der deutschen Reformation. Aus dem Englischen von INGE M. ARTL. Königstein 1982.

SI — Schweizerisches Idiotikon. Wörterbuch der schweizerdeutschen Sprache. Frauenfeld 1881 ff.

Statutenbücher — Die Statutenbücher der Propstei St. Felix und Regula (Grossmünster) zu Zürich. Hg. von DIETRICH W. H. SCHWARZ. Zürich 1952.

StAZ — Staatsarchiv Zürich.

STEINMANN — STEINMANN, JUDITH. Die Benediktinerinnenabtei zum Fraumünster und ihr Verhältnis zur Stadt 853–1524. St. Ottilien 1980. (Studien und Mitteilungen zur Geschichte des Benediktiner-Ordens und seiner Zweige, 23. Ergänzungsband.)

TRE — Theologische Realenzyklopädie. Berlin 1974 ff.

WEHRLI-JOHNS — WEHRLI-JOHNS, MARTINA. Geschichte des Zürcher Predigerkonvents (1230–1525). Mendikantentum zwischen Kirche, Adel und Stadt. Zürich 1980.

WYSS — Die Chronik des Bernhard Wyss 1519–1530. Hg. von G. FINSLER. Basel 1901. (Quellen zur Schweizerischen Reformationsgeschichte 1.)

Z — Huldreich Zwinglis sämtliche Werke. Hg. von EMIL EGLI u. a. (Corpus Reformatorum LXXXVIII ff. Berlin 1905, Leipzig 1908 ff., Zürich 1961 ff.)

ZBZ — Zentralbibliothek Zürich.

ZEHNDER — ZEHNDER, LEO. Volkskundliches in der älteren schweizerischen Chronistik. Basel 1976. (Schriften der Schweizerischen Gesellschaft für Volkskunde 60.)

Editionsgrundsätze

für die Beiträge von GÖTTLER, JEZLER, LANDWEHR und SENN

1. Der originale Wortlaut wird ebenso wie die Schreibweise beibehalten.
2. Kürzungen werden aufgelöst.
3. Zahlzeichen werden mit arabischen Ziffern wiedergegeben.
4. Für die Handschriftentranskription gilt grundsätzlich Kleinschreibung mit Ausnahme des Satz- oder Versanfangs und der Eigennamen. Gedruckte und zitierte Quellen werden unverändert übernommen.
5. U/v und i/j werden ihren heutigen Lautwerten entsprechend wiedergegeben. Für die Vokale gelten folgende Regeln: ‹aͤ› / ‹oͤ› = ‹ä› / ‹ö›; ‹oͧ› = ‹ou›; ‹uͦ› und ‹uͤ› dagegen bleiben als eigene Laute erhalten.
6. Die Interpunktion folgt den heute geltenden Regeln; als Lesehilfe werden zur besseren Gliederung auch zusätzliche Satzzeichen eingefügt.
7. Textlücken in der Vorlage werden durch gebrochene Linien (-----), Auslassungen des Herausgebers durch Punkte (.....) gekennzeichnet.
8. Zusätze des Herausgebers stehen zwischen eckigen Klammern [.....].
9. Auf unsichere Lesarten wird durch eingeklammerte Fragezeichen [?], ungewöhnliche aber textlich gesicherte Ausdrücke durch eingeklammerte Ausrufezeichen [!] aufmerksam gemacht.

Hans-Dietrich Altendorf

Zwinglis Stellung zum Bild und die Tradition christlicher Bildfeindschaft

Die Bilderfrage stand ursprünglich nicht im Zentrum von Zwinglis reformatorischem Anliegen. Die Neuordnung des christlichen Lebens war ihm weitaus wesentlicher; auch die Ablehnung der Heiligenverehrung erschien ihm gewichtiger als die Ablehnung der Bilder. Dennoch kam Zwingli zu einer dezidierten negativen Haltung gegenüber dem Bild in der Kirche: die Bilder dürfen nicht belassen werden. Letztlich dürften praktische Erwägungen für Zwingli ausschlaggebend gewesen sein. Zwingli steht damit in einer bildfeindlichen christlichen Tradition, die nie ganz erloschen war, wenn sie auch längst von einer positiven Haltung zum Bild überlagert wurde, die in einer Besinnung auf den Sinn des christlichen Glaubens wurzelte.

Schon zur Zeit der Reformation war es ein in die Augen fallendes Kennzeichen der Reformation Zwinglis, dass der gottesdienstliche Raum ohne Altar und Bild war, sich als von Kanzel und Taufstein bestimmter Predigtraum darbot. Bildlosigkeit und Konzentration auf das Predigtwort wurden vor allem für Aussenstehende, also für Katholiken und Lutheraner, zum Charakteristikum reformierten Christentums zwinglischer Prägung. Zweifellos verrät die Erscheinungsform nicht wenig von der Eigenart der Reformation Zwinglis; dennoch muss man sich hüten, allzu rasch die Folgerung zu ziehen, die Abkehr vom Bild im kirchlichen Raum sei eine fraglose Konsequenz von Zwinglis theologischen Grundüberzeugungen: «Blickt man auf Luthers Stellung zu den Bildern, so ist sie in den Anfängen von der Zwinglis äusserlich kaum unterschieden»[1], und dennoch setzte sich im Luthertum eine ganz andere Haltung zum Bild in der Kirche durch. Es müssen noch andere Motive und Kräfte angenommen werden, die zur strengen Bildlosigkeit der zwinglischen Reformation führten. – Damit ist selbstverständlich nicht gesagt, dass der Zürcher Ikonoklasmus nicht auch in Zwinglis Theologie wurzele; die Bildfeindschaft Zwinglis ist echt und überzeugt, aber es traten Umstände ein, die ihr erst zur vollen Entfaltung verhalfen.

Unbestritten ist, wie man auch im einzelnen über Entstehung und Akzentsetzung urteilen mag, dass Zwingli selbst ein «Zentrum» seiner Theologie benannte: «dies kann mit Schriftprinzip, schriftgemäss – also auch: den biblischen Schriften folgende Predigt – beschrieben und mit christologischen und pneumatologischen Begriffen bezeichnet werden. Aber dieses Zentrum ist in seinem Urstadium (anno 1516) noch nicht entfaltet in die typisch reformatorischen, das heisst also auch gemein – reformatorischen Lehraussagen und Kampfparo-

[1] Campenhausen, Hans von. Die Bilderfrage in der Reformation. (Tradition und Leben. Kräfte der Kirchengeschichte. Aufsätze und Vorträge. Tübingen 1960, S. 361–407), S. 383.

len, und es lässt sich nur sehr schwer in Form einiger weniger oder gar *eines* dogmatischen Lehrpunkts ausdrücken. Dass es bei Zwingli ein starkes Sündenbewusstsein, das Wort neben dem Geist als Hilfsmittel, die Rechtfertigung allein aus Glauben, die Prädestination usw. gibt, bedeutet nicht, dass diese Lehraussagen ‹das Herz› seiner Theologie ausmachen. Seine Theologie ist und bleibt bis zum Ende in gewisser Weise unfertig und unsystematisch – und doch unverkennbar *reformatorisch* und in nuce *reformiert*[2].» Diese gewisse «Bibliokratie»[3], «Herrschaft der Heiligen Schrift», ist im Verständnis Zwinglis die Quelle aller Erneuerung in der Christenheit.

Das bedeutet nun nicht, dass von vornherein alle Aussagen der Schrift wörtlich verbindlich seien; eine Erinnerung an die damals umstrittenen Themen Kindertaufe, Leistung des Zehnten, Eidesleistung, Kriegsdienst genügt, um diese Feststellung zu bekräftigen. So muss man näher zusehen, weshalb der Satz aus den Zehn Geboten so wichtig wurde: «Du sollst dir kein geschnitztes Bild machen, kein Abbild von dem, was im Himmel droben oder unten auf der Erde oder im Wasser unter der Erde ist» (Exodus 20, 4).

Zunächst ist festzuhalten, dass «das Problem der Bilder nie im Zentrum von Zwinglis Interesse stand»[4] und dass etwa die Ablehnung der Heiligenverehrung Zwingli mehr bewegte als die Ablehnung der Bilder. Dennoch gilt auch: «Zwingli kennt in der Bilderfrage keine Lässigkeit.»[5]

Zum ersten Mal äusserte sich Zwingli schriftlich, und zwar «zunächst nur marginal»[6], zur Bildverehrung im Juli 1523 in der Auslegung der Schlussreden: Christus ist der einzige Mittler, es braucht keine Heiligen als Nothelfer, deshalb ist auch der Bilderdienst verbotene Abgötterei: «Ach herr! Verlych uns einen unerschrockenen man, wie Helias was, der die götzen vor den ougen der gleubigen dennen thůye; denn du bist das einig gůt, das unser zůflucht und trost ist.»[7]

Bekannt ist, dass Uli Kennelbach aus der Grafschaft Toggenburg am 21. Juni 1520 wegen Bilderschändung im Wirtshaus zu Uznach enthauptet worden war[8]. Am 1. September 1523 predigte Leo Jud,

[2] SCHINDLER, ALFRED. Zwingli und die Kirchenväter. (147. Neujahrsblatt zum Besten des Waisenhauses Zürich, Zürich 1984), S. 40f.

[3] Der m. E. glückliche Ausdruck dürfte von W. Köhlers Schüler Jakob Kreutzer stammen, vgl. GÄBLER, ULRICH. Huldrych Zwingli im 20. Jahrhundert. Forschungsbericht und annotierte Bibliographie. Zürich 1975, S. 31.

[4] SENN, MATTHIAS. Bilder und Götzen: Die Zürcher Reformatoren zur Bilderfrage. (Zürcher Kunst nach der Reformation. Hans Asper und seine Zeit. Katalog zur Ausstellung im Helmhaus, Zürich, 9. Mai bis 28. Juni 1981, S. 33–38), S. 34.

[5] LAVATER, HANS RUDOLF. Regnum Christi etiam externum – Huldrych Zwinglis Brief vom 4. Mai 1528 an Ambrosius Blarer in Konstanz. (Zwingliana, Bd. 15, H. 5, 1981, 1, S. 338–381), S. 366, Anm. 155.

[6] SENN (wie Anm. 4), S. 33.

[7] Usslegen und gründ der schlussreden oder Articklen. (Huldreich Zwingli. Sämtliche Werke, hrsg. von EMIL EGLI u. a., Berlin; Leipzig; Zürich 1905ff., Bd. 2), S. 218.

[8] Nachweise im einzelnen: SENN (wie Anm. 4). – GARSIDE, CHARLES. Zwingli and the arts. New Haven-London 1966. 2. Aufl. 1982. (Yale Historical Publications, 33.) – STIRM, MARGARETHE. Die Bilderfrage in der Reformation. Gütersloh 1977. (Quellen und Forschungen zur Reformationsgeschichte, Bd. 44), S. 130ff. – LOCHER, GOTTFRIED W. Die Zwinglische Reformation im Rahmen der europäischen Kirchengeschichte. Göttingen; Zürich 1979. – GÄBLER, ULRICH. Huldrych Zwingli. eine Einführung in sein Leben und sein Werk. München 1983.

Leutpriester am St. Peter in Zürich, «wie man uss der göttlichen gschrift bewären möcht und recht wäre, dass man die götzen uss den kilchen tun söllte». Es folgten bilderstürmerische Aktionen im September: am 6. September Bildzerstörungen in St. Peter, am 13. wurden im Fraumünster die Ewigen Lichter zerschlagen, am 24. erschien Ludwig Hätzers Predigt im Druck: «Ein Urteil gottes unsers eegemahles, wie man sich mit allen götzen und bildnussen halten sol, uss der heiligen gschrifft gezogen». Die Zweite Zürcher Disputation handelte im Oktober über die Bilder und die Messe. Vom Ratsmandat des 27. Oktober (?, um den 1. November?[9]), man solle die Bilder einstweilen in den Kirchen belassen (doch könnten Stifter ihre eignen Stiftungen entfernen), erstreckten sich beunruhigende Vorkommnisse und Verhandlungen über die Bilderfrage in der Stadt und auf dem Land, die schliesslich zum Ratsmandat des 15. Juni 1524 führten, «dass man die götzen und bilder mit züchten hinweg tun sölle, damit dem wort gottes statt gegeben werde». Vom 20. Juni bis 2. Juli wurden in geordneter Weise die Bildwerke hinter geschlossenen Kirchentüren zerstört. Die Obrigkeit hatte die spontanen Aktionen, die seit September 1523 auftraten, im Sommer 1524 also kanalisiert und in den Griff bekommen.

Zwingli selbst zeigte sich seit der kurzen Äusserung im Juli 1523 durchaus nicht als den Wortführer oder gar Anführer im Bilderstreit, sondern war bestrebt, jede Unordnung und allen Tumult zu vermeiden. Im April 1525 stellte er sich als den Vertreter der richtigen Mitte zwischen den Bilderschirmern und den Bilderstürmern dar[10].

Wir verfolgen die Zürcher Ereignisse nicht weiter, sondern betrachten Zwinglis Haltung für sich. Es ist allerdings unverkennbar, dass schon Zwinglis älteste fassbare Äusserung gegen die Bilder nicht alleine der grundsätzlichen Erwägung entsprang, neben dem einen Heilsmittler Christus habe der Heilige und das Bild keinen Platz. Spätestens seit Januar 1522 gab es im fernen Wittenberg Auseinandersetzungen über die Bilder[11], und hinter Hätzers Argumenten in seiner Predigt vom September 1523 scheinen überkommene Gedankenbildungen zu stehen, deren Herkunft nachzugehen, wohl noch lohnen könnte. Das heisst, es sieht sehr danach aus, als habe die von Luther und Zwingli geprägte geistliche Bewegung bildkritische Fragen entbunden, die zuvor eher im Verborgenen schlummerten.

Zwinglis schliesslich eingenommene Haltung zu den Bildern ist klar, wenn auch nicht immer bis ins Letzte durchdacht, eben, weil das Thema Zwingli von Hause aus nicht umtreibt. Das schliesst, wie so oft bei Zwingli, nicht aus, dass entschiedene Positionen bezogen werden. Nicht nur in einem Brief an Martin Bucer in Strassburg (3. Juni 1524), sondern wiederholt erklärt Zwingli im Gegensatz zu Luther, die Bilder in der Kirche seien keine sogenannten «Mitteldinge» (mesa, adiaphora), deren man sich nach Belieben bedienen oder nicht bedienen könne. Man müsse zwar nicht alle Bilder zerstö-

[9] Vgl. GÄBLER (wie Anm. 8), S. 75.
[10] VON CAMPENHAUSEN (wie Anm. 1), S. 368.
[11] Vgl. STIRM (wie Anm. 8), S. 24 ff.

ren, nur die verehrten, und es komme «auf die Beziehung an, mit welcher der Mensch dem Bild gegenübertritt» [12], aber schlussendlich gilt für den Zürcher Reformator doch: «wie man's auch drehen und wenden mag – die Bilder dürfen nicht geschont werden, sie müssen weg!» [13]. Weshalb? Zwingli führt in seinen verschiedenen Überlegungen, die hier nicht entfaltet werden müssen, mannigfache Gründe an: das Gottesgebot im Dekalog, die Tatsache, dass auch das an sich harmlose Bild zum verderblichen und gefährlichen «Götzen» werden kann, die soziale Anstössigkeit der reichen Bildausstattung in den Kirchen, während Arme nicht das Nötigste haben, das christologische Argument, dass man Christus in seiner göttlichen Natur nicht darstellen könne (und dass man zugleich die göttliche Natur nicht von der menschlichen trennen kann), die Wahrheit, dass wir den Glauben «ab den Wänden nit erlernen» [14] können, – ausschlaggebend dürften ganz «praktische» und seelsorgerliche Rücksichten und Motive gewesen sein: die Bilder verletzen die schwachen Gewissen und verhindern die rechte Frömmigkeit, weil sie eine unaufhörliche Verführung darstellen, das Geschöpf an die Stelle des Schöpfers zu setzen. Von den Bildern gilt, was auch vom Zeichen des Kreuzes gilt: «Und in den templen hab ich ghein fürgesetzt crütz nie gsehen, man hatt es für einen götzen gemacht.» [15]

Weshalb verführen die Bilder? Im Brief an Bucer hat Zwingli den Grund genannt, der in der Tat das Motiv darstellen dürfte, das Zwingli zur grundsätzlich negativen Stellung zum Bild führte: die Bilder tendieren doch alle «nur» (solum) dahin, «ut ad sensum ab interiore homine avocemur»: wir werden vom «Inneren» fort und ins «Äussere» hinaus verführt, «unde factum est, ut a creatore ad creaturam conversi simus»: nie ist je von einem Bild in der Kirche eine segensreiche Wirkung ausgegangen, nie ist ein Bild in der Funktion einer «Bibel für die Ungelehrten» fruchtbar geworden, immer führte es vom Schöpfer fort zur Vergötzung der Kreatur. Und: «Quantum ad sensum tribuis, tantum spiritui detraxeris»: Was und wieviel man dem sinnlichen Äusseren anvertraut, das wird man gewiss dem göttlichen Geist «abziehen» [16].

Mit anderen Worten: es ist der Gottes- und Geistbegriff Zwinglis, der ihn erkennen lässt, dass man sich auf Bilder nicht einlassen darf. So unstatthaft das tumultuöse Vorgehen der Bilderstürmer ist, in der Sache haben sie doch recht, und die Obrigkeit muss die Bilder aus den Kirchen entfernen lassen. Man spürt ja auch den Erfolg: das Abtun der Bilder hat die wahre Frömmigkeit in der Tat gefördert, wie wir selbst erfahren haben [17]. Deshalb wirkt Zwingli auch anderswo darauf hin, dass die Bilder von der Obrigkeit fortgetan werden: «Und warum sollte es dann Eurem Rat nicht zustehen, die Abschaffung der

[12] SENN (wie Anm. 4), S. 36.
[13] VON CAMPENHAUSEN (wie Anm. 1), S. 380.
[14] Eine kurze christliche Einleitung, 17. November 1523. (Werke [wie Anm. 7], Bd. 2), S. 657.
[15] Eine Antwort, Valentin Compar gegeben, 27. April 1525. (Werke [wie Anm. 7], Bd. 4), S. 120.
[16] Werke (wie Anm. 7), Bd. 8, S. 195.
[17] De vera et falsa religione commentarius, März 1525. (Werke [wie Anm. 7], Bd. 3), S. 905: Breviter! quantum ablatae imagines veram pietatem adiuvent, nemo recte credit, quam qui expertus est.

1 «Die Götzen uß der Kilchen Zürich gethan». Illustration zu Bullingers Reformationsgeschichte, Abschrift von 1605/06. Federzeichnung aquarelliert. 97×152 mm. Zürich, Zentralbibliothek, B 316, fol. 134 r.

Bilder, die immer noch beim Gottesdienst stehen, oder der Messe, dieser unerträglichen Torheit, zu beschliessen?»[18]

Zwinglis (gemässigter) «Spiritualismus» ist es wohl also doch gewesen, der ihn zur entschieden negativen Stellung gegenüber dem Bild in der Kirche veranlasste: «Die Sphäre des Heiligen ist als solche zugleich die Sphäre des Geistig-Innerlichen, die zu allem Sinnlichen in Gegensatz steht.»[19] Die gleiche Überzeugung von der «Geistigkeit» Gottes steht hinter Zwinglis Ablehnung jeder sakramentalen Vermittlung, auch hinter der so folgenreichen Ausrichtung des Gottesdienstes auf die Predigt, möglicherweise auch hinter der von Zwingli so geliebten «Stille» in der Kirche. Damit verträgt sich, dass Zwingli auch andere Gründe gegen die Bilder anführen kann, die «konkreter» anmuten, schillert doch auch sein Glaubensbegriff «zwischen biblizistischer Hinnahme und spiritualistischer, dem Wort gegenüber verselbständigter Erfahrung»[20].

Wir vertiefen diese (ja längst gesehenen) Beobachtungen nicht. Da es evident sein dürfte, dass Zwinglis theologische Überzeugungen nicht wie die Luthers von einem eindeutig fassbaren «Zentrum» her durchgängig bestimmt und getragen sind, dürfte nun auch einigermassen plausibel werden, dass es (erst) die Zürcher Situation nach 1520 war, die Zwingli in der Bildfrage zur Klärung weiterführte, wäh-

[18] Zwingli an Blarer (wie Anm. 5), in Lavaters Übersetzung, S. 365 f.

[19] VON CAMPENHAUSEN (wie Anm. 1), S. 375. Von Campenhausen und Senn fassen m. E. am präzisesten Zwinglis Argumentation zusammen.

[20] EBELING, GERHARD. Cognitio Dei et hominis. (Lutherstudien, Bd. I, Tübingen 1971, S. 221–272), S. 228. Der Satz bezieht sich auf den Commentarius, lässt sich aber für Zwingli verallgemeinern, wie mir scheint.

rend vor Juli 1523 das Bild für Zwingli sozusagen kein Thema darstellte[21].

Zwingli wusste, dass er nicht der erste Christ und Theologe war, der zur Ablehnung des Bildes in der Kirche kam: ursprünglich verehrten die Christen keine Bilder. «Zwingli und die Reformierten nehmen die Kritik einer längst bestehenden Opposition, äusserlich gesehen, wieder auf.»[22] Bilderkritik wird «seit dem Hochmittelalter ein fester Bestandteil aller oppositionellen Kirchenkritik. Sie findet sich schon bei Bernhard von Clairvaux, steigert sich dann aber bei den Waldensern, Lollarden, Wiclifiten und Hussiten und in den Kreisen der aufsässigen Bauern mitunter zu radikalen Ausbrüchen und findet sich in feinerer, «aufgeklärter» Form bei den meisten Vertretern eines sittlich gerichteten Humanismus, vor allem bei Erasmus selbst. Die Situation ist schon lange bedrohlich geworden, als die reformatorische Predigt beginnt und die ganze Frage in stürmische Bewegung bringt. Sowohl Luther wie Zwingli sind in dieser Hinsicht von der Entwicklung überrascht worden»[23]. Diese Bemerkungen treffen in der Tat zu, aber es ist m.W. immer noch ein Desiderat der Forschung, den Versuch zu unternehmen, exakt nachzuprüfen, ob und wie sich Verbindungslinien von den mittelalterlichen Bildkritikern zu den Positionen auffinden lassen, die seit 1520 zusammen mit der neuen Reformbewegung zu Wort kommen. Es treten ja die mannigfachsten Motive zugleich auf.

Nun wurzeln alle bildkritischen Haltungen in der christlichen Kirche letztlich in der Ursprungssituation der Kirche selbst: «Der anikonische Charakter des Urchristentums stand dem Entstehen einer bildenden Kunst entgegen»[24], und das Entstehen einer christlichen Kunst «ist keineswegs ein selbstverständlicher Vorgang gewesen»[25]. Zwar wird um die Wende zum 3. Jahrhundert das Aufkommen christlicher Kunst konstatierbar, aber «die kirchliche Literatur der ersten Jahrhunderte verleugnet weithin das Bestehen einer christlichen Kunst überhaupt»[26]. Man hat die Entstehung christlicher Kunst in den wesentlichen Stadien erfassen können: von der Ablehnung des Bildes überhaupt führte der Weg zu einer «christlichen Laienkunst», aus der sich im Lauf des 4. Jahrhunderts definitiv in Ost und West eine weithin anerkannte Kirchenkunst entwickelte, die im byzantinischen Osten zur «Ikone» führte, während der lateinische Westen bei einer eher «pädagogischen» Deutung des Bildes blieb und eine eigentliche Bildverehrung im Vergleich zum Osten eher rudimentär blieb, obgleich sie durchaus nicht fehlte und gerade im Spätmittelalter eine eigenartige Ausprägung erfuhr, die dahin trieb, dass

[21] Die Erörterungen von PETER JEZLER, ELKE JEZLER, CHRISTINE GÖTTLER: Warum ein Bilderstreit? Der Kampf gegen die «Götzen» in Zürich als Beispiel, in diesem Band, S. 83, gewinnen von hier her ihre Bedeutung und Brisanz.

[22] VON CAMPENHAUSEN (wie Anm. 1), S. 401.

[23] VON CAMPENHAUSEN (wie Anm. 1), S. 365, nur erscheint mir «bedrohlich» zu stark zu sein: erst als noch andere Dämme brachen, wurde die Bildfrage so akut.

[24] DEICHMANN, FRIEDRICH WILHELM. Einführung in die christliche Archäologie, Darmstadt 1983, S. 109.

[25] DEICHMANN (wie Anm. 24), S. 109.

[26] SODEN, HANS VON. Vom Wesen christlicher Kunst. (Urchristentum und Geschichte. Gesammelte Aufsätze und Vorträge, Erster Bd.: Grundsätzliches und Neutestamentliches, Tübingen 1951, S. 90–105), S. 94 f.

während der reformatorischen Auseinandersetzungen «weniger das Christusbild als das Heiligen- und Marienbild und die Reliquienverehrung im Vordergrund der Auseinandersetzung» standen[27].

Die anfängliche Bildlosigkeit der Kirche war ein Erbe des Judentums, das (wenigstens offiziell) am Bildverbot der Zehn Gebote festhielt. Die im Lauf des 2. Jahrhunderts langsam einsetzende Aufgabe des Bildverbots, damit das Aufkommen einer christlichen Kunstübung überhaupt, war möglich, weil man zwei Anstösse überwand: das Bildverbot wurde als praktisch überwunden angesehen, weil der Neue Bund den Alten Bund abgelöst hatte und weil man einen weiteren Hinderungsgrund als aufgehoben ansah, den noch am Beginn des 3. Jahrhunderts ein Mann wie Klemens von Alexandrien so formulierte: «Wie könnte überhaupt ein Werk der Baumeister, der Steinmetzen- und Handwerkerkunst heilig sein? Stehen da nicht die höher, welche die Luft und ihren Umkreis oder vielmehr die ganze Welt und das All als der überragenden Grösse Gottes allein würdig erachten?»[28] Gemeint ist: stoffliche, sinnlich gebundene Hervorbringungen menschlichen Schaffens sind unfähig, Träger religiöser Aussage zu sein. Dieser zweite Hinderungsgrund wog zweifellos in der antiken Christenheit schwerer als das biblische Bildverbot. Die allmähliche Überwindung dieses Arguments (das auch der paganen Welt wohlbekannt war) ermöglichte erst das Hervortreten einer christlichen Kunst im grossen Stil überhaupt.

Durchschlagend wurde dabei die tiefere und ernstere Erfassung des Inkarnationsgedankens, wie er vor allem in der griechischen Kirche in langen Auseinandersetzungen gewonnen wurde; am Ende der Auseinandersetzungen entstand die Ikone. Es handelt sich, kurz formuliert, um die Einsicht, dass die «Fleischwerdung» der zweiten göttlichen Person auch für die bildnerische Darstellung Folgen haben muss: Gott nahm Menschengestalt an, um die gefallene Menschheit zu sich und damit zu ihrem Ursprung zurückzuführen. Damit ist auch die Möglichkeit eröffnet, dass die Inkarnation sich im Bild abspiegelt: irdische Materie kann Trägerin göttlicher Wahrheit und Wirklichkeit werden. Wer an die wirklich geschehene Inkarnation glaubt, für den ist es selbstverständlich und geradezu geboten, anzuerkennen, dass auch das Bild sozusagen Träger und Abbild eines Urbildes sein kann. Die mehrfachen Bilderstreitigkeiten im byzantinischen Osten bezeugen, was das Gedankliche betrifft, dass bis in das 8. und 9. Jahrhundert hinein nicht alle Christen diesem eben skizzierten Gedankengang zu folgen vermochten, und ikonoklastische Proteste sind deshalb auch im Osten immer wieder einmal aufgetaucht, obwohl sie nie in der Lage waren, die orthodoxe Grundüberzeugung ernsthaft zu erschüttern.

Das Abendland ist dieser «Urbild-Abbild-Theorie» von jeher nur in bescheidenem Mass gefolgt; «zu Ausgang des Mittelalters scheint sie im Abendland so gut wie vergessen zu sein»[29]. Was im Abendland galt, nachdem sich das Bild einmal durchgesetzt hatte, war der zugleich kul-

[27] VON CAMPENHAUSEN (wie Anm. 1), S. 362.
[28] Stromateis 7, 5, 28, 2.
[29] VON CAMPENHAUSEN (wie Anm. 1), S. 364.

tische und lehrhafte Charakter des Bildes. Die Bilder «sind der verehrenden Begegnung die Vergegenwärtigung der Heiligen und zugleich eine ‹allen verständliche Dauerpredigt› im Sinne der herrschenden Theorie»[30]. Das Bild wird praktisch mit der Person des Heiligen gleichgesetzt, hat also nicht den Transparenz-Charakter der orthodoxen Ikone, sondern steht gleichsam massiv vor dem Gläubigen. Von daher wird verständlich, dass nicht nur Zwingli von der Überzeugung, es gebe nur *einen* Mittler zwischen Gott und den Menschen, ausgeht, um das Bild zu kritisieren. Der östliche Ikonoklast weigert sich, den Inkarnationsvorgang so konsequenzreich zu deuten, wie die Bildertheologie es seit dem 6. Jahrhundert tut. Die abendländischen Bildgegner sehen im geübten Kult des einmal vorhandenen Bildes eine unzulässige Einschränkung der Souveränität Gottes.

Die mehr als knappe Skizze vermag vielleicht ein wenig deutlich zu machen, dass die mittelalterliche abendländische Bildauffassung deshalb Probleme stellen kann, weil sie eben nicht durchgängig und konsequent vom Urbild-Abbild-Schema bestimmt ist. Sie ist aber auch nicht rein lehrhaft, sondern schillert zwischen Möglichkeiten: das Bild kann der «memoria» dienen, es kann Verweischarakter haben (wenn auch nicht im strengen Sinn der Ikone), es kann die Funktion der kostbaren Reliquie haben, die schützt, stärkt und hilft.

Sobald ein Mann wie Zwingli von einem sehr «geistigen» Gottesbegriff ausgeht, kann er in Konflikt mit der ihn umgebenden Bilderwelt kommen, vor allem wenn Konstellationen geistiger und sozialer Mächte sich einstellen, wie es im Zürich seiner Zeit der Fall war. Die Radikalität von Zwinglis Negation des sakramentalen Denkens – Gott ist «Geist» und bindet sich nicht an irdische Medien – hat in dieser Lage zu Konsequenzen geführt, die sonst von abendländischen Bildgegnern nicht gezogen worden waren: das Bild wird gänzlich abgetan, um alle Versuchung und Verführung zu vermeiden. –

«Vom 5. bis 7. September 1526 wurden in allen Stadtkirchen die Altäre und Sakramentshäuschen abgebrochen und als Baumaterial für einen Kanzellettner ins Grossmünster transportiert ... Auf den Verenentag 1526 wurde der Boden aus Altarplatten gelegt, und am 11. September, am Kirchweihfest, ‹tett meister Ulrich Zwingli die erst predig im nüwen predigstůl›»; nach Bernhard Wyss stand Zwingli dabei «auf der ehemaligen Altarmensa aus der Predigerkirche»[31]. – Eindrucksvoller lässt sich der Sieg der Bildlosigkeit kaum zeigen[32].

[30] VON CAMPENHAUSEN (wie Anm. 1), S. 364. Zum Vorangehenden vgl. auch VON CAMPENHAUSEN, HANS. Die Bilderfrage als theologisches Problem der alten Kirche (wie Anm. 1), S. 216–252. – MURRAY, CHARLES. Art and the Early Church. (Journal of theological studies, New Series, Vol. 28, 1977, S. 303–345): Murray bestreitet vergeblich die anfängliche Bildfremdheit der Christen und den immer latent vorhandenen Ikonoklasmus innerhalb der Kirche.

[31] GUTSCHER, DANIEL. Das Grossmünster in Zürich. Bern 1983. (Beiträge zur Kunstgeschichte der Schweiz, 5), S. 160. Vgl. den Beitrag von GUTSCHER und SENN in diesem Band, S. 109: Zwinglis Kanzel im Zürcher Grossmünster – Reformation und künstlerischer Neubeginn.

[32] Der Historiker unterdrückt natürlich die Frage, ob der oben gestreifte orthodoxe Bildbegriff, der die Ikone hervorbrachte, möglicherweise etwas für sich habe. Auch die Frage sei unterlassen, ob «Geist» in jedem Fall etwas Unsinnliches sei; wenn man Bernhard von Clairvaux liest oder, noch besser, Notker von St. Gallen (das Hymnenbuch erschien 884!), kann man «versucht» sein, auf andere Gedanken zu kommen.

Christine Göttler

Das älteste Zwingli-Bildnis? – Zwingli als Bild-Erfinder: Der Titelholzschnitt zur «Beschribung der götlichen müly»

Text und Bildentwurf der 1521 in Zürich erschienenen Flugschrift der «Göttlichen Mühle» stammen zu einem wesentlichen Teil von Zwingli. Im Titelbild wird eine damals geläufige Mühlenallegorie uminterpretiert: Anstelle der traditionellen Hostienmühle steht nun eine Allegorie auf die Verbreitung des reinen Gotteswortes. Reformatorisches Gedankengut und aktuelle politische Ereignisse werden dabei auf humanistisch gelehrte Art anschaulich vermittelt. Am Prozess der Wortproduktion und -verarbeitung beteiligen sich die Dreifaltigkeit, Karsthans, Erasmus, Luther und ein Unbekannter. Dieser nicht beschriftete Evangeliumsverteiler nimmt im streng durchdachten Holzschnitt inhaltlich wie formal eine Schlüsselposition ein. Vieles spricht dafür, dass es sich bei dieser Figur um ein verstecktes Bildnis Zwinglis handelt.

> «Der Stoff zu dieser Mühle, welche dir auf der Titelseite entgegentritt, ist von einem gewissen rätischen Laien entworfen und mir übermittelt worden, einem Laien, der aber in der Hl. Schrift ausserordentlich geschult ist, soweit das überhaupt möglich ist bei einem, der kein Latein kann. Es ist Martin Säger.»

So beginnt Zwingli am 25. Mai 1521 ein Rechtfertigungsschreiben an den Luzerner Gelehrten Oswald Myconius [1]. Es handelt von einer gerade kursierenden Flugschrift [2], welche ein traditionelles Bildthema in grober Weise für reformatorische Propaganda in Anspruch genommen hatte. Offenbar wurde Zwingli der Autorschaft verdächtigt, was ihn zu folgender Erklärung veranlasste: Er selbst habe Sägers Entwurf durchgeschaut und dahin korrigiert, dass er das Schwergewicht von Luther auf Gott und Christus verlagert habe.

Abb. 1 und 2

> «Da ich nicht genug Musse hatte, Verse zusammenzufügen, übergab ich den Gegenstand Hans Füessli, eben diesem am Rennweg wohnenden schwerhörigen Giesser..., der, wenn ich predige, immer links in der Nähe der Kanzel steht; deshalb siehst du hier Ausdrücke, die eher uns eigentümlich sind... Wegen seiner Wortwahl haben einige behaupten wollen, es sei unsere Arbeit, bis ich den Mann dazu brachte einzuwilligen, dass man

[1] Z VII, S. 457, 1–4 (lateinischer Originaltext). Übersetzung Ch. G. Deutsche Übersetzung des gesamten Briefes in: Farner, Oskar. Huldrych Zwinglis Briefe, I. Zürich 1918, S. 119 f.

[2] Zur Flugschriftendefinition vgl. Köhler, Hans-Joachim. Die Flugschriften. Versuch der Präzisierung eines geläufigen Begriffs. (Festgabe für Ernst Walter Zeeden zum 60. Geburtstag. Hg. von Horst Rabe, Hansgeorg Molitor und Hans-Christoph Rublack. Münster 1976. (RST Suppl. 2), S. 36–61), S. 50: «Eine Flugschrift ist eine aus mehr als einem Blatt bestehende, selbständige, nichtperiodische und nicht gebundene Druckschrift, die sich mit dem Ziel der Agitation (d. h. der Beeinflussung des Handelns) und/oder der Propaganda (d. h. der Beeinflussung der Überzeugung) an die gesamte Öffentlichkeit wendet.»

öffentlich bekannt machte, es sei sein Werk; bei uns hat er ja nichts zu befürchten[3].»

Zwingli gibt jedoch zu, dass er der Schrift den Titel gegeben und Füessli einige Bibelstellen gezeigt habe. Sodann schreibt er – und das ist im folgenden von besonderem Belang: «Ich habe die Illustration zusammen mit ihm [Füessli] erfunden[4].» Das in gemeinsamer Arbeit von Laien und humanistisch gebildetem Kleriker entstandene Werk[5] wurde rasch und breit rezipiert: Es erlebte mehrere Auflagen, und noch im selben Jahr paraphrasierte Fritz Jakob von Anwyl den Inhalt der «Göttlichen Mühle» in einer ähnlich gestalteten Flugschrift[6]. Der altgläubig gebliebene Franziskanermönch Thomas Murner zählte sie 1523 mit zum aufrührerischen Schrifttum der Zeit[7]. Die Flugschrift der «Göttlichen Mühle» ist eines der wenigen erhaltenen Zeugnisse von Zwinglis frühem Auftreten in Zürich. Sie entstand fast ein Jahr vor dem spürbaren Losbrechen des Aufruhrs. Zwingli als Koordinator, als Lektor und schliesslich als Miterfinder der Titelseite hat ihre Aussage entscheidend mitbeeinflusst; sie sollte unvermutet provokativ ausfallen![8] – Dass Zwingli, der spätere Bildbekämpfer,

[3] Z VII, S. 457 f. Übersetzung Ch. G.

[4] Z VII, S. 458, 3–8: «Hoc tamen feci: loca illi ostendi pleraque in sacris literis, quae ille diligenter volvit et figmentum mecum contulit ... *Figuram una cum illo finxi;* rithmum primum, titulum scilicet, ipse feci, et praeter hunc nihil prorsus.»

[5] *Martin Seger (Säger),* Stadtvogt zu Maienfeld, Vertreter der Bündner auf den Tagsatzungen und Vorkämpfer der Reformation in Graubünden. In der Korrespondenz mit dem Zürcher Reformator erweist sich Seger als kritischer Leser des aktuellen Schrifttums, auch lässt er Zwingli noch zwei weitere Male Flugschriftenentwürfe zukommen. Vgl. Z VII, S. 604 f., Nr. 245; IX, S. 288 f., Nr. 663; 392–394, Nr. 700; 539 f., Nr. 755; X, S. 305 f., Nr. 920; 521 f., Nr. 1001. Zur Biographie Martin Segers vgl.: KÖHLER, WALTHER. Martin Seger aus Maienfeld. (Zwingliana III, 1917–1918), S. 314–321, 329–335. – *Hans Füessli* (1478–ca. 1542) entstammt der wohlhabenden Zürcher Glocken- und Stückgiesserfamilie Füessli und gehörte zu den ersten Anhängern Zwinglis. Vgl. Heinrich Bullingers Reformationsgeschichte. Nach dem Autographon hg. von JOHANN JAKOB HOTTINGER und HANS HEINRICH VÖGELI, I. Frauenfeld 1838, S. 13. Hans Füessli ist Verfasser einer weiteren Streitschrift, der am 20. April 1524 bei Hans Hager in Zürich gedruckten Entgegnung auf ein Büchlein des Strassburger Schulmeisters Hieronymus Gebwyler, die von Zwingli eingeleitet wurde: «Antwurt eins Schwytzer Purens über die ungegründten geschrifft Meyster Jeronimi Gebwilers, Schůlmeisters zů Straßburg, die er zů beschirmung der Römischen kilchen und iro erdachten wesen hat lassen ußgon. Ein Epistel Huldrich Zuinglis.» Zürich ZB, III N 146. Zur Biographie Hans Füesslis vgl.: UFFER, LEZA M. (Hg.). Peter Füesslis Jerusalemfahrt 1523 und Brief über den Fall von Rhodos 1522. Zürich 1982. (Mitteilungen der Antiquarischen Gesellschaft in Zürich, 50/3; 146. Neujahrsblatt), besonders S. 38–40.

[6] «Ein kurtz gedicht so nüwlich ein thurgöwischer Pur / Docter Martin Lutrer [!] unnd siner leer / zů lob und synen widerwerttigenn / zů Spott gemacht hat.» [Zürich, Christoph Froschauer d. Ä., 1521]. Zürich ZB, Zw. 245. Auf dem Recto des letzten Blattes [A 4 a] dieses Exemplars ist der Titelholzschnitt zur «Göttlichen Mühle» wiederverwendet. Abdruck des Textes: SCHADE, OSKAR. Satiren und Pasquille aus der Reformationszeit, 2. Hannover 1857, S. 160–164. Zur Zuschreibung an Fritz Jakob von Anwyl vgl. BAECHTOLD, JAKOB. Geschichte der deutschen Literatur in der Schweiz. Frauenfeld 1892, S. 419, 134 (Anm.).

[7] «Antwurt und ... wider brůder Michel Stifel.» Zitiert in: SCHMIDT, JOSEF. Lestern, lesen und lesen hören. Kommunikationsstudien zur deutschen Prosasatire der Reformationszeit. Bern/Frankfurt am Main/Las Vegas 1977. (Europäische Hochschulschriften, I; Deutsche Literatur und Germanistik, 179), S. 143: «Das sein uwers ewangeliums ewangelisten / so des meinen sein matheus lucas marcus ioannes / die uweren karsthans / kegel hans gugel fritz / *zween buren im schweitzer land* und hennen diepolt mit der leeren deschen.»

[8] Eine ausführliche theologische Analyse des Textes bietet NEUSER, W. H. Die reformatorische Wende bei Zwingli. Neukirchen-Vluyn 1977, S. 127–138.

hier *mit* dem Bild kämpft, muss nicht erstaunen[9]. Die Bilderfrage war 1521 in Zürich noch kein Thema. Auch wurden Illustrationen evangelischer Propagandaschriften von reformatorischer Seite her auf einer anderen Ebene bewertet als Gemälde und Statuen in Kirchen: Diese, die «stummenden bild»[10], verführen zur Anbetung, jene, eng verknüpft mit dem Wort und meist «in geschichteswyß»[11] vermittelt, werben für die rechte Lehre.

Der gemeine Mann kam zu reformatorischen Ideen zunächst durch die traditionellen Kommunikationsformen wie Predigt, öffentliche Zusammenkünfte, Wirtshausgespräche und theatralische Darbietungen[12]. Dazu treten nun Flugblätter und Flugschriften, welche aktuelle Meinungen und Geschehnisse einer breiten Öffentlichkeit zugänglich machen[13]. Die Aussage dieses Tagesschrifttums konnte durch Illustrierung wesentlich verstärkt werden. In der Frühphase der Reformation setzte man noch auf ein Publikum, das im Lesen allegorisierender Darstellungen geübt war. Auch Zwingli und Füessli bedienten sich im Mühlenbild Formen einer durch Schaufrömmigkeit geprägten spätmittelalterlichen Kultur. In ihrem Entwurf verarbeiteten sie:

1. *Eine damals allgemein verbreitete Allegorik des Mahlens und Backens.* Im Mahlvorgang offenbart sich der eigentliche Charakter des Mahlgutes; durch das Backen kann dieses erst als tägliche Nahrung genossen werden: Mahlen und Backen dienen als Metaphern für Vorgänge der Erneuerung und Zeugung[14].

2. *Die biblische Symbolik des Brotes*[15]. In unserem Zusammenhang entscheidend sind die Christusworte bei Jo 6, 32ff.:

[9] Andreas Karlstadt, einer der radikalsten Bildergegner, gilt als Erfinder des ersten reformatorischen Einblattholzschnittes: Lucas Cranach d.Ä. «Fuhrwagen» des Andreas Karlstadt, 1519. Abb. und neueste Literatur in: HOFMANN, WERNER (Hg.). Luther und die Folgen für die Kunst. Katalog der Ausstellung in der Hamburger Kunsthalle, 10. November 1983 bis 8. Januar 1984. München 1983, S. 191f., Kat. 65.

[10] ZWINGLI, HULDREICH. Eine Antwort, Valentin Compar gegeben, 27. April 1525. Z IV, S. 120, 16f.

[11] ZWINGLI, HULDREICH. Eine kurze christliche Einleitung, 17. November 1523. Z II, S. 658.

[12] Zur Meinungsbildung in der Reformation vgl. besonders die beiden Publikationen von SCRIBNER, ROBERT W. Reformation, Carnival and the World Turned Upside-Down. (Städtische Gesellschaft und Reformation. Hg. von Ingrid Bátori. Stuttgart 1980. (Spätmittelalter und Frühe Neuzeit, 12; Kleine Schriften, 2)), S. 234–264. Und: Flugblatt und Analphabetentum. Wie kam der gemeine Mann zu reformatorischen Ideen? (Flugschriften als Massenmedium der Reformationszeit. Beiträge zum Tübinger Symposion 1980. Hg. von Hans-Joachim Köhler. Stuttgart 1981. (Spätmittelalter und Frühe Neuzeit, 13)), S. 65–76.

[13] Zur raschen Zunahme des Tagesschrifttums vgl. HOFFMANN, KONRAD. Die reformatorische Volksbewegung im Bilderkampf. (Luther und die Reformation in Deutschland. Katalog der Ausstellung im Germanischen Nationalmuseum Nürnberg, 25. Juni bis 25. September 1983), S. 219: Für die Jahre 1523–1524 wird eine etwa tausendfache Steigerung der Bücherzahlen gegenüber 1517 verzeichnet. Die Verbreitung dieser Publikationen erfolgte vorwiegend durch Vorlesen, ihre Wirkung blieb also nicht auf ein lesekundiges Publikum beschränkt.

[14] Lateinisch *mollere*, griechisch *μύλλειν*, heisst mahlen, zeugen. Vgl. JUNGWIRTH. Artikel «Mühle». (Handwörterbuch des deutschen Aberglaubens, VI. Hg. von Hanns Bächtold-Stäubli. Berlin/Leipzig 1934–1935, Sp. 602–607), Sp. 603. Zur übertragenen Bedeutung von «backen» vgl. ECKSTEIN. Artikel «Backen». (ebda. I, Berlin/Leipzig 1927, Sp. 754–779), Sp. 760f., 788. Und: MOSER-RATH, ELFRIEDE. Artikel «Backen, Backofen, Bäcker». (Enzyklopädie des Märchens, 1. Hg. von Kurt Ranke. Berlin/New York 1977), Sp. 1131–1137.

[15] Einführung und wichtigste Literatur zur mystischen Mühle: THOMAS, A. Artikel «Mühle, mystische». (Lexikon der christlichen Ikonographie, 3. Hg. von Engelbert Kirschbaum. Freiburg i. Br. 1971), Sp. 297–299.

Dyß hand zwen schwytzer puren gmacht
Furwar sy hand es wol betracht.

1 Hans Füessli, Martin Seger, Huldrych Zwingli: «Beschribung der götlichen müly ...», Titelholzschnitt (145×126 mm). Zürich: Christoph Froschauer d. Ä., 1521. Zürich Zentralbibliothek (Zw. 106 a).

Beschribung der götlichen

müly/so durch die gnad gottes angelassen/vn̄ durch
den hochberümptesten aller mülleren/Erasmum
von Roterodam/das götlich mel zůsamen ge
schwarbet/vnd von dem trüwen becken
Martino Luther gebachen/ ouch
von dem strengen Karsthansē
beschirmpt/durch zwen
Schwitzer puren
zů besten/so
dann grobem vnd
ruchem volck (als sy ge
nent werden) müglichen ist beschriben.

2 Füessli, Seger, Zwingli: «Beschribung der götlichen müly ...», Verso der Titelseite (vgl. Abb. 1).

«Nicht Mose hat euch das Brot vom Himmel gegeben, sondern mein Vater gibt euch das wahre Brot vom Himmel. Denn das Brot Gottes ist der, welcher vom Himmel herabkommt und der Welt Leben gibt ... Ich bin das Brot des Lebens. Wer zu mir kommt, wird nimmermehr hungern, und wer an mich glaubt, wird nimmermehr dürsten.»

3. *Zeitgenössische religiöse Mühlenbilder.* Zwingli und Füessli konnten in ihrem Holzschnitt an Darstellungen anknüpfen, die im 15. und beginnenden 16. Jahrhundert im deutschen Raum vorkamen. Bis heute sind rund 25 solcher Hostienmühledarstellungen bekannt[16]. Im Hostienmühlefenster des Berner Münsters ist uns eine Bildvorlage überliefert, welche Zwingli von seinem Berner Aufenthalt her persönlich gekannt haben könnte, oder welche durch Nachbildungen (Glas- und Wandgemälde in anderen Kirchen, kleine Andachtsbilder) ursprünglich weiter verbreitet gewesen sein mag[17]. Bei der Berner Darstellung wird die Mühle durch den alttestamentlichen, von Moses aus dem Fels geschlagenen Bach angetrieben. Petrus, der den Schieber des Schützen öffnet, leitet das Wasser auf das Mühlrad. Mahlgut sind die vier Evangelisten; in der Rinne erscheinen das Christkind und ein Hostienstrom. Vier Kirchenväter sammeln die Hostien in einem Kelch und verteilen sie an die Gläubigen. Gerahmt wird das Mühlenbild von der Verkündigung. Inhalt der spätmittelalterlichen Sakramentsmühlen ist somit die Veranschaulichung von Menschwerdung und Eucharistie.

Abb. 3

Der Titelholzschnitt zur «Göttlichen Mühle»

Das traditionelle, sakramental geprägte Mühlensinnbild wird nun in unserem Titelholzschnitt zu einer Allegorie auf die Verbreitung des reinen Gotteswortes: Man erblickt das *Mühlwerk* mit Trichter, Mühlkasten, Rinne und Auffangbehälter durch die offene Frontseite des Hauses. Im Text erfahren wir vom langen Stillstand der Mühle (13 ff.). Dadurch habe die Menschheit Mangel an geistiger Nahrung, am Wort Gottes, gelitten (32):

«Dann das wasser der waren leer [Lehre] / Was von dem rechten weg fast veer [weit entfernt] / Gerunnen, also lang, byß das / Die Evangelisch warheit was / An vil orten verschwigen gar.» (15–19)

Jetzt aber habe Gott viele Menschen erleuchtet (40), er habe in der «wůsty (das ist Tütsch land ...)» (108) einen «heytern puschen» (111) angezündet. – Sinngemäss zeigt sich auf dem Holzschnitt der segnende Gottvater in einem umstrahlten Wolkenband. Der Funke der Erleuchtung springt von ihm auf die Mühle über. Die Mühle dient der Erneuerung des Evangeliums. Sie wird angetrieben vom Mühl-

[16] Zusammengestellt von RYE-CLAUSEN, H. Die Hostienmühlebilder im Lichte mittelalterlicher Frömmigkeit. Stein am Rhein 1981. Eine weitere Hostienmühle erwähnt MICHLER, WIEBKE. Zu einer unbekannten Darstellung der Mystischen Mühle in der Hospitalkirche zu Allendorf (Symbolon, N. F. 5, 1980), S. 129–142.

[17] Zum Berner Hostienmühlefenster vgl.: Die Kunstdenkmäler des Kantons Bern, IV: Das Berner Münster, von LUC MOJON. Basel 1960, S. 304–317.

bach, der durch Gottes Gnade wieder ins richtige Bett zurückgelenkt worden ist.

Mahlgut sind die «fier Evangelisten mit sambt dem usserwelten vaß [Gefäss] Paulo» [A2a]. Sie werden von Christus in den Trichter geschüttet. Der Holzschnitt, hier präziser als der Text, verweist auf spezifisch reformatorisches Bibelverständnis. Paulus mit dem Schwert, in den katholischen Hostienmühlen lediglich als Antriebskraft, nie aber als Mahlgut gebraucht, ist uns hier als der Wichtigste zugewandt. Luthers und Zwinglis Beschäftigung mit den Paulusbriefen war für die Ausbildung reformatorischer Theologie massgebend[18]. – In der Rinne erscheinen vier Schriftbänder: «hoffnung», «lieb», «gloub» und «sterk». Die evangelische Mühle also bereichert das «katholische Mahlgut» um den Apostel Paulus und mahlt daraus nicht konsekrierte Hostien, sondern zentrale Begriffe eines paulinischen Tugendkatalogs[19].

Aufschlussreich ist die Zuweisung der *Arbeit* in den Mühlenallegorien. In der Siezenheimer Darstellung beispielsweise ist die in Wirklichkeit harte und mit schweren Einschränkungen verbundene Aufgabe[20] aller irdischen Mühsal enthoben; die Engel selbst sammeln und sieben den gemahlenen Weizen, kneten den Teig und formen ihn zu Oblaten. In Zwinglis Holzschnitt dagegen werden die Arbeiten vom himmlischen wie vom irdischen Personal übernommen. Am Anfang steht Karsthans, der Bauer, der das Korn drischt. Direkt an der Mühle arbeiten Christus als Müller und Erasmus als Müllersknecht, der das Mehl, so der Text, «schwarbt» [zusammenschaufelt] und «beutelt» [siebt] [A1b; A2a]:

Abb. 4

> «Erasimen von Roterdam, / Hat uns den weg recht uff gethon, / Das wir sicherlich mögen gon / Zů der waren heyligen gschrifft, / die alle ding wyt übertrifft ...» [116–120]

Der Holzschnitt zeigt Erasmus in einer langen Schaube und mit Barett, der Bekleidung des Gelehrtenstandes. Mit einer Schaufel sammelt er die Tugendbänder in einen durch eine Kombination von Mühlrad und Kreuz gekennzeichneten Mehlsack. Darüber flattert die Taube des Heiligen Geistes. – Hinter Erasmus steht Luther als Augustinereremit am Backtrog. Die Ärmel der Kutte aufgekrempelt, knetet er den Teig:

> «Doctor Luther, der waren leer / Ein Herold, in disen sachen / Hat sich angnommen zů bachen, / Das wasser zů dem mel gethon, / den teig wol in griffen gehan, / Da mit das war mel werd zů brot ...» [154–159]

Die aus dem göttlichen Mehl gebackenen Brote werden zur evangelischen Lehre und in Form von Büchern durch einen weiteren Gelehrten verteilt.

[18] Als Professor der biblischen Exegese hielt Luther zwischen 1515 und 1518 Vorlesungen über den Römer-, den Galater- und den Hebräerbrief. Veranlasst durch Erasmus' Edition des griechischen Neuen Testaments schrieb Zwingli 1516 die Paulusbriefe dort eigenhändig auf Oktavformat ab, um sie gemäss dem Rat des Herausgebers «immer in der Tasche zu haben».

[19] Vgl. z.B. Gal 5,22 f.

[20] Die Beschwerdebriefe der Bauern von 1525 verurteilten auch den Mahlzwang und forderten freie Wahl der Mühle. Vgl. für Zürich die Artikel der Bauern von Greifensee vom 7. Mai 1525: EAk 710.15.

3 Bern, Münster. Hostienmühle-Fenster (drittes Fenster der Evangelienseite). Wahrscheinlich 1450/51 oder 1452/53 vollendet. Gesamtansicht der unteren Fensterhälfte.

Den drei reformatorisch Gesinnten stehen die *Vertreter der kirchlichen Hierarchie* gegenüber, anhand ihrer Würdezeichen identifizierbar als Papst, Kardinal, Bischof, Dominikanermönch sowie als ein nicht weiter bestimmbarer Ordensgeistlicher. Ihnen wird das Evangelium angeboten, das sie jedoch abwehren und zu Boden fallen lassen: Das «usser welt gebachen brot» wird von den «unverstendigen, blinden, tollen, verstopfften, gytigen und hochfertigen» (A2a) verweigert. Wie einst der ägyptische Pharao die Israeliten, so unterdrückt jetzt der Papst die Christenheit «mit strengen wercken schwer und groß, / Unzallarlich [!] über die maß» (83f.). Die Kleriker sind die Philister (161), Räuber (73, 211) und Wölfe (213), eine Bedrohung für die hirtenlos gelassene Schafherde (93). Ihre Unproduktivität und Lasterhaftigkeit, schon in spätmittelalterlicher Kirchenkritik topisch, wird auch hier gegeisselt: sie sind die «Unnützen» (210), die «die schwär burdy, so wir tragen, / ... nit wellen an růren / Mit eim finger» (86–88).

Die Konfrontation von *Freunden und Feinden des Evangeliums* ist in der Flugschriftenliteratur ein häufig verwendetes und äusserst wirksames Propagandamittel. Die lutherische Bewegung wird dabei mit Christus, dem Wort und der Bibel gleichgesetzt, den Altgläubigen dagegen soziale Ungerechtigkeit und Verhinderung der wahren Lehre vorgeworfen[21]. So auch in der Zürcher Flugschrift: Im Gegensatz zu den traditionellen Darstellungen liegt die Mühle nicht mehr auf der zentralen Bildachse, sondern in jener Hälfte, in der Gott präsent ist. Davon geschieden ist eine gottlose Sphäre. Die Rollen der Beteiligten sind im Vergleich mit dem Berner Hostienmühlefenster polemisch vertauscht: Anstelle der Kirchenväter stehen drei Kritiker altgläubiger Frömmigkeitspraxis, anstelle des vertrauensvoll das Sakrament empfangenden Volkes steht der Klerus, der aber die Lehre, das wahre geistige Brot, verschmäht. Über diesem fliegt ein «ban, ban» krächzender Vogel. Realiter bedroht der Bann zwar Luther; das drachenähnliche Untier erinnert jedoch an Darstellungen des Teufels oder des Antichrists und wird so unwillkürlich zum entlarvenden Attribut des Papstes. Die Gruppe der Arbeitenden dagegen erhält ihre Legitimation durch das tätige Mitwirken der hl. Dreifaltigkeit. – Im «Sermon von den guten Werken» und in der Adelsschrift von 1520 hatte Luther der katholischen Werkgerechtigkeit die alltägliche Berufsarbeit als Gottesdienst und Dienst am Nächsten gegenübergestellt und so zur Freisetzung eines ungeheuren ökonomischen Potentials beigetragen[22]. Das neue Arbeitsethos findet seine Formulierung auch in den werktätigen Evangelienbäckern des Holzschnitts:

[21] Vgl. SCRIBNER, ROBERT W. For the Sake of Simple Folk. Popular Propaganda for the German Reformation. Cambridge 1981. (Cambridge Studies in Oral and Literate Culture, 2), S. 37–58.

[22] Vgl. z. B.: Von den guten Werken. (D. Martin Luthers Werke. Kritische Gesamtausgabe, 6. Weimar 1888, S. 202–276), S. 205, 15–19: Gute Werke sind nicht nur «in der kirchen beten, fasten, unnd almoszen [geben]» sondern vor allem «wann sie arbeyten yhr handtwerg, ghan, sthan, essen, trincken, schlaffen, und allerley werck thun zu des leybs narung odder gemeinen nutz». Zum reformatorischen Arbeitsbegriff vgl. ZUR MÜHLEN, KARL-HEINZ. Artikel «Arbeit VI: Reformation und Orthodoxie». (Theologische Realenzyklopädie, 3. Berlin/New York 1978), S. 635–639.

4 Siezenheim (Bezirkshauptmannschaft Salzburg), Pfarrkirche Hl. Maria. Hostienmühlebild (Südwand des Chores). 1. Hälfte 17. Jh.?

Die Arbeit an der Mühle (die Verbreitung des Evangeliums) wird vom Bauern-, Handwerker- und Gelehrtenstand gemeinsam geleistet. Dieser sozialutopische Zug – die Verbrüderung des mittleren und unteren Standes – ist kennzeichnend für die frühe Phase der Reformation.

Das Scharnier der Darstellung bildet der mit *«Karsthans»*[23] beschriftete Bauer. Er ist standesgemäss bekleidet, trägt Waffe und schwingt den Dreschflegel. Zur selben Grösse wie Christus angewachsen und alle mit seinem Flegel überragend hat er sich von seiner bisher untersten Position in den obersten Rang erhoben. Anfang

[23] Karsthans: Spottname für Bauer, als dessen Abzeichen der Karst (Hacke) galt. Grimm V 231f.

1521 wurde die von einem anonymen Autor verfasste Flugschrift «Karsthans» erstmals gedruckt[24]. In der literarischen Form eines humanistischen Gesprächbüchleins reagierte sie auf Thomas Murners Anti-Luther-Polemik[25]. Karsthans, auf dem Titelblatt mit geschulterter Feldhacke, tritt dort im Text als reformationsfreundlicher, bibelfest argumentierender Laie auf. Wiederholt versucht er zwar, durch direkten Angriff – «wo ist myn pflegel» – seiner Empörung Luft zu verschaffen, wird dabei aber von Luther persönlich gebremst: «nit lieber fründt, es soll von mynet wegen niemant fechten noch todschlagen»[26]. – Der Wirkungsbereich des «Karsthans» war ausserordentlich breit und löste bis zur Niederlage der Bauernbewegung 1525 eine Flut weiterer Flugschriften aus[27]. Diese Nachfolgeschriften, fiktiv von Bauern, tatsächlich von Gelehrten verfasst, fielen oft radikaler aus als ihre Vorlage. Der Name «Karsthans» wurde schon bald als sozialprogrammatischer Begriff rezipiert.

In der Ausgestaltung der Figuren von Karsthans, Erasmus und Luther könnten Zwingli und Füessli überdies durch damals gängige allegorische Deutungen der Arbeiten von Bauer, Müller und Bäcker angeregt worden sein. In einem um 1494 in Nürnberg entstandenen Einblattdruck stehen Säen, Mahlen und Backen für das Erlernen des Triviums, nämlich das Studium der elementaren Grammatik, des «wohl setzen[s]» (Rhetorik) und «straffen[s]» (Logik) der Rede. – Um eine rhetorische Mühle geht es auch im Zürcher Holzschnitt: Indem aber hier Bauer, Müller und Bäcker nicht nur Sinnbilder für die trivialen Künste sind, sondern als Karsthans, Erasmus und Luther aktiv in die Wortproduktion und -verarbeitung eingreifen, lösen sie sich vom gleichnishaften Charakter der allegorischen Konvention; sie propagieren die neue Bibellektüre: Das Evangelium, nach reformatorischer Lehre ausschliessliche Quelle und Norm des Glaubens und unmittelbar klar, bleibt nicht mehr nur «münch» und «pfaffen» vorbehalten (43ff.); zu seiner Auslegung ist neuerdings auch Karsthans befugt, «der die heylig gschrifft yetz ouch verstat» (204).

Abb. 5

Die Gebärde von Karsthans ist doppeldeutig. Er drischt das Korn, das zur rechten Lehre verarbeitet wird, und bedroht zugleich die Feinde des Evangeliums[28]. So begreift es auch der Text selber:

> «Welt man in betriegen wie for, / So ist er so ein grober thor, / Er schlůgy mit dem pflegel drin. / Sölt joch [sogar] sin Studens eyner sin, / Gyltet glich, ob im der grind blůt. / Ouch die unnützen roten hůt, / Gytig münch

[24] Strassburg, Johann Prüss d. J., 1521.]. Abdruck des Textes: Karsthans. Hg. von HERBERT BURCKHARDT. Leipzig 1910. (Flugschriften aus den ersten Jahren der Reformation, IV. Hg. von Otto Clemen).

[25] SCHMIDT (wie Anm. 7), S. 135.

[26] BURCKHARDT (wie Anm. 24), S. 95, Z. 23f.

[27] «... dass Luther im Mai 1521 zu Melanchthon äussern konnte: ‹Habet Germania multos Karsthansen› (Deutschland hat viele Karsthansen).» Zitiert in: Martin Luther und die Reformation in Deutschland. Katalog der Ausstellung im Germanischen Nationalmuseum Nürnberg (wie Anm. 13), S. 248f. Kat. 314. Zu vom «Karsthans» beeinflussten Flugschriften vgl. SCHMIDT (wie Anm. 7), Tabelle S. 148f.

[28] Die Gebärde des Bauern erinnert auch an Christus, der die Wechsler aus dem Tempel geisselt. Vgl. das entsprechende Bildpaar des im Mai 1521 in 1. Aufl. ausgelieferten und in kürzester Zeit vergriffenen «Passional Christi und Antichristi». Abb. in: PILTZ, GEORG (Hg.). Ein Sack voll Ablass. Bildsatiren aus der Reformationszeit. Berlin/DDR 1983, S. 42, Abb. 26.

5 Die Theologie und die sieben freien Künste. Ausschnitt aus dem obersten Querstreifen: Allegorische Darstellung der Grammatik als Sämann, der Rhetorik als Müller und der Logik als Bäcker. Je etwa 100×50 mm. Nürnberg: Peter Wagner, um 1494. Ursprünglich Einblattdruck von grossen Abmessungen mit allegorischen Darstellungen in Querstreifen. Heute nur noch fragmentarisch erhalten. Gotha, Kupferstichkabinett.

und reubig pfaffen / Wurdend all nüt vor im schaffen: / Als die wolff wurd ers verjagen.» (205–213)

In diesem Sinne sprengt das Flegelschwingen des Bauern das gängige allegorische Handlungsmodell völlig und wird zur revolutionären «allégorie réelle», zur realen politischen Bedrohung[29].

Die «Göttliche Mühle» ist als Reaktion auf die aktuellen religionspolitischen Ereignisse zu verstehen. Seit dem 3. Januar 1521 stand Luther unter dem kirchlichen Bann, am 17./18. April lehnte er in Worms den Widerruf ab, und am 8./26. Mai wurde er in die Reichsacht gesetzt. – Zwinglis Brief an Myconius datiert vom 25. Mai; die Flugschrift muss kurze Zeit davor entstanden sein. Deutliche Indizien dafür, dass hier Luthers Situation zur Sprache gebracht wird, sind der Bannvogel im Titelbild und im Text die Aussagen, dass die

[29] Auf die strukturelle Analogie mit Gustave Courbets «allégorie réelle» kann hier lediglich verwiesen werden.

Philister Luther gerne töten wollten (161 f.), dass es aber «noch vil biderber lüt» gäbe,

> «... wol mee dann sibentusend man, / Die ir knüw nit gebogen han / Vor Baal, Dem Abgot der Heyden / ... Die ouch ir mund uff gethon hand / Zů ring umb in dem Tütschen land ...» (170–176)

Im Titelholzschnitt der «Göttlichen Mühle» wird reformatorische Ethik auf humanistisch-gelehrte Art und mit der Gabe zur Uminterpretation traditioneller Bildgehalte vermittelt. Für den Entwurf einer ebenso komplexen wie anschaulichen Darstellung war die Mitwirkung einer Person wie Zwingli nötig.– Zum Schluss bleibt eine Frage: Alle Figuren auf dem Holzschnitt sind durch Inschriften und Attribute als Individuen oder Standesvertreter identifizierbar – mit einer Ausnahme: Ganz unauffällig, aber an kompositorisch wichtiger Stelle, fast im Schnittpunkt der Diagonalen, steht ein Unbekannter. Ihm fällt die Aufgabe zu, das, was Erasmus und Luther vorbereitet haben, an die Öffentlichkeit zu tragen. Wer ist dieser Brot- und Evangeliumsverteiler in Gelehrtentracht? – Vergegenwärtigen wir uns die Situation, in der die Flugschrift entstanden ist: In Zürich war es im Mai 1521 noch ruhig. Zwinglis Predigten hatten grossen Zulauf, stiessen aber auch auf Opposition. So hatte der Chorherr Konrad Hofmann seit Zwinglis Berufung belastendes Material gegen ihn gesammelt. Dieses stellte er in einer Klagschrift zusammen, welche er im Frühjahr 1522 an Propst und Kapitel des Grossmünsters einreichte. Hofmann forderte dort, Zwingli solle auf der Kanzel nicht öffentlich verkünden,

> «dass man das heilig Evangelium und die cristenlich warheit hie nit dörfe predigen, oder dass jeman hie desselben halb lib und leben müesse wagen ...» [30],

ferner wollte Hofmann,

> «dass si [Zwingli und andere Geistliche] Doctor Luthers meinungen und leren gar keine, heimlich oder offentlich, lerend ...» [31].

Um wen könnte es sich beim Unbekannten handeln, wenn nicht um den Magister Zwingli selbst? Die exponierte, angefochtene Stellung des Gelehrten im Holzschnitt entspricht auffällig dem durch seine Predigttätigkeit ins Schussfeld geratenen Zürcher Reformator. Sein zögerndes Eingeständnis, Mitverfasser der «Göttlichen Mühle» zu sein, und das offensichtliche Vorschieben eines Strohmannes (Hans Füessli) passen gut zur gewahrten Anonymität der Figur im Bild. Hätte man diese beschriftet, wäre der eben zum Chorherrn avancierte Leutpriester zweifellos in Schwierigkeiten geraten. Ob das Kryptoporträt schon von Zwingli geplant oder erst später von Füessli oder dem Reisser des Holzschnitts hinzugefügt wurde, muss dabei offenbleiben.

Die Folgerung mag zunächst überraschen. Der Tatsache aber, dass eindeutige Beweisstücke fehlen, ist folgendes entgegenzuhal-

[30] «Klagschrift des Chorherrn Konrad Hofmann wider Zwingli, an Propst und Capitel zum Grossmünster eingereicht.» EAk 213.6.
[31] EAk 213.9.

ten: In einer so durchdachten und scharf formulierten Bild-Erfindung kann nichts zufällig gesetzt worden sein: Gerade eine Figur in dieser Schlüsselstellung verlangt nach Erklärung. Verknüpft man nun alle verfügbaren Indizien, bietet sich eine Identifikation des gelehrten Brotverteilers mit dem evangelisch predigenden Leutpriester zumindest als sehr wahrscheinlich an. – Im Titelholzschnitt der «Göttlichen Mühle» wäre uns somit das älteste bisher bekannte Zwingli-Bildnis überliefert und das einzige affirmative, das noch zu Lebzeiten des Reformators entstanden ist[32]. – In der Darstellung setzt Zwingli, im Schutz von Karsthans, die Reihe der Reformatoren fort. Dadurch aber erscheinen die sich in Deutschland mittlerweile tumultartig überstürzenden Ereignisse in einem auch für Zürich nicht mehr ungefährlichen Licht.

Zum Flugschrift-Text

Die «Göttliche Mühle» erschien zu einem Zeitpunkt, als in Deutschland Luthers Schriften schon beispiellose Auflagenhöhen erzielt hatten und die religiösen Streitfragen in einer umfangreichen propagandistischen Literatur diskutiert wurden. Sie steht am Anfang einer zürcherischen Flugschriftenproduktion, die in den nächsten Jahren massiv ansteigen sollte, so dass die Tagsatzung in Baden vom Dezember 1522 verlangte, besonders in Zürich und Basel «das drucken sölicher nüwen büechlin ab[zu]stellen; dann es ist zuo besorgen, wo man solichem nit dapfern widerstand tuon wurde, daß darus große unruow und schad uferstan wurde» (Eidg. Absch. IV/1a, 255, n.). – Druck und Vertrieb in- wie ausländischer Schriften hat Zürich dabei fast ausschliesslich der Tätigkeit Christoph Froschauers d. Ä. zu verdanken.

Die Mühlenschrift ist quellenmäßig relativ gut belegt. Zwinglis Brief an Myconius nennt die Verfasser und fixiert einen terminus ante quem. Agitatorische Literatur musste oft rasch produziert werden: Zwinglis «Göttliche Vermahnung an die Eidgenossen zu Schwyz» vom Mai 1522 war in weniger als 100 Stunden geschrieben, von Froschauer gedruckt und nach Schwyz versandt worden (Z I, 156 f.).

Im Titelreim benutzt Zwingli den gerade aufkommenden publikumswirksamen Trend, Bauern als Verfasser reformatorischer Flugschriften vorzugeben. Im Text werden durch geschickt aneinandergereihte Bibelzitate parteiliche Aussagen über frühreformatorische

[32] Ein Zwingli-Bildnis wurde an der Fasnacht 1523 in Luzern verbrannt: LOCHER, S. 426; Eidg. Absch. IV/1a, S. 893, 901. Ein weiteres Schandbild zeigt Murners Ketzerkalender (siehe Abb. S. 78). – Zur Zwingli-Ikonographie und den erhaltenen Zwingli-Porträts vgl.: Zürcher Kunst nach der Reformation. Hans Asper und seine Zeit. Katalog zur Ausstellung im Helmhaus, Zürich, 9. Mai bis 28. Juni 1981, S. 62, Nr. 22. – Nach Abschluss des Manuskripts erhielt ich Kenntnis von HIERONYMUS, FRANK. Basler Buchillustration 1500–1545. Ausstellung in der Universitätsbibliothek Basel, 31. März bis 30. Juni 1984. Basel 1984. (Oberrheinische Buchillustration, 2; Publikationen der Universitätsbibliothek Basel, 5), Kat. 214. Auch Hieronymus erwägt die Identifikation des Evangeliumsverteilers mit Zwingli, allerdings ohne jegliche Begründung.

Themen geboten. Auffallend ist dabei der aggressive, nicht biblisch unterlegte Charakter der Karsthans-Stelle. Ihr unverhüllt sozialkritischer Ton muss selbst reformatorisch gesinnten Kreisen zu provokativ erschienen sein: Bei einer Variante des Froschauer Druckes (Berlin EKU, vgl. Druckbeschreibung) mit handschriftlichen Eintragungen (16. Jh.) sind die Karsthans-Verse (V. 203–214) gestrichen und V. 215 direkt an V. 202 angeschlossen (durch Zugabe von «und wir» am Versanfang und grammatikalische Umwertung von «ruͤffen»). Am linken Rand ist von unbekannter Hand notiert: «Diser verß höret nit harzu, mann soll in hie ussen lassen». – Ob es sich dabei um Redaktionsarbeit für einen neuen Druck handelt oder um eine Anweisung zum Vorlesen, bleibe hier dahingestellt.

Druckbeschreibung

Im folgenden halte ich mich an die Richtlinien von Weismann, Christoph. Die Beschreibung und Verzeichnung alter Drucke. Ein Beitrag zur Bibliographie von Druckschriften des 16. bis 18. Jahrhunderts. (Flugschriften als Massenmedium der Reformationszeit. Beiträge zum Tübinger Symposion 1980. Hg. von Hans-Joachim Köhler. Stuttgart 1981. [Spätmittelalter und Frühe Neuzeit, 13]), S. 447–614. Dem Forschungsprojekt «Bibliographie der deutschen und lateinischen Flugschriften des frühen 16. Jahrhunderts», Tübingen 1978 ff., verdanke ich wertvolle Angaben.

[Hans Füessli, Martin Seger, Huldrych Zwingli]: Beschreibung der göttlichen Mühle, Zürich: [Christoph Froschauer d. Ä., 1521]

[Bl. A1a:] Dyß hand zwen schwytzer puren gmacht ‖ Fürwar sy hand es wol betracht. ‖ [Holzschnitt] ‖
[Bl. A1b:] Beschribung der goͤtlichen ‖ müly / ...
[Am Ende, Bl. A6a:] [Blättchen] Gedruckt zuͦ Zürich. [Blättchen] ‖, [danach 4 Schlußverse] ‖

4°. 6 Bl. (letzte S. leer); Sign. A^6; Drucktypen: gotisch; Titelholzschnitt (145×126 mm); Bl. A2a: xylographische Zier-Initiale S: Putto mit Vase (35×36 mm), das Alphabet wurde seit 1520 von der Offizin Froschauer verwendet: Leemann-van Elck, Paul. Die Offizin Froschauer. Zürich 1940. (Mitteilungen der Antiquarischen Gesellschaft in Zürich, 33/2; 104. Neujahrsblatt), S. 170 f., 173 (Abb.).

Vorhanden

*Basel UB (Falk 2931.3); *Bern StB (AD. 273, ohne Titelholzschnitt); *Schaffhausen StB (NB 219); *ZBZ (Zw. 106 a).

Druckvariante

Satzidentisch mit dem hier beschriebenen Druck, jedoch ist das typographisch gesetzte Wort «Karsthans» im Titelholzschnitt kopfstehend. *Vorhanden:* Berlin, Evangelische Kirche der Union, Bibliothek (Refschr. 1397); mit hdschr. Eintragungen. Wiedergabe in Mikroform: KÖHLER, HANS-JOACHIM, HILDEGARD HEBENSTREIT, CHRISTOPH WEISMANN (Hg.). Die deutschen und lateinischen Flugschriften des frühen 16. Jahrhunderts. Microfiche-Serie. Tübingen 1978 ff. Fiche 279, Nr. 794.

Bibliographie

PANZER, GEORG WOLFGANG. Annalen der älteren deutschen Literatur, 2. Nürnberg 1805, Nr. 1211 (diese Ausg.?). – GOEDEKE, KARL. Grundrisz zur Geschichte der deutschen Dichtung, 1. Hannover 1859, S. 204, Nr. 5 a (diese Ausg.?). – WELLER, EMIL. Repertorium typographicum. Die deutsche Literatur im ersten Viertel des sechzehnten Jahrhunderts. Nördlingen 1864. (G.W. Panzers Annalen der älteren deutschen Literatur, 3), Nr. 1740 (diese Ausg.?). – STRICKLER, JOHANN. Neuer Versuch eines Literatur-Verzeichnisses zur schweiz. Reformationsgeschichte enthaltend die zeitgenössische Literatur (1521–1532). (Actensammlung zur Schweizerischen Reformationsgeschichte in den Jahren 1521–1532, 5. Zürich 1884), Nr. 6. – FINSLER, GEORG. Zwingli-Bibliographie. Verzeichnis der gedruckten Schriften von und über Ulrich Zwingli. Zürich 1897, Nr. 106 a. – Ulrich Zwingli. Zum Gedächtnis der Zürcher Reformation 1519–1919. Zürich 1919, Nr. 115, Abb. (Titelholzschnitt). – LEEMANN-VAN ELCK, PAUL. Zur Zürcher Druckgeschichte: 1. Zürcher Wiegendrucke; 2. Peter und Hans Hager; 3. Hans Rüegger. Bern 1934. (Bibliothek der Schweizer Bibliophilen, II/3), S. 69 f., Nr. 14. – *ders.* Die Offizin Froschauer. Zürich 1940, S. 50 f., Abb. 12 (Titelholzschnitt). – *ders.* Die zürcherische Buchillustration von den Anfängen bis um 1850. Zürich 1952, S. 19 f., Abb. 11 (Titelholzschnitt). – HEGG, PETER. Die Drucke der «Göttlichen Mühle» von 1521. (Schweizerisches Gutenbergmuseum 40, 1954), S. 140 f., Druck B, Abb. 2 (Titelholzschnitt). – BENZING, JOSEF. Die Drucke der «Göttlichen Mühle» von 1521. Eine Ergänzung. (Schweizerisches Gutenbergmuseum 42, 1956), S. 45, Druck B. – STAEDTKE, JOACHIM. Anfänge und erste Blütezeit des Zürcher Buchdrucks. Zürich 1965, S. 44 f., Abb. (Titelholzschnitt). – PEGG, MICHAEL A. Bibliotheca Lindesiana. Baden-Baden 1977. (Bibliotheca Bibliographica Aureliana, LXVI), 1983 (diese Ausg.?). – *ders.* A Catalogue of German Reformation Pamphlets (1516–1550) in Swiss Libraries. Baden-Baden 1983. (B. B. A., IC), 5050 (diese Ausg.?, als Drucker wird Hans Hager vermutet).

Wiedergabe anderer Drucke

Textabdruck: SCHEIBLE, J. Das Kloster, 10. Stuttgart 1848, S. 377–384, VI. [Augsburg, Melchior Ramminger, 1521]? – SCHADE, OSKAR: Satiren und Pasquille aus der Reformationszeit, 1. Hannover 1856, S. 19–26, 198–201 (Anm.), II. [Augsburg, Melchior Ramminger, 1521]?

Weitere Literatur

BÄCHTOLD, JAKOB. Geschichte der deutschen Literatur in der Schweiz. Frauenfeld 1892, S. 418 f. – EGLI, EMIL. Die «göttliche Mühle». (Zwingliana II, 1910), S. 363–366. Nachtrag von W[alter Köhler], S. 366–370. – HUMBEL, FRIDA. Ulrich Zwingli und seine Reformation im Spiegel der gleichzeitigen, schweizerischen volkstümlichen Literatur. Leipzig 1912. (Quellen und Abhandlungen zur schweizerischen Reformationsgeschichte, I), S. 28–31. – BEBERMEYER, GUSTAV (Hg.). Thomas Murner. Die Mühle von Schwindelsheim und Gredt Müllerin Jahrzeit. Berlin/Leipzig 1923. (Thomas Murners Deutsche Schriften, IV), S. 81 f. – STEINMANN, ULRICH. Das mittelniederdeutsche Mühlelied. Eine allegorische Darstellung der Messehandlung aus dem 15. Jahrhundert. (Jahrbuch des Vereins für niederdeutsche Sprachforschung 66/67, 1930/31, S. 60–110), S. 67. – Von der Freiheit eines Christenmenschen. Kunstwerke und Dokumente aus dem Jahrhundert der Reformation. Katalog der Ausstellung Berlin 1967, Nr. 178 (KLAUS POPITZ). – THOMAS, ALOIS. Artikel «Mühle, mystische». (Lexikon der christlichen Ikonographie, 3. Hg. von Engelbert Kirschbaum. Freiburg i. Br. 1971, Sp. 297–299), Sp. 299. – ZSCHELLETZKY, HERBERT. Die «drei gottlosen Maler» von Nürnberg. Sebald Beham, Barthel Beham und Georg Pencz. Historische Grundlagen und ikonologische Probleme ihrer Graphik zu Reformations- und Bauernkriegszeit. Leipzig 1975, S. 236 f. – Flugschriften aus dem Umkreis des Bauernkrieges. Katalog der Ausstellung in der Universitätsbibliothek Tübingen 1975, Nr. 26. – NEUSER, WILHELM. Die reformatorische Wende bei Zwingli. Neukirchen-Vluyn 1977, S. 127–138. – RYE-CLAUSEN, H.: Die Hostienmühlebilder im Lichte mittelalterlicher Frömmigkeit. Stein am Rhein 1981, S. 149 f. – SCRIBNER, S. 104 f. – SCHMIDT, JOSEF. Lestern, lesen und lesen hören. Kommunikationsstudien zur deutschen Prosasatire der Reformationszeit. Bern/Frankfurt am Main/Las Vegas 1977 (Europäische Hochschulschriften, I; Deutsche Literatur und Germanistik, 179), S. 156–158. – Asper, Nr. 146. – Luther Nürnberg, Nr. 315 (KONRAD HOFFMANN). – Luther Hamburg, Nr. 55 (PETER-KLAUS SCHUSTER). – Ohn' Ablass von Rom kann man wohl selig werden. Streitschriften und Flugblätter der frühen Reformationszeit. Hg. vom Germanischen Nationalmuseum Nürnberg. Mit einer Einführung von KONRAD HOFFMANN. Nördlingen 1983, S. 21. – HIERONYMUS, FRANK. Basler Buchillustration 1500–1545. Katalog zur Ausstellung in der Universitätsbibliothek Basel, 31. März bis 30. Juni 1984. Basel 1984. (Oberrheinische Buchillustration, 2; Publikationen der Universitätsbibliothek Basel, 5), Nr. 214.

Druck

Der Zürcher Druck Froschauers ist die Erstausgabe der «Göttlichen Mühle». Zur Druckgeschichte vgl.: HEGG, PETER. Die Drucke der «Göttlichen Mühle» von 1521. (Schweizerisches Gutenbergmuseum 40, 1954), S. 135–150, und BENZING, JOSEF. Die Drucke der «Göttlichen Mühle» von 1521. Eine Ergänzung. (Schweizerisches Gutenbergmuseum 42, 1956), S. 45 f. Eine vollständige Aufnahme aller Drucke und

Druckvarianten ist zur Zeit noch in Arbeit: KÖHLER, HANS-JOACHIM, HILDEGARD HEBENSTREIT, CHRISTOPH WEISMANN (Hg.). Bibliographie der deutschen und lateinischen Flugschriften des frühen 16. Jahrhunderts. Tübingen 1978 ff.

Beschribung der götlichen müly

[A1a]
Dyß hand zwen schwytzer puren gmacht.
Fürwar sy hand es wol betracht.

[A1b]
Beschribung der götlichen müly, so durch die gnad gottes angelassen und durch den hochberuͤmptesten aller mülleren, Erasmum von Roterodam, das götlich mel zuͦsamen geschwarbet[33] und von dem trüwen becken[34] Martino Luther gebachen, ouch von dem strengen[35] Karsthansen[36] beschirmpt, durch zwen Schwitzer puren zum besten, so dann grobem und ruchem volck (als[37] sy genennt werden) müglichen ist, beschriben.

[A2a]
Der erst Pur.
(S)ygest gegruesset aller tieffgründtister und hochgelertester Müller, din müly zuͦ malen uß den fier Evangelisten mit sambt dem usserwelten vaß[38] Paulo zuͦ malen ist angelassen, uff welcher müle das aller zartest, heilsam unnd hunigsuͤssest[39] mel der götlichen warheit zuͦ einem trost Christenlichem volk täglichen malt; darus das aller best brot gebachen: Jedoch, verdampter gyt[40], durch inblasung Sathane sölich mel nit für hunigsuͤß[41], sunder als bitter gallen[42] erkent würt: In hoffnung, unser Schöpffer werde mit sinen götlichen gnaden gedachttem müller, welchen ich acht für den andren Dannielem als ein waren Propheten[43], uß dem (ungezwyflet) der heylig geist redt[44], bystand thuͦn, da mit das suͤß mel in scherpffe siner vernunfft gebütlet[45], durch die unverstendigen, blinden, tollen, verstopfften, gytigen und hochfertigen, so sich achten gelert[46], Iren verkerten blintheiten

[33] zusammengerafft, -gescharrt. (SI IX 2146).
[34] Bäcker.
[35] starken, tatkräftigen.
[36] Karsthans: Hauptfigur der gleichnamigen Flugschrift von 1521. Vgl. oben S. 27.
[37] wie.
[38] Gefäss; vgl. Act 9, 15.
[39] Vgl. Ps 18, 11; 118, 103; Sir 24, 27.
[40] Geiz.
[41] Wie Anm. 39.
[42] Vgl. Act 8, 23.
[43] Zur Bezeichnung von Luther als «anderer Daniel» vgl. GUSSMANN, WILHELM. Elias, Daniel, Gottesmann. (Quellen und Forschungen zur Geschichte des Augsburgischen Glaubensbekenntnisses, 2. Hg. von W. Gussmann. Kassel 1930), S. 240 f., 269–275; NEUSER (wie Anm. 8), S. 128–130.
[44] Vgl. II Sm 23, 2; Mt 10, 20.
[45] gebeutelt, gesiebt (GRIMM I 1752).
[46] die sich für gelehrt halten.

Die Bibelstellen werden nach der Zählung der Vulgata nachgewiesen. Für kritische Durchsicht danke ich Frau Dr. MARIANNE WALLACH-FALLER, Zürich.

verharrend[47], nit gehindert, sunder uns armen sünder sölich usser welt gebachen brot, das Christus selbs ist[48], zů erfolgung[49] ewiger sälikeit gedienen möge. Amen.

[A2b]
Der ander Pur.

1 (E)Iniger Gott in ewigkeit,
Lob, eer und danck sy dir geseit[50],
Der lieby, so du zů uns hast,
Uns in der wuͤste nit verlast.
5 Also angesehen, das wir
Darinn so lang sind gangen irr[51],
Da durch kommen in grosse not,
Gibst du uns yetz das himmel brot
Ouch, als dinem volck Israhel[52].
10 Zů uffenthaltung[53] unser seel
Sendest du uns jetz din genad.
Da durch din müly aber[54] gad,
Die so lang ist gestanden lär,
Als ob der Müller gstorben wär.
15 Dann das wasser der waren leer[55]
Was[56] von dem rechten weg fast[57] veer[58]
Gerunnen, also lang, byß das
Die Evangelisch warheit was
An vil orten verschwigen gar.
20 Got, des hast du genommen war,
Den grossen mangel gsehen an,
So din volck lang zyt hat gehan
In disem land vil jar und tag
Nach Amos des Propheten sag[59],
25 Als er an dem achtenden spricht:
Grosser hunger würt zů gericht,
Der würt wären ein lange zyt
Uff allem ertrich nach und wyt.

[A3a]
Doch wirt es nit ein hunger sin,
30 Das mangel werd an brot und win,
Sunder, meint er am selben ort,
Allein den mangel des gots wort[60],
Das man understat[61] zů weeren,
Lang nieman hat lassen leeren.
35 Da durch wir jetz dann also blind
In rechtem glouben worden sind,
Das es kum ist zů bescheiden[62],
Ob wir Christen oder Heiden
Sind; doch hat Got die verstentnuß[63]
40 Fyler menschen erlücht alsus,
Das sy in klarlicher sehen
Dann vor[64] hat mögen beschehen
(Do der gyt die münch und pfaffen
Iren eygnen nutz geleert hat schaffen,
45 Die sich ruͤmen sölcher eeren,
Das sy zů dem rych des herren
Habend den schlüssel und den gwalt[65].
Hat aber umb sy also ein gstalt:
Sy hand nit wellen hin in gon,
50 Ander nit wellen darin lan).
Aber man sicht jetz offenbar
In dem Evangelio fürwar,
Das anders gar nüt[66] ist dann die
Krafft gottes, so uns armen hie
55 Ein heylsamkeit eim yeden ist[67].
Welcher wil sin ein warer Christ
Sol in dem Evangel lernen.
Da fint man den rechten kernen,
Got lieb zůhaben fürbas meer[68].
[A3b]
60 Dann wir finden in siner leer,
Wie gnädiklich er uns hat bdacht,
Die offnen sünder nit verschmacht[69].
Wie offt ist er by inn gsessen,
Mit inn gtruncken und ouch gessen[70],
65 Ir sünd miltiklich nach gelon[71],

[47] Vgl. Rm 1,29–31; II Tim 3,2–4.
[48] Vgl. Io 6,32f.; 35.
[49] Erreichung.
[50] gesagt.
[51] Vgl. Ps 106,4.
[52] Vgl. Ex 16,4; II Esr 9,15; Ps 77,24; 104,40; Io 6,31–33; 50f.; 59.
[53] Zuversicht, Trost, Nahrung (SI II 1217).
[54] wieder.
[55] Vgl. Io 4,14.
[56] war.
[57] sehr.
[58] entfernt; vgl. Prv 2,13.
[59] Ausspruch.
[60] Vgl. Am 8,11+Act 11,28.
[61] unternimmt, versucht (SI XI 619).
[62] (genau) anzugeben (SI VIII 245).
[63] Verständnis, Verstand, Vernunft.
[64] vorher, zuvor (SI I 930).
[65] Vgl. Mt 16,19.
[66] nichts.
[67] Vgl. Rm 1,16.
[68] Vgl. Dt 6,5; Mt 22,37; Mc 12,30; Lc 10,27.
[69] verschmäht, geringgeschätzt.
[70] Vgl. Mt 9,10f.; 11,19; Mc 2,15f.; Lc 5,30; 7,34; 15,1f.
[71] vergeben; vgl. Sir 2,13; Mt 9,2; Mc 2,5; Lc 5,20; 7,48; I Io 1,9.

Also das wir lernen verston
Die vily[72] der genaden sin[73].
Diß ist sin gantze meinung gsin[74],
Mit siner guͤte uns zů im[75]
70 Zů ziehen[76], deß verhör sin stimm[77],
Da er spricht: Wem vil nach wirt glon,
Der selbig würt ouch vil lieb han[78].
[Rubrum] So aber reuber worden sind,
Die mit listen so gar geschwind
75 Beroubend unser seel und lyb,
Es sy jung, alt, man oder wyb.
Die frye kinder sin sollen
Christi des herren, die wellen
Sy machen inen eygen knecht[79]
80 Mit gantzem gwalt on alles recht.
Wie Pharo in Egypten thet,
Der das volck hart betrucket het
Mit strengen wercken schwer und groß,
Unzallarlich [!][80] über die maß[81].
85 Also man ouch jetz můß klagen
Die schwär burdy[82], so wir tragen,
Die sy nit wellen an ruͤren
Mit eim finger[83], sunder fuͤren
Mit grossem poch[84] uns armen lüt,
90 Sagend gebüt wider gebüt:
[A4a]
Wart hie, wart dört, wart widerumb,
Ein wenig hie, wenig dört umb.
Da durch sy sich selbs ghirtet hand,
Darumb ist dem Propheten and[85].
95 Die milch der armen schaff fressen,
Das feißt gtöt und ouch geessen,
Das mit der wullen ward verwyßt[86].
Das schäfflin gots[87] ward nit gespyßt.
Inen solte wol sin bekant,
100 Das wir doch schäfflin sind genant,
Nit ochsen, und da by leeren,
Das sy uns nit soltend bschwären
Mit dekeinem[88] joch, sunder lon
Bliben[89], wie Christus hat gethon.
105 Das aber nit ist beschehen[90];
diß ellend hat angesehen
Got der herr und zů uns gesant
In die wuͤsty (das ist Tütsch land,
Das die Römer nit mee btrachten,
110 Schnöder dann ein wuͤsty achten),
Ein heytern puschen[91] angezünt[92],
Das ist, so uns nun würt verkündt
Das Evangilg grechtiklichen
durch den übertreffenlichen[93]
115 Wyt beruͤmpten, hochgelerten man,
Erasimen von Roterdam,
Hat uns den weg recht uff gethon[94],
Das wir sicherlich mögen gon
Zů der waren heyligen gschrifft,
120 die alle ding wyt übertrifft,
Nach leer und frommkeit der alten
[A4b]
disen pusch brünnend behalten,
Doch nit verzert zů keiner frist[95],
das anders nüt beduten ist[96],
125 Dann das die gytigen und die
Ungerechten understond je
Inn zů löschen, mags doch nit sin[97],
dann er von Got hat sinen schin.
Diß hat der hochgelert getrüw man
130 Marti Luther gesehen an
Und ist näher gangen hin zů
dann kein toller Fantast mög thů,
Die es nach menschlichem verstand[98]
Alles samen[99] ermessen hand.
135 Noch sind ander mee die leeren,
der stimm wir leyen gern hören,
Dann sy reden die gottes stimm;

72 Fülle.
73 Vgl. Io 1,16; Rm 5,17.
74 gewesen.
75 sich.
76 Vgl. Ier 31,3.
77 darum höre auf seine Stimme (GRIMM XII/1 581).
78 Vgl. Lc 7,47.
79 sich zu Leibeigenen machen.
80 nicht zählbar.
81 Vgl. Ex 1,11; Dt 26,6.
82 Bürde.
83 Vgl. Mt 23,4; Lc 11,46.
84 Übermut, Prahlerei (SI IV 969).
85 ist der Prophet zornig (SI I 300).
86 zum Weissen verbraucht (GRIMM XII/1 2199); vgl. Ez 34,2f.
87 Vgl. Io 1,29; 36.
88 keinem.
89 Vgl. Is 9,4; 10,27; 14,25; Ier 30,8; Ez 34,27; Na 1,13.
90 geschehen.
91 (vom Licht) hellen Busch.
92 Vgl. Ex 3,2; Act 7,30.
93 unübertrefflichen.
94 Vgl. Mc 1,2.
95 Wie Anm. 92.
96 das bedeutet nichts anderes.
97 Vgl. Ez 20,47.
98 Vgl. I Cor 2,5; 13.
99 alles zusammen.

das hörend sine schaff von im
Fast gern und bekennen[100] in wol[101],
140 Wie ein Christ sinen hirten sol
Erkennen, das er warlich ist
Unser gtrüwer hirtt Jhesus Christ[102].
Ich bkenn ouch sy, er selber spricht,
mine schaff[103] und verschmahens nicht[104].
145 [Rubrum] Das hat Erasmus betracht,
Sich ylentz zů der müly gmacht,
Das er zitlich[105] dar ist kommen,
Hat sich des malens angenommen.
Der heyligen gschrifft müller knecht
150 So uns das mel leert bütlen recht
Mit sinen gschrifften menigfalt,
das es sin suͤssen gschmack[106] behalt.
[A5a]
Das warer gloub ist gottes eer[107],
Doctor Luther, der waren leer
155 Ein Herold[108], in disen sachen
Hat sich angnommen zů bachen,
Das wasser zů dem mel gethon,
den teig wol in griffen gehan,
Da mit das war mel werd zů brot;
160 da durch er kommen ist in not.
Die Philstiner wolten inn
Gern töden, das hand sy im sinn,
Die bronnen verworffen haben,
So Abrahams knecht hand graben[109].
165 (Das ist der bronn, daruß uns kund[110]
des Evangelis rechter grund,
Uß welchem doctor Luther nam
Das wasser, so zů sim mel kam).
[Rubrum] Aber sy werden schaffen nüt.
170 Es sind noch vil biderber lüt[111],
Wol mee dann sibentusend man,
Die ir knüw[112] nit gebogen han
Vor Baal, dem Abgot der Heyden[113],
Hand sy von Christo nie gscheiden;
175 Die ouch ir mund uff gethon hand
Zů ring umb[114] in dem Tütschen land,
Das der hebel[115] wie vor und Ee
Würt suren[116] je lenger und mee[117]:
Also das brot gebachen werd
180 Zů nutz uns armen hie uff erd.
Diß also war[118] brot ist das wort,
So Christus spricht an einem ort:
Der mentsch lebt nit allein im brot,
[A5b]
Sunder das wort gots ist im not[119],
185 Das sich uß gnaden meeret fast[120].
Sy hand gehebt kein růw noch rast,
Byß sy den schatz funden haben,
Den weder rost noch die schaben
Verzeren mögen hie im zyt[121],
190 den acker gsehen, da er lyt,
Da hin in die hand vergraben,
die in vor gestolen haben.
Genanter Beck würt nit nach lon,
Wie es im yemer[122] sol ergon,
195 Den schatz würt er haruß bringen[123],
das die warheit für mög tringen,
Sölte er schon darumb geben,
Was er hat, sin lib und leben[124].
Dann so sy den lyb nemmen hyn,
200 Mögents der seel nit schädlich sin[125].
Er würt es alles wagen dran,
In hoffnung, got werds mit im han.
[Rubrum] Karsthans sinen pflegel noch hat,
Der die heylig gschrifft yetz ouch verstat.
205 Welt[126] man in betriegen wie for,
So ist er so ein grober thor,
Er schluͤgy mit dem pflegel drin,
Sölt joch[127] sin Studens[128] eyner sin,
Gyltet glich, ob im der grind[129] bluͤt.

[100] erkennen.
[101] Vgl. Io 10,3f.; 27.
[102] Vgl. Io 10,11; 14.
[103] Vgl. Io 10,27.
[104] verschmähe sie nicht.
[105] rechtzeitig.
[106] Vgl. Lv 1,9; Is 3,24.
[107] Vgl. Lc 17,18f.
[108] Vgl. I Tim 2,7; II Tim 1,11.
[109] Vgl. Gn 26,15.
[110] kommt (SI III 263).
[111] Leute.
[112] Knie.
[113] Vgl. III Rg 19,18; Rm 11,4.
[114] ringsum.
[115] kleines Quantum Teig, mit dem man den Sauerteig bereitet (SI II 942).
[116] den Durchsäuerungsprozess vollziehen, säuern (SI VII 1285).
[117] mehr; vgl. Mt 13,33; Lc 13,21.
[118] so wahre.
[119] Vgl. Dt 8,3; Mt 4,4; Lc 4,4.
[120] Erinnert an Mt 14,19f. (wunderbare Brotvermehrung).
[121] in dieser Zeit; vgl. Mt 6,20.
[122] je (SI I 222).
[123] Vgl. Mt 13,44.
[124] Vgl. II Mcc 7,37.
[125] Vgl. Mt 10,28.
[126] wollte.
[127] auch, sogar (SI III 6).
[128] Student.
[129] derb für Kopf (SI II 760f.).

210 Ouch die unnützen roten huͤt[130],
Gytig münch und reubig[131] pfaffen
Wurdend all nüt vor im schaffen:
Als die wolff wurd ers verjagen.
Doch sollen wir nit verzagen,
[A6a]
215 Den Allmechtigen ruͤffen an,
Ein gůte hoffnung zů im han,
Inn darumb bitten aller meist,
das er uns send den heylgen geist,
Den er Petro gegeben hat,
220 do er in siner gnaden bat,
Um das er hatt verleugnet sin[132].
Also thuͤ uns sin hilffe schin[133],
So wir in ouch verleugnet hand,
Siner worten sind unbekant,
225 Das er uns mit barmhertzigkeit
an sehe, da durch wir bereit
Sygend, nach zevolgende im
Als unsers rechten hirten stimm[134],
Das wir erkennen disen tag,
230 der uns zů heyl gedienen mag[135],
Umb das sin müly durch gezwang
nit widerumb so muͤssig gang,
Sunder das diß hungsuͤß[136] mel werd
zů brot, da durch wir hie uff erd
235 Werden bereit zů sinem rych,
das er verheisset ewigklich
Abraham und sinem samen[137],
das verlych uns allen. Amen.

[Blättchen] Getruckt zů Zürich. [Blättchen]

Mich wundert seer wie es beschicht,
Das einer an eim andren sicht,
Ee dann an im selbs was im gprist[138],
So doch sin schad offt grösser ist[139].

[130] Kardinäle.
[131] räuberischen (SI VI 35).
[132] Vgl. Mt 26,69–75; Mc 14,66–72; Lc 22,56–62; Io 18,25–27.
[133] Ebenso soll uns seine Hilfe offenbar werden (SI VIII 798).
[134] Vgl. Io 10,4.
[135] Vgl. Is 49,8; II Cor 6,2.
[136] Wie Anm. 37.
[137] Vgl. Lc 1,55; Rm 4,13; Gal 3,16.
[138] gebricht, fehlt.
[139] Vgl. Mt 7,3; Lc 6,41.

«Da beschachend vil grosser endrungen» Gerold Edlibachs Aufzeichnungen über die Zürcher Reformation 1520–1526 *

Herausgegeben und kommentiert von PETER JEZLER

In Gerold Edlibachs Bericht über die Umwälzungen zwischen 1520 und 1526[1] ist uns die älteste bekannte Zürcher Reformations-Chronik erhalten. Sie beruht weitgehend auf den persönlichen Eindrücken ihres Autors und zeigt Schritt um Schritt die eingeführten Neuerungen und damit verbunden die Auflösung des traditionellen Frömmigkeitslebens. Edlibach selbst stand der Reformation ablehnend gegenüber, und er war Laie. Hier liegt der besondere Quellenwert seines Augenzeugenberichtes. Nicht die Höhen theologischer Auseinandersetzungen bringt er zur Sprache, sondern er zeigt den Umbruch in seinen äusseren sicht- und greifbaren Konsequenzen.

Biographie des Verfassers[2]

Gerold Edlibach wurde eigener Angabe zufolge am 21. September oder 7. Oktober 1454 in Zürich geboren[3] und starb bald 76jährig am 28. August 1530.

Aufgrund verwandtschaftlicher Beziehungen sowie wegen seiner Ämter und sozialen Stellung ist er dem Kreis einflussreichster Zürcher zuzuordnen: Sein Vater hatte als Einsiedler Amtsmann den Kloster-Besitz auf Zürcher Boden verwaltet. Nach dessen Tod wurde Gerold 1464 Stiefsohn des nachmaligen Bürgermeisters Hans Waldmann (einer der mächtigsten eidgenössischen Politiker). Edlibachs Schwiegervater schliesslich war Marx Röist, Bürgermeister in den Jahren 1505–1523.

Noch unter Waldmanns öffentlichem Wirken stieg unser Chronist in den Kleinen Rat und zur Säckelmeisterwürde auf. Dieser Ämter ging er nach Waldmanns Sturz und Hinrichtung 1489 vorübergehend verlustig, 1493 aber nahm er bereits, wieder rehabilitiert, von neuem Einsitz im Kleinen Rat. – Während seines Lebens hatte er zahlreiche Ämter inne, darunter Vogteistellen in der Zürcher Landschaft und

* Den Mitarbeitern der Handschriften-Abteilung der Zentralbibliothek und des Staatsarchivs Zürich bin ich für wesentliche Hilfe zu herzlichstem Dank verpflichtet.

[1] Vom Text liegt bisher einzig eine anonyme Bearbeitung von 1846 vor (Ed. 1846), die als Anhang der (modernen Ansprüchen absolut ungenügenden) Edition von Edlibachs ‹Zürcher- und Schweizerchronik› beigegeben ist: Gerold Edlibachs Chronik, hg. von JOHANN MARTIN USTERI (Mitteilungen der Antiquarischen Gesellschaft in Zürich, 4, 1846).

[2] Die wichtigsten Darstellungen sind: MARCHAL, GUY P. Artikel ‹Edlibach, Gerold›. (Die deutsche Literatur des Mittelalters. Verfasserlexikon. Bd. 2, 1980, Sp. 357 f. (mit weiterer Literatur).) – JAKOB, WALTER. Politische Führungsschicht und Reformation. Untersuchungen zur Reformation in Zürich 1519–1528. Zürich 1970. (Zürcher Beiträge zur Reformationsgeschichte 1), S. 142–144 und Seiten entsprechend dem Personenregister. – WYSS, G. V. Artikel ‹Edlibach Gerold›. (ADB IV 646 f.). – USTERI (wie Anm. 1), S. V–XVI.

[3] USTERI (wie Anm. 1), S. VIII.

das aufwendige Spitalpflegeramt in Zürich. Bei seinem Tode hinterliess er das reiche Vermögen von 800 Gulden[4].

Die ersten Reformationsjahre erlebte Edlibach noch als Mitglied des Kleinen Rates. Seinen freiwilligen Rücktritt 1524 begründete er mit seinem fortgeschrittenen Alter; eher dürfte Resignation angesichts des reformatorischen Umbruchs ausschlaggebend gewesen sein[5]. Er verblieb noch im Grossen Rat, wobei ihm ausserordentlicherweise die Entbindung von der Sitzungspflicht zugestanden wurde. Auch wenn Edlibach ständig in Opposition zu Zwingli gestanden haben dürfte, wurde er offenbar trotzdem von der gegnerischen Majorität respektiert.

Gerold Edlibachs kulturgeschichtliche Bedeutung

Neben seiner amtlichen Arbeit legte sich Edlibach selbst eine Bibliothek an[6]. Daraus haben sich eigenhändige Abschriften vorwiegend religiöser Literatur erhalten. Sodann ist von ihm ein Rotwelschglossar überliefert: eines der ältesten und das umfangreichste des Mittelalters. Eine gross angelegte ‹Zürcher- und Schweizerchronik› hat Edlibach neben anderen historischen Aufzeichnungen selbst verfasst. Verschiedene Manuskripte sind eigenhändig illustriert. Von grösserer kulturgeschichtlicher Bedeutung sind insbesondere Illustrationen von Fastnachtsspielen; sie gehören zu den frühesten ihrer Gattung[7].

Die Entstehung der Reformations-Aufzeichnungen

Es fällt auf, dass die ‹Zürcher- und Schweizerchronik›, welche Edlibach bis zu seinem Todesjahr 1530 mit Nachträgen bereichert hat, zur Reformation nur vereinzelte Angaben enthält. Es ist das Aufkommen des Lutherischen Glaubens 1517 verzeichnet, dann aber folgen erst wieder die Auflösung der Grossmünster-Orgel 1527 und bauliche Eingriffe in verschiedenen Kirchen 1528[8]. In diese Klammer fügen sich die ‹Aufzeichnungen über die Zürcher Reformation› ohne Überschneidungen ein, und doch sind sie für sich abgeschlossen und auf etwas kleinere Papierbogen geschrieben. Was ist davon zu halten? Möglicherweise erachtete Edlibach die ‹Aufzeichnungen› für zu gefährlich, als dass er sie seiner stadtbekannten ‹Zürcher- und Schweizerchronik› beifügen und damit diese als ganzes gefährden wollte[9]. Als separates Heft hingegen liessen sie sich im stillen aufbewahren.

[4] JACOB (wie Anm. 2), S. 142.
[5] Ebenda, S. 143 f.
[6] Eine klare Übersicht bietet MARCHAL (wie Anm. 2).
[7] Vgl. dazu HERRMANN, MAX. Forschungen zur deutschen Theatergeschichte des Mittelalters und der Neuzeit. Berlin 1914, S. 412–419.
[8] USTERI (wie Anm. 1), S. 251 f.
[9] Es sei nur daran erinnert, dass in Zürich Johann von Armbs Chronik 1489 verbrannt wurde, weil sie den Waldmannschen Auflauf nicht ins «richtige Licht stellte». USTERI (wie Anm. 1), S. V.

Die Abfassungszeit der ‹Aufzeichnungen› lässt sich recht genau erschliessen: Edlibach verfasste zuerst mindestens einen Entwurf (siehe S. 73–74), welcher in knappster Weise und zum Teil noch ungeordnet die Reformationsvorgänge bis Ende 1525 und den Tod des Ratskollegen Johann Keller am 2. März 1526 auflistet. Danach muss sich Edlibach ins Aktenstudium vertieft haben, um die ‹Aufzeichnungen› möglichst mit den genauen Daten der jeweiligen Ratsbeschlüsse auszustatten. Den Zeitbereich im Entwurf verlängerte er in den ‹Aufzeichnungen› um fünf Ereignisse, die sich zwischen dem 2. März und dem 14. Mai 1526 abgespielt haben (Kap. 50–53, 55). An den Schluss stellte Edlibach eine Auflistung der Altäre und geistlichen Personen Zürichs vor der Reformation: nach den erzählenden Abschnitten kann man hier das Fazit des Umbruchs ablesen. Ein Terminus ante quem ist abgesehen vom Tod des Autors 1530 nicht ausdrücklich gegeben. Ich meine aber, dass Edlibach in seiner Art, alle grösseren Veränderungen am Grossmünster zu vermerken, den Aufbau des ‹Zwingli-Lettners› (siehe S. 109–116) im Herbst 1526 in die ‹Aufzeichnungen› aufgenommen hätte, wenn diese damals noch nicht abgeschlossen gewesen wären. Demnach dürfte unsere Reformations-Chronik mit grosser Wahrscheinlichkeit zwischen Mitte Mai und Anfang September 1526, im 72. Altersjahr ihres Verfassers, entstanden sein.

Quellenwert

Edlibachs Missbilligung der religiösen und sozialen Umwälzungen ist unzweideutig. Wenn auch unter dem sichtlichen Leiden des Autors geschrieben, so sind die Vorgänge doch sachlich und gänzlich unpolemisch konstatiert. Tendenziös verfälschend wird Edlibach höchstens, indem er Tatbestände verschweigt, welche die betreffende Änderung als weniger rücksichtslos erscheinen lassen (vgl. Kap. 51). Im übrigen lassen sich, soweit das die Quellenlage überhaupt erlaubt, die meisten Angaben verifizieren.

Besondere Aufmerksamkeit verdient Edlibachs Informationsstand. Im Vergleich mit den Gelehrten seiner Zeit wirkt unser Chronist naiv und ohne Anlage zu analythischer Reflexion. Kraft seiner Ämter und gehobener sozialer Stellung muss er aber über weit mehr als nur durchschnittliches Wissen verfügt haben. Trotzdem kommt es im 2. Kapitel mit der Auflistung der theologischen Opponenten zu einem heillosen Chaos[10]. Zwar nennt Edlibach den neuen Glauben den ‹Luttersch glouben›, doch dessen Urheber Martin Luther wird in einer Reihe mit Erasmus, Murner, Faber, Eck, Karlstadt und Melanchthon unter die Verteidiger des alten Glaubens gereiht! Schürpf, Luthers Rechtsbeistand am Reichstag zu Worms, hingegen erscheint korrekt auf reformatorischer Seite. – Nun war im Sommer 1526 die

[10] Vgl. dazu MAEDER, KURT. Die Via Media in der Schweizerischen Reformation. Studien zum Problem der Kontinuität im Zeitalter der Glaubensspaltung. Zürich 1970. (Zürcher Beiträge zur Reformationsgeschichte 2), S. 77–82.

Lage tatsächlich alles andere als übersichtlich. An der Badener Disputation (19. Mai bis 9. Juni 1526) hatte Eck Widersprüche unter den Reformatoren nachgewiesen, Karlstadt und Luther hatten sich bereits früher entzweit, und die Scheidung zwischen Zwingli und Luther zeichnete sich ebenfalls ab. Von daher lässt sich nachvollziehen, dass Edlibach alle in Zürich beheimateten oder gut bekannten Gegner Roms auf die Seite des neuen Glaubens stellt, alle übrigen, die von sich reden machen, dagegen auf der Seite des alten vereint. Dennoch ist die Liste das untrügliche Zeugnis dafür, wie wenig selbst gebildete Laien von den geistigen Auseinandersetzungen der Reformation haben verstehen können. Was ihnen auffiel, das waren Veränderungen, die materiell und sinnlich erfahren werden konnten: Verringerung der Abgaben, Zerstörung der Kirchenzierden, Aufhebung der Kirchenmusik, Verwandlung des Festkalenders in einen Arbeitskalender usw.

Handschriftenbeschreibung

ZBZ, MS L 104. Johann Leu: Collectanea Helveto-Turicensia ecclesiastica. S. 557–576.
Vorbesitzer: 1. Petrus Dom. Rosius della Porta, 1732–1808, Kirchenhistoriker und Pfarrer in S-chanf, Graubünden. Vgl. die teilweise ausradierte Widmung auf S. 1 der Handschrift: «Venerando et clarissimo D. Jo. Jac. ------ / sy---to coll. p--- meritissimo chartulas [?] ------/s-----io MDCC-- XII [?] novembris. P. DR. de Porta» und dazu den Brief von della Porta an Johannes Leu (ZBZ MS L 514, 2107). – 2. Johann Jakob Leu [?], 1689–1768, Lexikograph und Bürgermeister von Zürich (vgl. Widmung von Besitzer 1 und Person von Besitzer 3). – 3. Johann Leu, 1714–1782, Sohn von Besitzer 2 und dessen Mitarbeiter. Johann Leus Handschriftensammlung kam nach dessen Tod an die Zürcher Stadtbibliothek, darunter auch unser MS L 104.
Schreibstoff: Papier; Wasserzeichen: Traube, sehr ähnlich, aber nicht identisch mit Briquet Nr. 13017. – Letztes Blatt am Rand schadhaft, S. 20 verblichen, teilweise unleserlich.
Schrift: Autograph Edlibachs, dunkelbraune Tinte, gotische Kursive. Von zweiter Hand Kapitelüberschriften in roter Tinte, gotische Kursive. Von dritter Hand ist auf den letzten beiden Seiten Edlibachs verblichene Schrift teilweise nachgezogen worden.
Lagenbeschreibung: 10 Bl.: Ternio (3 Doppelblätter, Wasserzeichen im 1., 4., 5. Blatt) – 1 Blatt (unklar ob mit dem nächsten zusammenhängend; ohne Wasserzeichen) – 1 Blatt (mit Wasserzeichen) – Doppelblatt (1. Blatt mit Wasserzeichen).
Nummerierung: Ältere Nummerierung (von Edlibach?): 1–20; neue (von Johann Leu): 557–576.
Blattgrösse: etwa 281×199 mm; Schriftspiegel: etwa 225×170 mm.
Der Text ist einspaltig abgefasst bis auf S. 1, wo die Namen nach Parteizugehörigkeit in zwei Spalten erscheinen. Die Niederschrift ist einheitlich und scheint zusammenhängend erfolgt zu sein. Initialen und verschiedene Merkworte sind rot ausgezeichnet.
Das Heft besitzt keinen Umschlag und damit auch keinen originalen Titel.
Sprache: Innerhalb des Schweizerdeutschen darf Edlibachs Arbeit als Zeugnis der zürcherischen Schriftsprache gelten und entspricht wohl (bei nur bescheidener literarischer Bildung) der üblichen Ausdrucksform eines durchschnittlichen Schreibers (KELLER, S. 8). Zur Wiedergabe der Laute vgl. KELLER, S. 17–25. Besondere Schwierigkeiten bietet ‹ü› mit zwei gestaffelt darübergesetzten Punkten: das Zeichen kann sowohl ‹uͦ› wie auch ‹uͤ› lauten. In der Edition ist der Laut nach Möglichkeit anderen Belegen angeglichen worden (Dr. Ott, Schweizerisches Idiotikon, und Dr. Matthias Senn verdanke bereitwillige Hilfe).
Lit.: GAGLIARDI, E./FORRER, L.: Katalog der Handschriften der Zentralbibliothek Zürich II. Neuere Handschriften seit 1500. Zürich 1982. Sp. 973, L 104.

Gerold Edlibach: Aufzeichnungen über die Zürcher Reformation 1520–1526

(Wiedergabe des Textes)

[1.]

In der zitt als man zalt von der geburt unser herren 1520 jar, uff den einlisten[1] tag deß manet decembers, der was[2] uff ein samstag, da ist meister Uorich Zwingli vom bropst und capittel der stift zum Grosen Münster[3] Zürich[4] erwelt zů irem lipriester[5], und dem nach uff den 31. tag wolffmant[6] von inn[7] bestettet[a]. Gott walt sin etc.

Und im ob gemelten jar erhůb sich und stůnde uff ein nüwer gloub von vil doctoribus und magistren. Und wurdent allerleig nüwer seckten under innen allen uff erstan, daß eyner schreib diß, der ander das, und selten keinner wie der ander. Das kam alleß in die trickeryg[8] und wurden vil wider wertiger buͤchly gemacht, die nüt[9] zů sammen dientent, also daß der gemein mensch, mann und wib, jung und alt, schier in aller welt gantz veriret und verwirt ward, daß niement wüst[b], was er glouben solt, dan irre trucktad[10] vast[11] wider ein andren warrend in vill arttiglen und stucken etc. Und nampt[12] man zum ersten den nüwen glouben den ‹Luttersch› glouben, und ander den ‹alten›.

[2.] Dis sind etliche doctores und magister, die wider ein andren sind etc.[13]

Doctur Mar[tin]us Luder[14]		Ulricus Zwingly Zürich
Doctur Erasmus Rottertam		Meister Uorich von Hutten
Doctur -----[c] Murner[15]		Meister Jeronimus Schürpff[22]
Doctur Heß breidersorden[16]		Doctur Huschin[23]
Docter Faber ficari Costetz[17]		Doctur Baltiser von Walzhůtt[24]
Docter -----[c] Egg[18]	deß alten[d]	Ein töuffer
Docter Andre Carlystatt[19]		Jud Löw von Basel Zürich[25]
Docter Jodacus Brepster[20]		und ander mer, die ich
Docter Phillipus Melanchton		nüt weiß und nemen[e]
Johann Dölcker[21] und		kan etc. uff der wider
fil andren deß alten		parten etc.
gloubens.		

[a] Ed. 1846: bestallet.
[b] ‹wüst› über der Zeile eingefügt.
[c] Aussparung von Edlibach, um später Vornamen nachzutragen.
[d] Zusammen mit Klammer und senkrechter Trennlinie von zweiter Hand rot eingetragen.
[e] Ed. 1846: nennen.

[1] auf den ersten. Tatsächlich erfolgte die Wahl am 11. Dezember 1518.
[2] war.
[3] Grossmünster: weltliches Chorherrenstift und Pfarrkirche Felix und Regula; wichtigste der Zürcher Kirchen. (Vgl. FIGI; GUTSCHER.)
[4] zu Zürich.
[5] Leutpriester: Geistlicher, welcher am Grossmünster die Pfarrei zu betreuen hatte.
[6] Wolfsmonat: November, Dezember, Januar (GRIMM XIV 1273 f.). Gemeint ist der Dezember: Zwingli nahm 1. Januar 1519 seine Tätigkeit in Zürich auf.
[7] ihnen.
[8] Druckerei.
[9] nicht.

‖2 Item, dise toctores und maister alle warend inn nüt einhelig mit ein andren, und kuuckend[26] in fil artiglen übel zů samen deß gloubens halb, und ouch ein andren nüt wol verstan und mercken kondent, und besunder die schlechten, ungelerten priester, ouch lipriester und bredicanten[27], die nüt zum aller scherpsten gelert warrend etc.

[3.] Und sin diß die artigel, darin sy span[28] hatten wider ein andren etc.[a] [29]

Der erste von der Maria, der wirdigen můter gotz, daß etliche doctores und maister vermeintend, mann sölte sy nit anrůffen in keinnen nötten, noch an betten und eren etc.

268 Der ander deß glichen keinnen heligen [!] ouch nütz an růffen weder mit bett[30] oder mit ferten[31] und opfer, dan sy nütz vermöchtend etc. Man sölt anlein got an růffen etc.

[a] Die einzige von Edlibach gesetzte Überschrift.

[10] Traktate.
[11] stark, sehr.
[12] nannte.
[13] Zu der nachstehenden Gegenüberstellung von «Altgläubigen» und «Reformatoren» vgl. unsere Einleitung und MÄDER, KURT. Die Via Media in der Schweizerischen Reformation. Studien zum Problem der Kontinuität im Zeitalter der Glaubensspaltung. Zürich 1970. (Zürcher Beiträge zur Reformationsgeschichte, 2), S. 81 f.
[14] Martin Luther.
[15] Thomas Murner (1475–1537). Elsässer Volksprediger und Satyriker. Scharfer Gegner von Luther und Zwingli. In Luzern 1525–1529 Wortführer der katholischen Orte.
[16] Johannes Hess (?). Kaplan in Appenzell. In Baden 1526 Gegner von Eck (LOCHER, S. 386, Anm. 162).
[17] Johannes Faber (1478–1541). Seit 1518 Generalvikar des Bischofs von Konstanz, humanistisch gebildet, einer der stärksten Reformationsgegner. (LOCHER 102 f., Anm. 116.)
[18] Johann Eck (1486–1543). Wortführer der Reformationsgegner in Baden 1526.
[19] Andreas Bodenstein, genannt Karlstadt (um 1480–1541). Anfangs Parteigänger Luthers, 1522 Schrift ‹Von Abtuhung der Bylder›, seit 1523 auf radikalem Kurs und Bruch mit Luther.
[20] Jakob Propst (?) (gest. 1562). Parteigänger von Luther und Melanchthon. Propsts 1522 erzwungener Widerruf der reformatorischen Lehre wurde katholischerseits propagandistisch verbreitet. (ADB 26, 614–617.)
[21] Die einschlägigen Handbücher weisen den Namen nicht aus.
[22] Hieronymus Schürpf (1481–1554). Gebürtig von St. Gallen, Reformationsjurist in Wittenberg, Rechtsbeistand Luthers während des Reichstags zu Worms. (OBERMANN, S. 76.)
[23] Johannes Oekolampad (1482–1531).
[24] Balthasar Hubmaier (1485–1528). Theologischer Kopf der Täufer, 1523 an der Ersten Zürcher Disputation, seit 1524 in der Zürcher Umgebung. (LOCHER, S. 376.)
[25] Leo Jud (1482–1542). Seit 1523 Leutpriester an St. Peter zu Zürich, hier wichtigster Mitstreiter Zwinglis. (LOCHER, S. 568–575.)
[26] zesammenkuchen (?): sich verschwören, konspirieren (SI III, 128).
[27] Leutpriester und Prediger.
[28] Spannung, Zerwürfnis (GRIMM X 1867–1871).
[29] Das folgende «Reformprogramm» scheint Edlibach selbst aus verschiedenen Quellen zu kompilieren. Die ersten vier Artikel betreffen theologische Fragen, wobei die Ablehnung des Marienkultes dem altgläubigen Edlibach als der ungeheuerlichste erscheint und deshalb an erster Stelle steht. So zentrale Inhalte reformatorischer Theologie wie die Rechtfertigungslehre nimmt er dagegen nur in ihrer praktischen Konsequenz wahr: in der damit verbundenen Hinfälligkeit des Seelgeräts (3. Artikel). Die in Artikel fünf bis sieben genannten Forderungen wird Edlibach nicht nur reformatorischen Flugschriften, sondern auch den 1525 im Rat vorgebrachten Bauernbeschwerden entnommen haben (vgl. etwa EAk 702, 703, 708, 710, 729 usw.; sowie LOCHER, S. 226–235).
[30] Gebet.
[31] Wallfahrten.

Der dritt[a] artickel was von der lieben sellen[32] wegen, daß man dennen ouch nütz bedörft noch thüe, weder mit messen singen, lässen[33] noch opfren noch gebett und allmuͦsen, dan kein fexfür nüt werre, dan gott het unß all mit sim tod erlöst und gnuͦg für unsser sünd gethan etc.

Zum fierden was vom frigen[34] willen. Da vermeintend etlich toctores und magister[b], daß der mensch den nüt hette. So waren etliche toctores und glerten vast dar wider, und macht fil unruͦw, als man das in fil trucktatten fint etc.

Zem fünften und sechsten articklen von zenden gros und klein[35], von rent und gült[36] und zinsen etc.

Zum sibenden von erbguͤttren[37], wisen, räben[38] und äckren, von fischentzen[39] in flissend [wasser] und bächen, in sewen und wigren[40]; bracht fil unruͦw uff dem land und in stetten etc.

‖[3] Von vogt barren lütten[41] und eignen lütten[42] vermeintend etlich toctores und gelertten, daß niemenn eigen sin sölt, und ouch irren herren und obren, so sy wider sy wibent oder mannent[43], kein straffgelt und ungnosame[44] schuldig zuͦ geben sin söltent. Sy söltind ouch nüt irren herren und obren kein tagwen[45] noch liptin[46], stür[47] weder huͤnner[48] schuldig sin zuͦ geben und nach irrem tod keinen val[49]. Disser artigel bracht fil unruͦw etc.[50]

[a] MS: fier.
[b] MS: maigister.

[32] Seelen der Verstorbenen.
[33] mit Messen-Singen noch -Lesen.
[34] freien.
[35] Zehnt: Abgabe aus dem Agrar-Ertrag. Grosser Zehnt: Halmfrüchte (Weizen, Roggen, Gerste, Dinkel, Hafer), Wein, Heu, Flachs und Grossvieh. Kleiner Zehnt: Gartenerzeugnisse (Obst, Nüsse, Bohnen, Erbsen, Kraut, Mohn und Kleintiere. Vgl.: ZIMMERMANN, GUNTER. Die Antwort der Reformatoren auf die Zehntenfrage. Eine Analyse des Zusammenhangs von Reformation und Bauernkrieg. Frankfurt a.M./Bern 1982. (Europäische Hochschulschriften Reihe III, Bd. 164), S. 20f.
[36] ‹rent› und ‹gült›: Grundrenten, feste Abgaben für die Leihe eines Grundstückes.
[37] Erbgüter im Gegensatz zu erworbenem Grundbesitz.
[38] Rebberge.
[39] Fischenz: das Recht, in einem Gewässer zu fischen.
[40] in Seen und Weihern.
[41] die einer Vogtei Unterworfenen.
[42] Eigenleute: persönlich Unfreie (Leibeigene) und Hörige.
[43] ‹wiben› oder ‹mannen›: sich vermählen.
[44] Strafgeld, das für die Heirat mit einer nicht zur ‹Genoßame› gehörigen, d.h. einem anderen Herrn hörigen Person zu entrichten ist.
[45] Frondienst.
[46] Leibding: etwas auf Lebenszeit zur Nutzung Ausbedungenes, d.h. eine Rente, die sich auf die Lebzeit des Nutzniessers beschränkt (GRIMM VI 592).
[47] Steuer.
[48] Leibhühner: die übliche Form des Kopfzinses.
[49] Sterbefall: Abgabe, die dem Gutsherrn entrichtet werden muss, wenn das Gut durch Tod den Besitzer ändert.
[50] Bauernkrieg 1524/1525 (vgl. FRANZ).

[4.] Uff wienach von enderung der zitt mit meß haben, singen und lässen.[51]

Ano domini 1523 jar, diß jars ußgangs, uff den heligen wienäch abint und tag, da beschachend Zürich zum Grossen Münster[52] und andren kilichen vil grosser endrungen mit singen, lässen und meß haben, so die priester nit mer tadent von der geburt cristi.[53] Und giengent vil colecten[54] und betten in den siben tagzitten[55] hin und ab, die man vor malß als[56] laß und sang uff die wienlichen hochzitt die octauff uß[57], alß[58] mit der epistel noch ewengelium als vor. Und sprach man, es werrind alß nun unnütze ceremony deß bapst und der cardinallen, bischoffen und äpten und anderen geischlicher[59] menschen dant[60], und vil der dingen umm den git[61] erdach, als villich warr[62] sin mocht etc.

[5.] Uff liechtmiß.[63]

Ano domini 1524 jar da ward das loblich vest der hoch wirdigen muͦtter gottz, der jungfrowen Marie, der liechtmiß nüt mer begangen weder mit singen, lässen und meß haben wie vor, weder mit der wichung der kertzen und liechter, noch mit umgan der protzses[64] umm die kirchen. Das ward alles vernüten[65] und abtan. Also zwuschend der wiennäch[a] und der alten vasnacht[66], da ward die welt rouw und ungotz förchtig[67] etc.

[a] MS: wennäch.

[51] Die Änderungen, die am Jahresende 1523 einsetzten, entsprachen der einstweiligen Toleranz, für die sich der Rat am 19. Dezember 1523 ausgesprochen hatte (EAk 460). Demnach sollte jeder Geistliche nach seinem Gewissen weiterhin in traditioneller Form Messe lesen oder sie nicht mehr halten. Bilder durften noch nicht zerstört, aber auch nicht mehr in den Kult einbezogen werden.

[52] Edlibach gehörte zur Grossmünsterpfarrei und beschreibt daher in erster Linie die Änderungen, die er hier erlebt hat.

[53] Möglicherweise ist damit ein liturgisches Weihnachtsspiel gemeint oder das ‹Kindleinwiegen›: ein in Windeln gehülltes Christkind aus Holz wurde dabei in einer Wiege begleitet von Gesängen gewiegt und dem Volk zum Kuss dargereicht. Ein ‹Jhesusli› erscheint 1513 in den Fabrikrechnungen des Grossmünsters (ESCHER 1929, S. 143).

[54] Die wechselnden Tagesgebete im Gottesdienst.

[55] Stundengebete des Chordienstes.

[56] immer.

[57] die Oktav hindurch: die auf das Hauptfest folgende, sieben Tage währende Nachfeier.

[58] ebenso.

[59] geistlicher.

[60] Menschen-Tand. «... und verwurfend vil dings in der kilchen mit singen und lessen und babstlich setzung und menschendant» (Hans Stockars Jerusalemfahrt 1519 und Chronik 1520–1529. Hg. von KARL SCHIB. Basel 1949. Quellen zur Schweizer Geschichte, N.F. Abt. 1: Chroniken, Bd. 4, S. 89).

[61] aus Habgier.

[62] wahr.

[63] Lichtmess (2. Februar): eines der grossen Marienfeste. Die an diesem Tag geweihten Kerzen wurden vom Volk zur Abwehr von Schäden verwandt.

[64] Prozession.

[65] zunichte gemacht, aufgegeben.

[66] Alte Fastnacht = Invocavit: 1. Fastensonntag.

[67] nicht gottesfürchtig (GRIMM XI, 1026).

||4 [6.] Als die drig läsmeister zů denn dry örden wurden abgestelt[68] zů bredigen etc.[69]

Im obgemelten jar in der vasten wurdent ouch abgestelt die drey läsmeister zů den 3 ördnen[70], zun breiderr[!][71], zů augenstinren[72] und den barfůssen[73], die alle dryg gůt bredikanten geachtet wurdent von 5 vil geischlichen und weltlichen lüten, und dem gemeinnen menschen wol gefielend, und an ir stat gestelt und than Uorich Zwingly zum Frowen Münster[74], der Löw Jud[75], lipriester zů Sant Petter[76], am Öttenbach[77], und Casper Grouß[78] zů brediner etc.

[7.] Als man anfieng fleisch[a] ässen und wenig mer vasten etc.[79]

10 269

Item man fieng ouch an in disser vasten[80] obgemelt fleisch, hůnner, vogel, eiger[81] und was jeder man gelust zů essen. Und wer eß nüt essen wolt, deß ward verspottet. Und vastet wennig lütten mer, weder

[a] MS: fleich.

[68] abgesetzt.

[69] Zu dieser Verfügung findet sich in den einschlägigen Quellenwerken kein Hinweis. – Seit 1522 versuchten Zwingli und seine Parteigänger, die Gegner durch Predigtstörungen zu provozieren, um während der Schlichtung der Auseinandersetzungen vom Rat den Auftrag zur Fortsetzung der Evangelisierung zu erhalten. Bereits 1522 war Zwingli und 1523 Leo Jud die Kanzelusurpation im Kloster Oetenbach gelungen. Vgl. HALTER, S. 140–157; WEHRLI, S. 225–227; FAST, HEINHOLD. Reformation durch Provokation. Predigtstörungen in den ersten Jahren der Reformation in der Schweiz. (HANS-JÜRGEN GOERTZ, Hg. Umstrittenes Täufertum, 1525–1975. Neue Forschungen, Göttingen 1975, 2. Aufl. 1977, 79–110).

[70] In der Fastenzeit hielten Mönchsprediger traditionellerweise Busspredigten. Zu Biberach heisst es: «In der Fasten so haben die vier orden prediget ettwan ahm sambstag nach der Vesper und ahm Sontag nach dem Imbis» (SCHILLING, S. 116). In Zürich übernahmen die drei Bettelorden der Stadt, Dominikaner, Franziskaner und Augustiner-Eremiten diese Aufgabe.

[71] Zur Geschichte der Prediger in Zürich: WEHRLI-JOHNS.

[72] Zu den Augustiner-Eremiten: Kdm Zürich IV, S. 253–272; KUNZELMANN, ADALBERO, OSA. Geschichte der deutschen Augustiner-Eremiten. (Cassiciacum, 26). 1. Teil, S. 147–150. 2. Teil, S. 161, 291–296.

[73] Zu den Barfüssern: SCHAUFELBERGER.

[74] Fraumünster: adeliges Damenstift mit grosser Tradition; Gründung von König Ludwig dem Deutschen 853. Vgl. STEINMANN.

[75] Leo Jud (vgl. Anm. 25).

[76] St. Peter: die einzige reine Pfarrkirche im damaligen Zürich. Eine neuere wissenschaftliche Geschichte von St. Peter zur Reformationszeit fehlt. Einen Überblick mit älterer Literatur bietet: ZEHMISCH, BRIGITTE. St. Peter in Zürich. (Schweizerische Kunstführer). Basel 1976.

[77] Dominikanerinnenkloster Oetenbach, der grösste Konvent in Zürich. Vgl. HALTER.

[78] Caspar Grossmann, genannt Megander, 1495–1545.

[79] Fasten hatte die Bedeutung der Busse für begangene Sünden und der Vorbereitung auf ein Kirchenfest. Die westliche Praxis gebot Abstinenz von Fleisch, Eiern und Milchprodukten. Ferner wurde mit der ersten Mahlzeit des Tages bis zur 9. Stunde (15 Uhr) gewartet; am Abend durfte eine kleine Verpflegung folgen. An erster Stelle stand die Quadragesima, gefolgt von den Quatemberfasten und den Vigiltagen (Vortage) zu den Apostel- und andern grossen Festen. Als regelmässige wöchentliche Fastentage waren Mittwoch und Freitag geboten. – Daneben blieb eine Reihe freiwilliger Fastentage. Vgl. HALL, S. G./CREHAN, J. H. Fasten/Fastentage (TRE 11, 1983), S. 50–59; SCHILLING S. 178. – In der Quadragesima 1524 duldete der Zürcher Rat den Fastenbruch, sofern er nicht öffentlich und nicht als Provokation erfolgte (EAk 498, 499). Vgl. auch BULLINGER, S. 69 f.

[80] Quadragesima: die 40tägige Fasten von Aschermittwoch bis Karsamstag.

[81] Eier.

die fron vasten[82], nach[83] ander gebottnen tag unser frowen[84] und andre gebottne tag[85]; dan vil lütten uff den bann garnütz hattend[86] etc. Und enpfiengend vil lütten das heillig sackriment ungebichtet[87]. Und sprachend etliche predicanten und pfaffen[88], es werre nun ein ‹nüsselbicht›[89] und umm geltz willen erdach, und ein jeclich mensch sölte got dem herren mit gantzer rüw und lid sin sünd bichten, deß werre genůgen und bedörfte kainner andren bicht nütz etc.

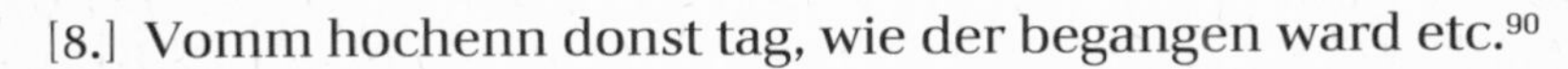

[8.] Vomm hochenn donst tag, wie der begangen ward etc.[90]

Und als man uff den hochen donstag zum sacriment gieng, da kament man und wib an stürtz und menttel[91], ouch jung und alt, da har uff das aller costlichest, und besunder die frowen und töchtren in irren hüpschen schubenn[92] und lancken[93] als verbremt[94], das gefül[95] mit gůtem[a] ruckfech und schinfech[96] und mit andrem gůtten gefül, oder mit kostlichem sammet, tamast, satlinet[97] oder anderer siden da oben und unnen, es werrend under röck beltz und schuben uff das aller best, alß weltend sy uff ein kilchwiche oder hochzit zum tantz gan etc. Und gieng niemon umm den aplos an Oelberg[98] me etc.

1 Grabchristus (aus Kerns, Unterwalden). 2. Viertel 15. Jh. Länge: 159 cm. Zürich, Schweiz. Landesmuseum. – Ein ähnliches Bildwerk hat man am Karfreitag auch im Grossmünster im Ostergrab beigesetzt.

Abbildungsnachweis: 1–3: Schweizerisches Landesmuseum, Zürich.

‖5 [9.] Wie der stil fritag begangen und gehalten ward etc.[99]

Uff den stillen fritag ward das bild cristi, unsers herre, nüt mer wie fuor[b] zů grab getragen. Und batt man nit mer für die stätt der cristen-

[a] ‹mit gůtem› doppelt.
[b] ‹wie fuor› teilweise von späterer Hand überschrieben.

[82] Quatemberfasten: jeweils der erste Mittwoch, Freitag und Samstag nach Aschermittwoch, Pfingsten, Kreuzerhöhung (14. September) und Lucia (13. Dezember).
[83] noch.
[84] In Biberach z.B. (SCHILLING, S. 178) galten der Vortag oder der Tag selbst von Mariä Himmelfahrt, Heimsuchung, Geburt und Tempelgang als Fasttage.
[85] Insbesondere die Vigiltage (Vortage) zu den Aposteltagen sowie anderer Herren- oder Heiligenfeste, insgesamt etwa 25 (vgl. SCHILLING, S. 178).
[86] Die Mehrzahl der Fastentage war beim Bann geboten.
[87] Während der Quadragesima bestand Beichtpflicht als Vorbereitung auf die Osterkommunion.
[88] Prediger und Geistliche.
[89] Anspielung auf die in der Beichte auferlegten Bussen: ‹nüssele› = jemandem auf listige Art etwas ablocken (SI IV 831). Vgl. auch WYSS, S. 55.
[90] Im Spätmittelalter empfingen Laien die Kommunion in der Regel nur um Ostern, allenfalls an einzelnen hohen Feiertagen und auf dem Sterbelager. Am Grossmünster hielt man den Gründonnerstag als Kommunionstag. Dazu trug man ernste Kleidung.
[91] ohne Schleier und Mäntel. «Die Frawen personen haben [vor der Reformation zur Kommunion] alle Schlayr uff gehabt und Mandtel tragen» (SCHILLING, S. 118).
[92] langes und weites Überkleid (GRIMM IX 814).
[93] ein Kleidungsstück (SI III 1343).
[94] mit Besatz (= gezierter Rand) versehen (GRIMM I 153–155).
[95] Gefülle: (Pelz-)Futter (GRIMM IV 2191).
[96] Ruckfech: Pelz vom Rücken des Tieres; Schinfech: glänzendes oder künstliches Pelzwerk (SI I 643).
[97] ein streifiges Halbseidenzeug (SI VII 1442).
[98] Die freistehende Skulpturengruppe mit Christus und den Jüngern am Ölberg befand sich nach ESCHER (1928, S. 122, Anm. 2) an nicht mehr zu ermittelnder Stelle auf dem Friedhof, der das Grossmünster dreiseitig umgab. Der Ablass ist bisher nicht belegt.
[99] Der Brauch der ‹Depositio Crucis› war über ganz Europa verbreitet: Man trug während

heitt wie for.[100] Und gienge niemet gan Kusnach unnd[!] den aplos.[101] Das was alles hin und ab und galt alß nütz etc.

[10.] Von dem balmtag etc.[102]

Und als man alle jare uff den hoff[103] gieng mit dem bild unsers herre Ihesus Criste[104] von den dry pfarrkilch[!][105] und got zů lob den bal- 5 menn schoß[105] mit dem gesang ‹gloria laus› und andren melidien[107] got zů lob mit grossem andacht, das ward ouch hin und abgethan und für ein unnütz zerimony geachtet, und für hin kein balmen mer gesegnet[108] etc.

2 Palmeselchristus (aus Spiringen, Uri). Anfang 16. Jh. Höhe: 180 cm. Zürich, Schweiz. Landesmuseum. – Auch in Zürich zog man vor der Reformation in der Pfingstprozession das Wägelchen mit dem Palmeselchristus voran.

der Karfreitagsliturgie ein Kreuz, im Spätmittelalter häufiger das geschnitzte Bild des toten Christus in Prozession zum Ostergrab, an welchem man bis zur Auferstehungsfeier am Sonntagmorgen die Grabeswache hielt. (Der Herausgeber verfasst seine Dissertation zu diesem Thema.)

[100] Fürbitten in der Karfreitagsmesse (orationes solemnes), für die ganze Kirche, alle Stände und auch für alle Heiden, Juden und «Irrgläubigen».

[101] Die Ablassurkunde, am 21. September 1332 in Avignon ausgestellt und am 4. Juni 1333 vom Konstanzer Bischof bestätigt, verspricht 40 Tage Ablass für den Besuch der Johanniterkomturei St. Georg in Küsnacht an einer Reihe von Feiertagen (Urkundenbuch der Stadt und Landschaft Zürich. Bd. 11. Zürich 1920. Nr. 4511).

[102] Merkwürdigerweise folgt Edlibach hier nicht dem chronologischen Ablauf des Jahresfestkreises. Zur Prozession mit dem Palmesel in Zürich vgl.: WIEPEN, E. Palmprozession und Palmesel. Bonn 1903. S. 18f.; sowie: WYSS, S. 51f., Anm. 7; ebenso: ZEHNDER, S. 188–190.

[103] Lindenhof: der von Linden bewachsene Platz auf dem einstigen Burghügel mitten in der Stadt.

[104] Der sogenannte Palmeselchristus, in Zürich seit 1260 nachgewiesen.

[105] Grossmünster, Fraumünster und St. Peter.

[106] die Palmen schiessen: Palmzweige vor den Palmesel werfen (GRIMM VII 1414).

[107] Melodien.

[108] Die Palmen wurden zur Abwehr von Unheil aufbewahrt.

[11.] Als man die fartt gan Einsidlen ab ted etc.[109]

Uff den sibenden tag deß manet meyen[110], da erkantent sich min herren von Zürich die fart ab[111] gan Einsidlen zů unser lieben frowen[a] Maria, der můtter unsers herren Ihesus Cristi, das doch ein schöne, loblich prozeß was und von frömden lütten wol glopt[112], dan von jedem huß ein gewachsner man gan můß,[113] die sich an der zal traft ob 1500 man, anne[114] priester und orden herren, derren ouch fil warrent. Und ouch niemen wüst, wen[115] und wie die uff gesetz und worden sye, ist wol zů dencken, nüt umm klein und liederlich ursach, besunder[116] in grossen angsten und nötten unsren altforderen.[117] Item, disse fart beschach alle jar uff montag nach dem heligen pfingsttag und mit dem opfer unsser lieben frowen. Item, disse fartt ward nun ouch abgethan uff den tag, wie obstat. Das gefiel eim wol, dem andren übel. Got schibe[!] es zum besten, amen etc. Item, das opfer was ein wächsine kertz, die wagt -----[b].

‖6 [12.] Vom uffart tag.[118]

270

Item der uffart abint und der tag, die wurdent ouch schlechtlichen[119] begangen mit singen, lässen und meß haben, und am tag nach imbiß kein non[120] gehept, und das bild unsers herren nüt mer uff gezogen[121], wie von alter har der bruch[122] gewesen ist.

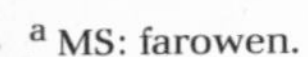

3 Himmelfahrtschristus (aus Naters, Wallis). Anfang 16. Jh. Höhe: 114,5 cm. Zürich, Schweiz. Landesmuseum. – Die Skulptur lässt sich aufgrund des Wolkensockels als Himmelfahrtschristus bestimmen. Am Auffahrtstag wurde im Grossmünster ein solches Bild ins Gewölbe aufgezogen. Dazu befestigte man die Figur mittels einer Ringschraube im Kopf an einem Seil, oder man stellte sie in einen geschnitzten Wolkenkranz und zog diesen in die Höhe.

[a] MS: farowen.
[b] Aussparung, um Gewichtsangabe später nachzutragen.

[109] Der Kreuzgang zum etwa 40 km entfernten Wallfahrtszentrum Einsiedeln am Pfingstmontag gehörte zu den kirchlichen Grossanlässen der Stadt. Soweit man konnte, fuhr man gemeinsam auf dem See. (Vgl. zum reichen Quellenmaterial: WYSS, S. 52; ZEHNDER, S. 453; SCHÄRLI, S. 22 f.; ebenso: StAZ, A 43.1, Nr. 5, S. 1 f.; B III, 6, f. 1.)
[110] Jährlich, eine Woche vor Pfingsten, musste die Wallfahrtssatzung verlesen werden (StAZ B III, 6, f. 1). 1524 wurde der Beschluss zur Abschaffung der Wallfahrt am Tag vor diesem Termin gefasst, um am folgenden Tag anstelle der Wallfahrtssatzung verkündet zu werden.
[111] aberkennen, abschaffen. Vgl. zum Mandat EAk 528 und 529.
[112] gelobt. Nach BULLINGER (S. 160) hingegen soll die Wallfahrt zuweilen Anstoss verursacht haben: «Welchs nitt nun grossen unkosten, sunder ouch vil unordnung und anlaß zů uppikeit und lastern gab. Wie dann uff einen Crützgang, ein zyt, 7 uneelicher kinden (wie man war für sagt) überkommen wurdent.» Nach den Ratssatzungen von 1498 und 1516 haben zwei Verordnete aus dem Kleinen Rat für «Zucht» zu sorgen und müssen bei Vergehen Anzeige erstatten (StAZ A 43, 1, Nr. 5, S. 1 f.; und: B III, 6, f. 1).
[113] Auf Versäumen der Teilnahme stand eine Busse.
[114] ohne.
[115] wann.
[116] sondern.
[117] Offenbar ist damals die Frage des Wallfahrts-Ursprungs diskutiert worden. Die späteren Chronisten Stumpf, Tschudi und Bullinger geben an, die Wallfahrt sei anlässlich der Schlacht bei Tätwil 1351 gelobt worden (WYSS, S. 52, Anm. 1); in der Wallfahrts-Satzung dagegen fehlt diese Begründung.
[118] Zur Gestaltung der Auffahrtsliturgie vgl. WEBER, HANS RUEDI. Die plastische Figur im liturgischen Gebrauch an der Himmelfahrt Christi. MS. Lizentiatsarbeit. Universität Zürich, 1980.
[119] ohne Umstände, ärmlich.
[120] Non: nachmittäglicher Stundengottesdienst, welcher am Auffahrtstag besonders feierlich begangen wurde.
[121] Aufzug eines geschnitzten Bildwerks, das den zu Himmel fahrenden Christus darstellt. Zum Himmelfahrtschristus am Grossmünster vgl. GUTSCHER, S. 140.
[122] Brauch.

[13.] Vom helgen pfing[st]tag.[123]

Und wie obstatt, also ward ouch der heillige pfingsttag ouch geertt als an eim andren schlechten[124] suntag etc.

[14.] Von der prozeß uff den houff.[125]

Uff mitwuchen in der fron vasten zů pfingsten gienge man alle jar uff den houff mit allem heltumm[126], so in den drig pfarren und dryen örden warend[127], mit allen priestren, weltlich und geischlichen, es werrind weltlich pfaffen und münch. Und trůge man da der lieben heligenn sant Felix und Reglen[128] mit andrem heltum, wie ob stat, die inn fier grossen särchen[129] und fier kleiner särchen mit sampt andrem heltum lagend.[130] Und näbent den särchen hattend die zwölff zünft jecliche fier koschlichen kertzen mit gold wol vergülltt[a], derren ob den 60 warren, anne andre kostliche din[131], alß mustrenntzen[132], silbrin brustbilder[133], höpter ouch in silber gefaset[134], silberin[b] särch, kelch, battenen[135] und was zunn altren[136] gehort, deß fil was an koschlichen meß gwand, korkapen[137], altertuͤcher, deß ouch vil was und die alle gestickt mit berlin[138] und edlem gestein. Die meßgwand warend alle von gůttem samet, tamast, kermmesin[139] und atliß[140] und die minsten[141] von schamlt[142]. Item eß wurden ouch fier zelten uffgespannen. Under den drigen hattend die dry örden vil messen[143], und under der fierden hat mann ein gesungen ampt und undrem ampt[c] ein koschlich bredig.[144] Das taden der dry örden herren ein-

[a] MS: vergütt.
[b] MS: siberin.
[c] MS: abpt.

[123] Der Pfingsttag war in Zürich Auftakt zu einer besonders festlichen Woche (vgl. Kap. 11 und 14). Im Grossmünster wurde sehr wahrscheinlich eine geschnitzte Heiliggeist-Taube vom Gewölbe hinabgelassen (vgl. GUTSCHER, S. 140).
[124] gewöhnlichen (GRIMM IX 543).
[125] Zum Heil und Glück der Stadt und zur Ehre der Stadtheiligen Felix, Regula und Exuperantius zog man am Mittwoch der Pfingstwoche in prächtiger Prozession auf den Lindenhof. (Vgl. WEHRLI-JOHNS, S. 86 f., WYSS, S. 52, Anm. 2; ZEHNDER, S. 206 und S. 326; StAZ A 43.1, Nr. 5, S. 3 f. und B III, 6, f. 2 v–3 r).
[126] Reliquien.
[127] Die Reliquien der Pfarreien Grossmünster, Fraumünster und St. Peter sowie des Prediger-, Barfüsser- und Augustinerklosters.
[128] Felix und Regula: angebliche Märtyrer und Stadtpatrone von Zürich.
[129] Reliquienschreine.
[130] Vgl. das Schatzverzeichnis des Grossmünsters bei GUTSCHER, S. 159.
[131] neben anderen kostbaren Dingen.
[132] Monstranzen.
[133] Brustreliquiare.
[134] Kopfreliquiare.
[135] Patenen: Zum Kelch gehörende und zur Aufnahme der Hostie bestimmte Schüssel.
[136] zu den Altären.
[137] Cappa choralis: kurzer mit Kapuze versehener und zuweilen vorn aufgeschlitzter Mantel, den die Stiftsgeistlichen zur Winterszeit im Chorgebet tragen.
[138] Perlen.
[139] Karmesin: scharlachrotes Gewebe.
[140] Atlas: glattes Seidengewebe.
[141] die geringsten, bescheidensten.
[142] Gewebe aus Kamelhaaren.
[143] Anlässlich der Prozession wurde jährlich der Bund zwischen Stadtgemeinde und Bettelorden durch eine Jahrzeitstiftung erneuert (WEHRLI-JOHNS, S. 86 f.).
[144] man hielt während des Amtes eine reiche Predigt.

ner, an wellichem dan das jar waß. Und nach dem ampt, das verzoch sich biß uff mittag, so gienge man wider heim ab dem houff etc.

Item disse prozeß ward nun ouch abgetan im besten, daß min ||7 herren verrmeintend, daß vil grosser houffart von wib und mannen 5 erspart wird und vil unnützer reden under wegen blibe, als war waß etc.

[15.] Als die crützwuchen ab gieng.[145]

In dissem jar da gienge ouch vast die crützwuchen ab[146], dan wennig lütten nütz daruff hattend und mer unnützes geschwatz triben, den 10 gebettet ward, und ander alle fert und crützgeng[147] ouch da gienge niemen me, den[148] die priester etc.

[16.] Von der kartuß Ittingen etc.[149]

Item es ward ouch in dem jar das gotzhuß die cartuß Ittingen verbrent, darumm dan etliche personnen von unsren eignosen zů Baden an lib, leben unnd gůt herttenklichen gestraffet wurdent. 15

[17.] Als daß vest corpri[!] Cristi abgieng.[150]

In dissem jar ward das vest corpri Cristi, das unsser eltren houch geerett und geacht habent, mit allem singen und lässen und umgen 271 deß sacrement der proszes[!] und die octauff us zů allen zitten nüt 20 mer harfür uff die alter getan[151], noch darmit keinnen sägen den menschen geben etc. und ouch hin und abgethan etc.

[18.] -----[a] Von der meß und bildren.[152]

Item nach uff Vitte und Modesti[153] erkantend sich min herren von Zürich, klein und grouß rätt, in irren stat gerichten und gebietten die

[a] unleserliches, wohl getilgtes Wort.

[145] Kreuzwoche: Die drei Bitt-Tage vor Himmelfahrt mit Flurprozession und Kreuzgängen zu verschiedenen Kirchen (vgl. Statutenbücher S. 107). Zur Abschaffung der Kreuzwoche: EAk 529; BULLINGER, S. 160).

[146] ging stark zurück.

[147] Prozessionen mit dem Kreuz.

[148] ausser.

[149] Ittinger Sturm: Die Gefangennahme eines evangelischen Predigers in Stammheim durch die eidgenössischen Behörden löste einen Volksaufruhr aus, in dessen Verlauf am 18. Juli 1524 die Kartause Ittingen verwüstet wurde. Die Anführer des Klostersturms wurden auf Druck der übrigen Orte vom Zürcher Rat dem in Baden tagenden eidgenössischen Gericht überstellt. Der Prozess endete am 23. September 1524 mit drei Todesurteilen. (LOCHER, S. 158.)

[150] Am Samstag der Pfingstwoche (21. Mai 1524) setzte der Rat das Fronleichnamsfest ausser Kraft. Künftig sollte am Morgen lediglich eine Predigt stattfinden, im übrigen aber gearbeitet werden. (EAk 534 und 537; WYSS, S. 53; BULLINGER, S. 160).

[151] d. h. das Sakrament wurde nicht mehr auf den Altären ausgesetzt.

[152] Es handelt sich um den ersten, noch gemässigten Beschluss zur Entfernung (nicht aber zur Zerstörung) der Bilder, der uns wohl in EAk 543 überliefert ist und folgende fünf Punkte umfasst: 1. Einzelstifter müssen ihre Bilder während einer Frist von acht Tagen nach Hause nehmen; kommen sie der Aufforderung nicht nach, so sollen die Bilder von den Sigristen ausserhalb der Kirche verwahrt werden. 2. Über den Verbleib von Bildern, welche aus dem gemeinen Kirchengut bezahlt worden sind, soll die ganze Gemeinde

bilder in und vor der statt uß allen kilchen zů tůn und ouch die crucifix[154] ab allen torren an der statt, deßglich an der klöstren torren, ouch wů[155] die stůndent etc. Und nam ouch in dissem jar die meß vast ab, dan welle[156] alt priester meß hattend, der selben ward verspottet und für ‹meß knecht› und ‹hergotz fresser›[157] geachtet. Und 5 giengend in der zit die mettinen[158] ouch vast ab, daß vil unnützer, liederlicher pfaffen nüt me dar in gieng. Und hůbe[159] man selten kein frůmeß[160] mer etc. Und ward ouch nach glassen von minen herren, daß ein jeder sine bilder heim in sin huß nämen mocht etc.

||8 In disen tagen wurdent von den priesteren drigerleig[161] meßen 10 gehalten: etliche nußent das sacrement[a] unzurteilt, also gantz[162], und etliche liessend vil colecta und anttiffen[163] us, die sy nüt lassend, und etliche hattend meß wie von alter har etc.

[19.] Von 3-erleig meßen[164] und verrichtung[165] der lüt.

Item man verricht in dissem jar die krancken menschen wenig mer 15 mit dem sackriment und heligen öll in hüsren[166], es bescheche dan heimlich etc.

[20.] Vom touff und sägen des saltz und wiewaser und bekleidig.[167]

Item man toufte die nüw gebornenn kinder nüt mer, dan im waser 20 ane crisem, saltz und andre cerremony.[168] Item es ward ouch kein

[a] MS: screment.

nach Mehrheit entscheiden. 3. Dieser Entscheid, wie er auch ausfällt, ist bindend. Es sollen deswegen bei harter Strafe keine Schmähungen ausgesprochen werden. 4. Entschliesst sich eine Gemeinde für die Beibehaltung der Bilder, so hat der Kult mit Bildern zu unterbleiben. 5. Kruzifixe sollen nirgends entfernt werden; wer sie schändet, verfällt schwerer Strafe.

[153] nach uff...: kurz vor Vitus und Modestus (15. Juni 1524); WYSS (S. 40) überliefert als genaues Datum den 8. Juni 1524.

[154] Wenn ‹EAk 543› tatsächlich den Beschluss wiedergibt, dann läge hier ein Irrtum Edlibachs vor (vgl. oben Anm. 152).

[155] wo auch immer.

[156] welche.

[157] Weil die Traditionalisten am Opfercharakter der Messe festhielten, wurden sie von reformatorisch Gesinnten verspottet. Der Rat forderte im Dezember 1523, dass «si nit mer herrgottfresser [und] Gottmetzger» geheissen werden (EAk 460).

[158] Matutin: Das nächtliche Stundengebet, das in der Regel in den ersten Morgenstunden, zuweilen aber auch am Vorabend zelebriert wurde.

[159] hielt (KELLER, S. 48).

[160] Erste Messe des Tages, damals etwa um 5 bis 6 Uhr.

[161] dreierlei.

[162] d.h. sie vollzogen nicht wie vorgeschrieben die Brechung der Hostie.

[163] Collecten und Antiphonen: nach dem Kirchenjahr wechselnde Teile des Gottesdienstes.

[164] Bezieht sich auf den vorangegangenen Abschnitt.

[165] verrichten: jemandem das Sakrament spenden.

[166] Todkranke wurden in der Kirche oder zu Hause mit Beichte, Kommunion, Ablution (Wasser und Wein, womit sich der Priester nach dem Messopfer die Hände wäscht) und der Letzten Ölung auf den Tod vorbereitet. Vgl. die sehr anschauliche Schilderung bei SCHILLING, S. 163–168.

[167] Vgl. WELTI, ERIKA. Taufbräuche im Kanton Zürich. Eine Studie über ihre Entwicklung bei Angehörigen der Landeskirche seit der Reformation. Diss. Zürich 1967.

[168] Nach traditionellem Ritus wurde dem Täufling geweihtes Salz als Schutzmittel gegen den Versucher auf die Zunge gelegt und mit Chrisam der Scheitel gesalbt.

wiechwaser noch salt am suntag mer gesegnet, und sprachent nüwe predicanten[a], es werrind als unnütze ceremony etc.

Item sy touften ouch die kinder anne überröck und stůllen[169], und gabent die lüt in der e[170] zůsamen und seitend das gotz [wort] ouch an den kantzlen bekleidet wie die leigen[171] etc. Und zugend der mertel[172] alle lang bärt wie die aceten.

[21.] Von aller sellen und helgen.[173]

Item in disem jar, als man zalt 1524 jar, da wart das vest aller lieben helgen am abit mit der sellen figil[174] und andren gebeten, deß glichen mornnedes[175] weder mit singen, läsen noch mesen läsen und singen, noch mit der fissitact den selen nüt über jr greber gangen.[176] Und war wennig den sellen durch gott geben etc. Und ward als von den predicanten dem gemeinen menschen für unnütze ceremony, die nütz sölten, für[b] geben, daß sy den selen nütz nütz[177] werrind etc.

[22.] Die ander erkanttnis von der bilder wegen etc.[178]

Und als sich fil menschen der bildren halben unrůwig machtent, daß man die götzen nüt uß den kilchen und in den bildstöcken[179] uff den straßen hin und weg ted, der erkantniß nach, so sich rät und burger vor erkent hettend, wie ouch for stat[180], und uff das erkanttend sich aber malß klein und grouß rätt, daß man alle bilder und götzen uß allen kilchen und ab allen torren und lanttstrassen in stöcken von stunden an[181] sölte hin und abtůn. Disseß beschach uff Vitte und Modesti im obgemelten jar[182], und uff das wurdent von allen zünften lüt

[a] MS: presicanten.
[b] MS: fü.

[169] Stola: band- oder schärpenartiges liturgisches Gewandstück.
[170] Ehe.
[171] Laien.
[172] Mehrteil.
[173] An Allerheiligen (1. November) feierte man die Heiligen als Zeugen der Wirksamkeit göttlicher Gnade; Allerseelen (2. November) war der Gedenktag für alle Toten, insbesondere jener, welche keine Anniversarien (Jahresgedächtnisse) besassen. SCHILLING (S. 108 f.) bietet eine ausführliche Schilderung.
[174] Die Seelen-Vigil ist demnach auf den Abend des 31. Oktober vorgezogen worden (vgl. SCHILLING, S. 108).
[175] am (nächsten) Morgen, d. h. am Allerseelentag.
[176] der Besuch der Gräber in Prozession und im privaten Kreis.
[177] nicht von Nutzen.
[178] Das endgültige Mandat (EAk 546) zur Entfernung der Bilder ist am Todestag des bildfreundlich gesinnten Bürgermeisters Marx Röist erlassen worden (siehe S. 100 f). Gegenüber dem ersten Beschluss (Kap. 18) ist es entschieden schärfer formuliert: 1. Es sind nun alle Bilder, auch Kruzifixe, wegzuschaffen. 2. Zwar ist es der einzelnen Kirchgemeinde nach wie vor erlaubt, gemeinsam gestiftete Bilder zu behalten, dem Rat wäre es jedoch lieber, sie würden «züchtiglich, ordenlich und ane unfuor» weggetan. 3. Private Stifter haben noch einmal die Möglichkeit, ihre Bilder zu sich zu nehmen. – Vgl. im weiteren Z IV 150–152; WYSS, S. 40 f.; BULLINGER, S. 159 f., 162–173.
[179] Bildstock: meist freistehender Pfeiler aus Holz oder Stein mit Tabernakel, in dem zur Andachtsverrichtung ein Kruzifix oder Heiligenbild untergebracht ist.
[180] Kap. 18.
[181] unverzüglich.
[182] 15. Juni 1524.

verordnet,[183] disser erkantniß und urttell ouch von kleinen und grossen rätten uß zů richten[184] etc.

‖[9] Und ist nüt minder[185], als man in den selbigen zitten und tagen sagt, daß etlich der zů gebnen[186], sy werrind dan von kleinnen und grossen rätten[187], mit den bildren äben groub und vast ungeschicklichen[188] handletend, daß man doch in kurtzen jarren von unsern altvordren uncristenlich geacht und nüt ann[189] merckliche bůß an lib, er[190] und leben us gannen werrend.[191] Item ouch der selben fil, die so gar ungeschicklich handleten an irrem lib, läben, er und gůt abgenge und wennig glück hattend[192] etc. 10

[23.] Von stůllen in den kilchen.[193]

Item und da nun alle bilder und götzen zum Grosen Münster uß der kilchen unden und oben uff dem gwelb[194] grumpt[195] und hin uß than warrend, da tede man das[a] münster uff. Da lüffe yederman dar in und brach ein jeclicher sinne stůl da unden in der kilchen[b] ab und 15 trůgend die heim. Und zur[196] einner dissen, der ander einnen stůl, und in eim halben tag was kein mer in der kilchen, und gienge wild zů. Das beschach uf fritag[c] nach Vitte und Modesti im 24 jar.[197]

[a] MS: daß.
[b] ‹sinne stůl› doppelt.
[c] über ‹ta› von ‹fritag› hochgestelltes ‹r›.

[183] Dem Ausschuss standen die drei Leutpriester Zwingli, Jud und Engelhard vor. Dazu kamen je ein Abgeordneter der Zünfte und zwei Konstaffler sowie der Stadtbaumeister Rudolf Kienast, Steinmetzen, Zimmerleute und «ruchknecht» (EAk 552; WYSS, S. 42). Die Organisation der Räumung nahm lediglich fünf Tage in Anspruch, die Räumung selbst erfolgte von Montag, 20. Juni, bis Samstag, 2. Juli 1524 (GARSIDE 159 f.).
[184] den Beschluss auszuführen.
[185] im Sinne von: es lässt sich nicht leugnen (SI IV 324).
[186] der Verordneten.
[187] ausgenommen die Ratsherren.
[188] unrecht, verrucht, sündhaft.
[189] ohne.
[190] Ehre.
[191] Noch 1520 wurde der Toggenburger Ueli Kännelbach wegen Bildschändung in Uznach enthauptet (EAk 126).
[192] Zur Bestrafung der Bilderstürmer durch höhere Macht vgl. auch EAk 511.
[193] Im Mittelalter kannte man noch keine organisierte Kirchenbestuhlung. Vielmehr besass man je nach sozialem Stand seinen eigenen Stuhl, allenfalls einen Block, oder musste gar vollständig auf Sitzgelegenheit verzichten (SCHILLING, S. 50 f.). – Der eigenartige «Stuhlsturm» im Grossmünster scheint für militante Ikonoklasten gleichsam der öffentliche Ersatz für den von der Obrigkeit für sich beanspruchten Bildersturm gewesen zu sein. Vgl. auch WYSS, S. 43.
[194] auf dem Gewölbe: gemeint sind wohl die Emporen über den gewölbten Seitenschiffen.
[195] geräumt.
[196] zerrte.
[197] Das Datum (17. Juni) ergibt keinen Sinn, da die Räumung der Bilder erst am 20. Juni in Angriff genommen worden ist. WYSS (S. 43) überliefert als Datum den 30. Juni 1524. Demnach hätte die organisierte Räumung der Bilder im Grossmünster 10 Tage beansprucht. Gleich nach der Wiedereröffnung der Kirche muss der Sturm auf die Stühle losgebrochen sein.

[24.] Als man alle münch zun bredier und augenstineren zů den barfůsen zů samen fuͤrt.[198]

Und uff samstag ouch im obgemelten jar, da erkanttend[a] sich min herren klein und groß rätt, daß man alle münch zun bredier und augenstinren zůsamen in das closter zun barfůssen thůn sölt, und das beschache nun uff den obgeschribnen tag. Und dem nach, da wurdent bede clöster, brediger und augenstiner[b] beschloßen[199] und mit lütten von beden rätten besetzet.[200] Und als man damals sagt, so ward mit tössen[201] und brassen wennig gespartt, und lůde je einner denn andern, so dan die priger[202] und pfleger gern hattend, und gienge im suß[203] zů etc.

‖10 [25.] Als man den touffstein zum Grossen Münster hin und abschleisch etc.[204]

Uff donstag nach sant Nicklus, ouch im obgemelten jar[205], ward ab geschlissen[206] der touff stein, der da anne allen zwiffel vil hunder jarren [was], daß niemen wol verdencken mocht.[207] Der stůnd bin der sul, die das gwelb und den altar corpri Criste treitt, da hinden der mitte der kilchen, und ward gesetze [!] für das grab unsers herren, da man us dem kor die stegen in der zwölffboten kapel gatt.[208] Und selbig grab ward ouch mit dem costlichen werck, das er nüw, bin zweig oder dry jarren, gemach ward, hin und abgeschlissen[209], deß glichen der zwölff botten alter ouch[210], und ein nüwe tür gemacht etc.[211]

[a] MS: eranttend.
[b] im Text über ein anderes Wort geschrieben und nicht gänzlich lesbar.

[198] Auf Vorschlag Zwinglis wurde durch den Rat am 3. Dezember 1524 bestimmt, dass die drei Bettelorden einstweilen im Barfüsserkloster vereint würden. Die Jüngeren sollten sich einem Handwerk oder einem Studium zuwenden, die Fremden mit einem Zehrpfennig in ihre Heimat zurückkehren und die Älteren bis zum Tod im Kloster weiterleben dürfen. Vgl. SCHAUFELBERGER, S. 133; WEHRLI-JOHNS, S. 227; BULLINGER, S. 228–230.
[199] geschlossen.
[200] Die vom Rat ernannten Pfleger hatten zusammen mit den jeweiligen Klostervorstehern ein Inventar aufzunehmen (EAk 599 und 605), um die Säkularisierung durchzuführen.
[201] ausgelassenes Lärmen (SI XIII 1800).
[202] Prediger? (SI V 407 mit Anm.).
[203] in Saus und Braus.
[204] Der vorreformatorische Standort des Taufsteins (im Westen unter der Empore mit Fronleichnamsaltar zwischen den beiden Türmen) war bezogen auf eine reiche Auferstehungssymbolik. Was Zwingli zur Neuplazierung in der Zwölfbotenkapelle veranlasste, ob er an die Tradition der Märtyrergräber anknüpfen wollte (siehe S. 111) oder ob es lediglich darum ging, einen vom Gemeinderaum getrennten Taufort zu haben, bleibe dahingestellt. – Der gotische Taufstein blieb am neuen Ort bis 1598 in Funktion, danach diente er als Fundament für seinen Nachfolger im Mittelschiff vor der Chortreppe (GUTSCHER, Abb. 199).
[205] 8. Dezember 1524.
[206] abgebrochen (SI IX 680).
[207] d. h. der Taufstein war schon so lange an diesem Platz, dass sich niemand eines andern entsinnen konnte (SI XIII 659).
[208] Vgl. die Rekonstruktion der vorreformatorischen Münsterausstattung bei GUTSCHER, Abb. 164 f.
[209] Die Zwölfbotenkapelle ist südlich an den Chor angefügt. In ihr befand sich u. a. ein Grab Christi, an dessen Stelle der Taufstein plaziert wurde. Das Grab selbst war eine Gemeinschaftsarbeit von Konrad Österreicher und Hans Leu, wurde laut Einträgen in den Fabrikrechnungen 1514 bis 1516 hergestellt (GUTSCHER, S. 140 f.).
[210] Wohl das Retabel des Apostelaltars in der Apsis der Zwölfbotenkapelle.
[211] Wurde demnach die Zwölfbotenkapelle verschlossen?

[26.] Als die begreptniß beder heligen sant Felix und Räglen ab geschlisen wurdent.[212]

Im obgemelten jar, uff sant Lucien, Otiligenn und sant Jost abind,[213] da ward Zürich von klein und grossen rätten erkent, die begreptnis beder helgen obgemelt[214], Felix und Regulan, die lange zitt der stat 5 Zürich pattren[215] gewessen warren und von allen menschen hoch geeret, daß man die ouch söl hin und abschlissen[a], die da erst nüwklich in kurtzen jarren von fil fromer lütten[216] mit vergülten, costlichen tafflen[217] und sidinen tůcher irre särch verdeckt ob den 273 grebren. Ouch allwegen brunend 12[b] amplen, wen eß tublex und 10 samstag nächt warent.[218] Disse begreptniß wart gar und gantz geschlissen. Gott waltz sin.

[27.] Von brenneren, die da umgienent[!].[219]

Item in dissem jar verbrunnent fil hüssren zů Winigen[220] und an andren enden. Und seitte man, wie lüt werrind besoldet, sömlich zů 15 thůn. Und hatte man vil übler zitt und vil costens allen thalben mit wachen und sůchen in welden.[221] Diß wertt wol uff ein halb jar.

||[11] [28.] Aber ein erkantniß[c] der ältren halb etc.[222]

Uff samßtag nach Luci und Tottilie[!] und sant Josts tag[223], ouch im 24. jar, erkanttend sich aber malß min herren, klein und groß rätt, 20 die älter, so nach in den kilchen stůnden, uß den kilchen zů schlisen und weg zů thůn etc. Und also ward zurbrochenn sant Felix und Räglen alter[224], sant Urslen alter, sant Sebastions alter, sant Bläsius alter, und der alter unser frowen kintbetty[225].

[a] MS: abschissen.
[b] MS: xij zwölff.
[c] MS: erkanniß.

[212] Die Auflösung der wichtigsten Kultstätte Zürichs überliefern auch WYSS (S. 53 f.) und BULLINGER (S. 161 f.); Ratsakten haben sich hingegen nicht erhalten (EAk 547). Zur Gestalt des Heiligengrabes: GUTSCHER, S. 141 f. und 136–138.
[213] Montag, 12. Dezember 1524. Das Datum muss sich auf die Auflösung der Tumben beziehen; die Bildtafeln wurden schon im Juni weggebracht.
[214] Vgl. Kap. 14.
[215] Patrone.
[216] Offenbar handelte es sich um eine Kollektivstiftung.
[217] Die Gemälde von Hans Leu, die sich als Fragmente erhalten haben.
[218] Sonn- und Feiertage beginnen nach katholischer Tradition mit der Vesper des Vorabends; deshalb brennen die Ampeln schon durch die Nacht. Zur Finanzierung der Lichter: Statutenbücher, S. 32. Vgl. auch WYSS, S. 53, und GUTSCHER, S. 142.
[219] Vgl. EAk 514; BULLINGER, S. 159.
[220] Weiningen, ehemals Winzerdorf etwa 10 km westlich von Zürich.
[221] in Wäldern.
[222] Näheres zu dieser Verfügung ist nicht überliefert; einzig WYSS (S. 56) spricht von sechs Altären, die im Grossmünster ganz abgebrochen worden sind.
[223] 17. Dezember 1524.
[224] Der Altar neben dem Grab in der Zwölfbotenkapelle.
[225] Möglicherweise ein Hinweis dafür, dass der Marienaltar im Chor eine Darstellung der Mariengeburt aufgewiesen hat.

[29.] Ano domini 1525 jar, als man die meß Zürich ab kant.[226]

Ano domini 1525 jar an einnem mentag in der balm wuchen[227] erkanttend sich aber[228] klein und groß rätt, daß man hin für nach der
5 krumen mitwuchen[229] in mir[230] herren stat Zürich, ouch in irren gerichten und bietten[231], keinn meß weder mit singen und lässen haben sölt. Unnd das warde mit wennig henden ein merß etc.[232]

[30.] Alß die leste meß und passion gesungen wurdent.[233]

Uff mitwuchen wart die leste meß und pasion zů Zürich gesungen,
10 und gienge die meß gar hin und ab etc.

[31.] Vom tischt Gott ward angefannen under Uorich Zwinger.[234]

Und morne deß uff den hochen donstag[235], da warde der nüw tischt gotz uff gericht, und das brůt[!] und der win under das volck ußteilt.
15 Das gefiel eim wol, dem andrenn nütz. Was[236] in der selben zit in fil lütten ein osterspil[237] etc. Und kam ouch das consistorium[238] gan Zürich.

[32.] Als uff obgemelten tag vil lüten[a] nach dem alten bruch liessen brichten[239] etc.[240]

20 Item eß liessend sich in derselben zitt uff den tag fil man und wiber versächen mit dem heligen sacrimentt nach dem alten bruch wie

[a] MS: luten.

[226] Zwingli verfasste hierzu die Schrift ‹Action oder bruch des nachtmals› (Z IV 1–24). Vgl. LOCHER, S. 146.
[227] gemeint ist wohl der Montag der Karwoche (10. April 1525); nach BULLINGER (S. 163) der 11. April.
[228] zum zweiten Mal.
[229] Mittwoch vor Ostern, 12. April 1525.
[230] meiner.
[231] Territorien.
[232] der Beschluss wurde mit knappem Stimmenmehr gefasst.
[233] In der Karwoche wird im katholischen Ritus die Passion nach den vier Evangelien vorgetragen.
[234] Das Abendmahl nach der neuen Ordnung fand nach Zwinglis Willen ohne Gesang und Orgelspiel statt. Die Gemeinde sass an gedeckten Tischen und empfing das Abendmahl in beiderlei Gestalt; das edelmetallene Altargerät wurde durch hölzerne Teller und Becher ersetzt. Vgl. LOCHER, S. 145–147, 221–224; STOCKAR, KARL. Liturgisches Gerät der Zürcher Kirche vom 16. bis ins 19. Jahrhundert. (Mitteilungen der Antiquarischen Gesellschaft Zürich, 145, 1981), S. 14 ff., Nrn. 30–62.
[235] Gründonnerstag, 13. April 1525.
[236] Es war.
[237] Es sind bisher keine weitere Akten zu diesem vor vielen Leuten veranstalteten Spiel bekannt. Der Begriff ‹Osterspiel› beschränkt sich allerdings nicht nur auf das geistliche Auferstehungsdrama, sondern kann auch auf profane theatralische Darbietungen angewandt werden. Für die von Edlibach hier mitgeteilte Aufführung käme etwa einer von Utz Ecksteins Reformations-Dialogen in Frage. – Zum Osterspielbegriff vgl. HERMANN, MAX: Das Volksbuch vom Till Eulenspiegel als theatergeschichtliche Quelle. (Neues Archiv für Theatergeschichte, 1, 1929), S. 7–11.
[238] Konsistorium: bischöfliche Kommission.
[239] brichten: verrichten, mit dem Sakrament versehen.
[240] Der Rat bestimmte, dass für das laufende Jahr auf Verlangen das Sakrament noch in ge-

vor; dan eß klein und grouß rätt uff diß jar nach glassen[241] hattend den priestren, die lüt zů versechen, dero[242] vil warent[243] etc.

||[12] [33.] Als münch, pfaffen[a], closterfrowen[b], brůder und baginen uß irren clöstren und hüssren lüffend.[244]

5

Item in disser zitt lüffen münch, pfaffen[a] und brüdren, ouch nunen, schwestren, klosterfrowen und beginnen[245] uß irren klöstren und hüssren, und namen pfaffen[a], münch, brůder die closterfrowen, nunen und beginen ein andren zů der e[246], und gienge wild zů etc.

274

[34.] Vom sacrament, als manß verlor.

10

Item eß kam[247] ouch das heillige sackrimennt diß jar vor und nach dem heligen ostertag[c] bin[248] acht tagen in den dryen pfaren der lütkilchen und ördnen, man und frowen[249], uss den sacrinment hüslin[250] mit sampt dem heilgen öll, daß der merte[il][d] lütten nüt wustend, war oder wůhin es kam. Und fragt ouch niemen, wer es than hette etc. Und warde fil brucht, daß nütz solt[251] etc.

15

[35.] Von sant Barblen kapel und lütten etc.[252]

Uff sant Pongracus tag im obgemelten jar[253] fienge man an, die kappel for dem tor uff dorff[254] zů schlissen[255], die in sant Barblen er ge-

[a] MS: paffen.
[b] MS: closerfrowen.
[c] ‹o› über ‹h› korrigiert.
[d] am Rand eingebunden.

wohnter Weise verabreicht werden dürfe; dazu soll aber keine Messe gehalten werden (EAk 684). Ein Gesuch, die Wasserkirche den Altgläubigen zu überlassen, wurde dagegen abgewiesen (WYSS, S. 63; BULLINGER, S. 264 f.).

[241] erlaubt.

[242] derer.

[243] WYSS (S. 63) sagt dagegen: «aber iren warend nit vil».

[244] Bereits am 17. Juni 1523 hatte der Rat den Oetenbachschwestern den Austritt erlaubt, worauf noch im selben Jahr elf Frauen das Kloster verliessen (HALTER, S. 153–155).

[245] Mönche = Klerikermönche; Pfaffen = Weltgeistliche; Brüder = Laienbrüder, die keine Weihen empfangen haben und die niederen Dienste verrichten, Klausner; Nonnen = Chorschwestern; Schwestern = Laienschwestern, Angehörige von Schwesternhäusern; Beginen = asketisch ohne bindendes Gelübde zusammenlebende Frauen.

[246] WYSS (S. 25–35) zählt die Namen der Kleriker einzeln auf, welche sich vermählten. Vgl. auch EAk, Sachregister ‹Ehe: der Geistlichen›.

[247] ‹eß kam ... uss›: es verschwand.

[248] binnen.

[249] d. h. aus Männer- und Frauenkonventen.

[250] Sakramentshäuschen: ein oft kunstvoll umrahmtes Wandtabernakel zur Aufbewahrung konsekrierter Hostien und des Krankenöls.

[251] Und es wurde oft (die Redensart) gebraucht, dass es nichts bedeute.

[252] Die Kapelle gehörte dem Chorherrenstift zu (NÜSCHELER, S. 423). Der Abbruch mag im Zusammenhang gestanden haben mit dem 1525 neu erbauten Bollwerk auf Dorf (siehe S. 117).

[253] 12. Mai 1525.

[254] vor dem Oberdorftor (NÜSCHELER, S. 423).

[255] zu zerstören.

wicht[256] was, und die glöglin[257] daruß uß dem helm[258] gnomen. Und gienge ab, daß man nümen für das wetter noch keinner leig mer lutte[259], es schnitte oder[a] regnotte etc.

[36.] Vom brůder huß im Nessental[b] und andre hüssren der brůdren und schwestren allen thalben etc.[260]

Aber in disem jar ward abgeschlisen das lustig[261] brůder huß im Nesseltäll, dar in den gewonlich siben brůder oder acht, die der krancken lütten warttend[262], wů man ir bederft. Das ward dem spital Zürich geben, das verkouftend die spittolß meister[263] mit wüssen mir[264] herren von Zürich. Das ward geschlissen und anderre brůder und schwester hüsser ouch ab gethan ungeschlisen[c] [265] der clusen fil warren etc.[266]

[37.] Von glogen und mössinnen[267] kertzstöcken und büchsen[d] [268].

Und alß man sagt, da wurdent uß den glöglinen und den grossen kertzstöcken, die möschin warend, büchsen uff die türn[269] zů der wer gossen etc.

[38.] Von den predicanten in und vor der stat.[270]

||13 Und alß dan inn dissem und andren vergangnenn jarren Zürich und andern enden, gerichten[e] und gebietten von etlichen predicanten fil reden an den cantzlen brucht wurden, und bsunder, daß sy an keinem ortt in der geschrift fundent, daß man den zenden schuldig

[a] MS: der.
[b] MS: Neseltan
[c] Ed. 1846: vn[d] geschlissen.
[d] MS: büschen.
[e] MS: gerichen.

[256] in der Ehre von St. Barbara geweiht.
[257] Glöcklein.
[258] Turmhelm.
[259] Wetterläuten: das Läuten von geweihten Glocken bei Gewittern, Hagel, Sturm usw. Es ist ein kirchliches Schutzmittel (Sakramentale) gegen die durch das Unwetter drohenden Schäden und ruft gleichzeitig die Gläubigen zum Gebet auf.
[260] Das Bruderhaus im Nessental lag in Hirslanden, südöstlich von der Stadt. Den Barfüssern oblag die Aufsicht (SCHAUFELBERGER, S. 152–155).
[261] anmutig, lieblich.
[262] pflegten.
[263] Der Verkauf erbrachte 148 Pfund (Zürcher Spitalgeschichte, I. Zürich 1951. S. 30; StAZ, Dd 1350).
[264] meiner.
[265] nicht abgebrochen.
[266] Zu den verschiedenen Bruder- und Schwesternhäusern in und vor der Stadt: SCHAUFELBERGER, S. 148–162; NÜSCHELER, S. 464–473.
[267] aus Messing.
[268] Büchsen: Feuerwaffen.
[269] Türme.
[270] Edlibach wird die revolutionären Predigten nicht direkt zu Ohren bekommen, sondern im Rat durch Bauernbeschwerden, Nachgänge usw. von ihnen gehört haben (vgl. Kap. 3).

zů geben werre, dan anlein[271] den bischoffen[272] und werrent die pfarer, die das wort gotz verkuntend, und nüt den clöstren nach den andren lütten, weder edlen noch unedlen, geischlichen noch weltlichen, deß glichen von rent, gült und unbilichen zinssen[273], deß glichen von eigenschaft der lütten deß libs, von stüren, fellen[274] und glässen[275], da ware man nütz schuldig, weder tagwen[a] noch huͤnner zů geben, weder äpten, prelaten, edlen und unedlen und dennen, die das alles aber so unnutzlich vertädind und verbruchtend,[276] es werrind bäpst, cadinel, bischöff, äpt, bröpst, pfaffen, münch und nunnen niemethin uß glassen. Item das alles von fil ungelertter bredicanten in und for der stat an den cantzlen uff das aller gröbist[b] dem gemeinen man für geben ward[277], daß nun ze besorgen ist, daß eß die warheit werre sye[278] etc.

[39.] -----[c] alß man die kilchenn und closter enplünder und zů der stat handen genomen ward etc.[279]

275

Ano domini 1526 jar[280], da namen min herren von Zürich zů gemeiner stat handen uß beden stiften[281] und von Sant Petter[d], ouch den fünff clöstren, zun bredier, augenstinren, barsfossen[!], an Öttenbach und Sant Frennen[282] im sa[mling][e] ouch uff dem land in irren grichten und gebieten und pfarkilchen, uß allen sacristigen von kelich, pattenen, musttrantzen, von silbrinnen krützen, särchen und mustrantzen, deß vil von edlem gestein und berlin kechlichen[f] versetz und helffen bein[283] kostlich gemach was, dar in den vil der lieben helgen gebein gelegen warrend etc. ouch vil cöstlicher alter tuͤcher[284] und meßgwand, die alle von gůtter siden und mit berlinen und ed-

[a] ‹wen› doppelt, das vordere gestrichen.
[b] ‹an den cantzlen› doppelt.
[c] halbe Zeile verwischt.
[d] MS: Sant Pette.
[e] unsichere Lesart.
[f] Ed. 1846: kochlichen.

[271] ausser.
[272] Bischof: Pfarrer (im Sinne von Aufseher, Wächter. Vgl. Z IV 150, Anm. 16). Nur jenen Pfarrern sollte demnach der Zehnten entrichtet werden, die sich der neuen Lehre angeschlossen hatten.
[273] nicht gerechtfertigte Zinsen.
[274] Sterbefall, vgl. Anm. 49.
[275] Geläss: was aus der Hinterlassenschaft eines Unfreien dem Herrn zufällt.
[276] Es war in erster Linie die traditionelle Verwendung des Zehnten, die reformatorischerseits bekämpft worden ist.
[277] ausgeführt, vorgetragen.
[278] im Sinne von: dass nun zu befürchten ist, es werde für bare Wahrheit genommen.
[279] Zur Verstaatlichung und Liquidation der Kirchenschätze: siehe S. 103–105; vgl. auch ESCHER 1930, S. 134–142; HÜSSY. – Am 14. September 1525 beschloss der Rat, alles einzuziehen, was sich an Edelmetall, Edelsteinen und Paramenten in den Stiften und Klöstern in Stadt und Land befand (ESCHER 1930, S. 134). Die Chorherren des Grossmünsters weigerten sich anfangs, dem Erlass nachzukommen, und öffneten erst am 2. Oktober 1525 die Sakristei (ESCHER 1930, S. 137).
[280] Die Jahrzahl bezieht sich wohl auf die Zeit der Liquidierung (vgl. Kap. 43).
[281] Grossmünster und Fraumünster.
[282] St. Verena: Frauenkloster, das aus einem im 13. Jahrhundert gegründeten Schwesternhaus hervorgegangen ist. Vgl. WEHRLI-JOHNS, S. 101–104; BÄR, E. Das Frauenkloster St. Verena in Zürich. (Nova Turicensia. Beiträge zur schweizerischen und zürcherischen Geschichte, Zürich 1911. S. 102–120).
[283] Elfenbein.
[284] Altartücher.

lem gestein die krütz dar uff gestickt, das man für ein mercklich gůt schatz[285] etc.

‖[14] Und von den meßgwand, corkapen, corröcken und andren dingenn, wie ein priester mit eerenn uff ein helgen hochzitlichen[286] über allter [legt], so er meß haben, so er das[a] ampt singen solt gan[b] und dem gotzdienst zů gehort, was alles gnůg da, des glichen für älter von dem Brugunschen hertzogen[287] und guldinen korkapen und ouch swartze meßgwand mit guldflamen[288] und der helgen särch ouch also bedeckt, die zů Granssen[289] gewunen warrend, ouch deß cardinalß von[c] Sitten[290] meß gwand, corkapen und tuͤcher umm und[d] ob dem alter und alltertuͤcher was kechlicheß ward uff dem kouffhuß in den kamren verkouft, und das nachgültig luderwerch[291] undrem[e] helmhuß.[292] Und als man sagt, beschachen unglich köuff[293] etc. Und uß der siden aller ward glöst 1400 gl. Und dar uß most man zallen, was die verordneten von minen herren und die gantmeister verzert und vertöst[294] und ander mit inn.[295] Das traft ein erbry[296] sum, daß wennig geltz über ward etc. Und als man sagt, wurdent uß den meß gwand vil manßwamseln und den frowen vil halß geleren[297] gemacht und verbrämt uff die röck und schuben etc.[298] Und den[299] disen blunder verkouftend, jeclich 10 gulden gab man fur sin lon etc.

[40.] Als alle buͤcher uß dem cor zum Grosem [Münster] etc.[300]

Uff mentag nach deß heiligen crutztag vor und nach zů herp[s]t[301], ouch im obgemelten jar, da wurdent den priestren zum Grůssen [!]

[a] MS: daß.
[b] ‹gan› von Edlibach nachgetragen.
[c] ‹von› durch Edlibach über der Zeile nachgetragen.
[d] ‹und› durch Edlibach über der Zeile nachgetragen.
[e] ‹kouffh› von Edlibach getilgt.

[285] für ein stattliches Vermögen schätzte.
[286] auf einen Festtag.
[287] Karl der Kühne, Herzog von Burgund (1433–1477).
[288] Möglicherweise die burgundischen Briquets, wie sie auf dem Tausendblumenteppich (Bern, Historisches Museum) erhalten sind.
[289] Schlacht bei Grandson 1476.
[290] Kardinal Matthäus Schiner, um 1465–1522, bedeutende Stellung in der europäischen Diplomatie, seit 1517 in Zürich.
[291] nachgültig: gering (SI II 290); luderwerch: schlechtes Zeug (SI III 1104).
[292] Helmhaus: an die Wasserkirche angebautes Profangebäude.
[293] Käufe zu ungerechtfertigten (zu billigen) Preisen.
[294] ausgelassen vertan.
[295] ihnen.
[296] erbare, erhebliche.
[297] Göller, Halsschmuck (SI II 219).
[298] Bullinger bemerkt dazu: «Und ist nitt minder, dann dass wie hievor von pfaffen in dem plunder vil hochfart tryben worden, und erst darzů gebrucht zur abgöttery und superstition, also ist eben diser plunder ouch hernoch von denen, die inn kouft habend, zur üppigkeit und hochfart meertheyls gebrucht.» (Von den Tigurinern. zitiert nach ESCHER 1930, S. 138, Anm. 4).
[299] denen, welche.
[300] Das Chorgebet ist am Grossmünster weiter gepflegt worden, bis es mit der Konfiszierung der Chorbücher in radikaler Weise zum Schweigen gebracht wurde (siehe S. 103–107).
[301] 17. September 1525.

Münster, als si die vesper und gumplet gesungen[a] hatten[302], alle gsang buͤcherr, dar uß dan die 7 zitt über jar sungen, ab den bulchbretter[303] und in stuͤllen von den verordneten genomen, und in die obristen kantzlige[304] beschlossen[b], dar mit man kein zit[305] am morgen oder am abint mer singen kond, werder mettmen und andre zitt. Und also für hin nütz mer gesungen nach gelessen etc.

[41.] Als das heltum uß dem fronalter zum münster genomen ward etc.[306]

Und uff samstag nach der heilligenn junffrow sant Fiden tag[307], ouch im obgemelten jar, da nament die verordneten das heltum uß dem fronalter im kor zum Grossen Münster mit vil gerlechter und gespöt und bůd[308] je einer dem andren daruß[c] das zů trincken, und en ewichten[309] den altar, und tribent aller leig unfůr[310], der vil wol er spart wer worden etc.

Vom heltum im alter gnomen ward.[d]

||15 [42.] Als die buͤcher uss den liberigen[311] kament.[312]

Item in dissen tagen giengen die verordnneten über alle liberigen Zürich, in das Münster und über andre liberigen in den pfarkilchen und clöstren, und nammend daruß alle buͤcher, die sy fundent. Item die glertten, die sich der buͤcher verstündent, die meintend, daß sy mit 10 000 guldin nüt gemachet werrend, dan sy mit gůttem bermett[313] und costen geschriben warend; derro was ein grosser huff[314], die alle verkouft, zurrissen und zurzertt wurden und keinß gantz bleib etc.

[a] ‹gesungen› doppelt.
[b] MS: beschlossen.
[c] ‹dem andren daruß› am Rand.
[d] steht unten an der Seite, quasi als Überschrift für das Folgende; bezieht sich aber auf das vorangegangene Kapitel.

[302] nachdem das Tagesofficium beendet war: wohl während der Nacht.
[303] die Lesepulte zum Chorgestühl.
[304] Obere Kanzlei: wohl die Sakristei über der Zwölfbotenkapelle (vgl. GUTSCHER, S. 149).
[305] Gebetszeit, das Stundengebet.
[306] Die Öffnung der Reliquiare und die Fortschaffung der Gebeine wird in allem kontrovers überliefert. WYSS (S. 54) ist es nicht bekannt, wohin die Reliquien gekommen sind. BULLINGER (S. 161) weiss von Heinrich Uttinger, damals Stiftscustos und mit der Öffnung der Reliquiare betraut, dass die bescheidenen Gebeinsreste «eerlich und still vergraben, oder in das Beinhuß ... heymlich» zerstreut wurden. Faber, Generalvikar von Konstanz, hat laut BULLINGER (S. 162) die Lüge verbreitet, dass die Reliquien der Stadtheiligen von Zwingli in die Limmat geworfen worden seien. – Vgl. LOCHER, S. 143, Anm. 174 mit weiteren Angaben und Literatur; zum Hochaltar des Grossmünsters: GUTSCHER, S. 139.
[307] 7. Oktober 1525.
[308] bot.
[309] entweihten.
[310] Unfug, Ausschweifung.
[311] Bibliotheken.
[312] Am Grossmünster fand die Plünderung am 7. Oktober 1525 statt (siehe S. 103–107).
[313] Pergament.
[314] Haufen.

[43.] Was an silber erfunden worden ist.[315]

An silber, so das alles zů samen geschmeltz ist und glüttret[316], so von kelichen und batten[317], ouch von mustrancen und crucificten, silbrinen särchen, brustbildren, rouchvessren und waß der kilchen 5 kleinnot warren, ouch plenar[318] und bůcheren uß allen kilchen zů samen kumpt, so wirt erfunden 663[a] marck und je die marck uff 9 gl. geschetz[319]. Diß silber ist vermüntzet und verthan etc.

[44.] An gold ist erfunden.[320]

So ist an gold erfunden 90 march gelüttret[321] ouch minder oder mer 10 dar uß sind guldin geschlagen, und all vast ouch verbrucht etc.

[45.] Von berlinen und edlem gestein.

Von edlem gestein und berlinen, als man sagt, vast fil da gewessen sye. Wů hin das kommen, oder wie fil man daruß glöst, ist, das ist mir nüt zů wüssen, und schrib nütz dervon etc.

15 [46.] Ein früntlich bitt von unssren eignosen den 6 ortten wegen[b], namlichen Lutzern, Urre, Switz, Underwalden, Zug und Glarich etc.[322]

Item und als den unsre trüw und lieb eignosen von stetten und lendren der zwölff ortten in den nächst vergangen jarren vor dann ein 20 mal und äben fil,[323] Zürich vor klein und grossen rätten erschinen warend, deß Lutterschen handelß halb, und allerleig ungeschickter reden sich erhůbent,[c]

||16 Vom tag zů Baden.[d]

und da begab eß sich, daß uff deß heligen crütz tag zů herpst im ob-

[a] Ed. 1846: irrtümlich ‹563›.
[b] ‹wegen› am Rand ergänzt.
[c] ‹erhůbent› unterhalb des Schriftspiegels nachgetragen.
[d] Titel ohne Rücksicht auf den fortlaufenden Text eingeschoben.

315 Am 24. Februar 1526 beschloss der Rat, das Silber dem Münzmeister zu verkaufen und den Erlös einstweilen dem Säckelmeister und dem Almosen anzuvertrauen. Wozu der enorme Erlös schliesslich gebraucht worden ist, lässt sich nicht mehr feststellen. Die Almosenrechnung verzeichnet jedenfalls keinen Eingang, was aber nach damaliger Buchungspraxis nicht heissen muss, dass es nicht dotiert worden wäre. Vgl. dazu die sehr instruktive Darstellung über das Münzamt und die Liquidation des Zürcher Kirchenschatzes bei HÜSSY, S. 40–48.
316 geläutert, rein.
317 Patenen.
318 Plenar: liturgisches Buch, das alle für die Lesung der Messe in Betracht kommenden Texte enthält. Wie andere liturgische Bücher kann es mit Edelmetallbeschlag versehen sein.
319 entspricht 152,49 kg im Gesamtwert von 5967 Gl. (HÜSSY, S. 46).
320 Aus dem Gold wurden Gulden mit Bild Karls des Grossen, Reichsadler und Zürcher Wappen (HÜSSY, S. 44).
321 entspricht einem Wert von 8191½ Gl. (HÜSSY, S. 46).
322 Vgl. hierzu: Eidg. Absch. 4, 1, 1873, Nr. 304 und 306; LOCHER, S. 182–187.
323 mehrmals, mehrfach.

gemelten 25. jar[324], aber[325] von den zwölffortten von unsren eignossen ein tag zů Baden in Ärgöw gehalten ward, allerleig geschäften halb.[326] Und da der selb tag uß was und ein end hatt, und die botten zurreittend[327], da kamend von Baden unsre eignosen von Bern, Glariß, Sollotur, Bassel, Schoffhussen und Appenzell, die 6 örtter von Baden, für klein und groß rett Zürich[328], und das was uff sant Mattes tag uff mentag dar vor[329], und brachtend da mit gar früntlichen wortten und vil erbiettenß ann min herre, und das was die meinung: namlich in dryen stucken und articklen zů eeren namlich dar umm mine herre zů eeren und zů willen werden und nach zůlassen.[330] Item das erste das was, daß man das bild deß crucifix und die bildniß unser frowen mit sampt andren der heligen bilder wider in die kilchen tůn sölt. Und das ander berürt das heilige sacriment an, daß man das ouch sölt lassen beliben. Und das tritt, daß man wider um die meß hůbe, es werre mit singen, lässen, wie dan das vor malß gehalten werre. Dan wo das nüt bescheche, so enendactend[331] sy das minen herren im aller besten, daß si bsorttind, daß sich die 6 übrigen örtter deß vereintend[332], by üch min herren von Zürich weder zů tagen und andren gescheften me zů sitzen, und nütz mer mit üch zů handle haben in kein wiß noch weg. Item disse meinung ward nun von den obgemelten ortten mit fil bitt und wortten wol gerett, mer dann hie geschriben stat. Dar uff min herren von Zürich ein verdanck namend[333] und uff das mal den eignossen wennig zů willen ward etc.

[47.] Von der schlacht zů Griessen[a] im Kläce [!], so grauff Růdolff von Sultz mit sinnen burren ted etc.[334]

||[17] Uff samstag nach aller heligen tag im 1525 jar[335], da greiff grauff Ruodolff von Sultz sinne unghorssen buren an im Kläcke, nach bin

[a] MS: Gressen.

[324] 14. September 1525.
[325] abermals.
[326] Zürich war an der betreffenden Sitzung nicht vertreten. Vgl. Eidg. Absch. 4, 1, Nr. 304.
[327] wegritten.
[328] Es handelt sich um den Vermittlungsversuch der Orte Bern, Glarus, Solothurn, Basel, Schaffhausen und Appenzell.
[329] 18. September 1525.
[330] Eidg. Absch. 4, 1, Nr. 305.
[331] entdeckten, eröffneten, offenbarten (SI XII 1215 b).
[332] d. h. Uri, Schwyz, Unterwalden, Luzern, Zug und Fribourg einigten sich darüber.
[333] überlegten (GRIMM XII 198).
[334] Die Klettgauer Bauern, Untertanen des Grafen Rudolf von Sulz und wie dieser dem Zürcher Burgrecht unterstellt, schienen zunächst nicht an einer Erhebung interessiert, sondern suchten beim Zürcher Rat Rückhalt gegenüber Aufwieglern aus der Umgebung (EAk 607). Der Rat seinerseits stellte jedoch die Klettgauer vor die Entscheidung, ob auch sie der von Zwingli begründeten Neuordnung anhangen wollten, und trieb damit einen Keil zwischen Grafen und die Klettgauer Bauern. Wie stark der Zürcher Einfluss gewesen sein mag, beweist der Umstand, dass sich die Klettgauer im anschliessenden Aufstand bei den Zürchern der Berechtigung ihrer Forderungen zu versichern suchten (FRANZ, S. 176 ff.).
[335] 4. November 1525.

Griesen, und erschlůg irren bin 300[a] zů tod. Und name [?] irren vil gefangen uff gnad und verbrantt das torff Griessen wol hab [!]. Und leittend sich min herren vast darin zů, deß beste zů reden, aber der grauff behůbe im selbs[336] for[b], die redlyfuͤrer[337] zů straffen nach irren verdiennen. Also stach er einnem sinner pfaffen die ougen uß, und etlichen hüwe er die finger ab. Das bracht alles der Luttrisch gloub etc.

[48.] Von den [!] kinder touff etc.[338]

In disser zitt und tagen erstůnd uff zů Waltzhůtt ein nüwer touff[c], sprach man den widertouff. Und liessent sich vil man und wib widerumm touffen. Den brachte ein docter[d] mit name Baltiser[339] -----[e]. Der touff kam nun gan Zürich und an andre end, und bruchtend ouch den tisch gotz.[340] Der machet nun die welt vast unrůwig und wurden vil lütten, geischlich und weltlich darumm gefangenn und an irrem lib und läben herttenklichen gestraft.[341] Und wurdent ouch Zürich vil grosser tispencenen[342] von glerten Zürich gehalten, dar von nun lang zů sagen werre. Und von dem touff sye nun gnůg geschriben etc.

[49.] Von grabsteinnen und greptnisen etc.[343]

In dissem jar ward ouch verküntt an den kantzlen, daß jeder man sinne stein ab den greben heim fuͤrren selt in einnem manet, und wer das nüt täde, so wurde sy der bumeister zů gemeiner statt nemen. Item eß wurdent ouch fil fromer, erlicher lütten begreptniß zurschleitz, zurrissen und abthan, da besorgen ist, daß vil mer nid[344] und heimlicher haß das bracht hab, dan guͤtliche min und liebe [?][f] [345] etc. das gewürckt hatten. Item und disse sachen verlüffend sich alle im 25. jar, und hept sich nun das 26. jar an, als her nach statt etc.

[a] MS: iij[c] hunder.
[b] ‹for› von zweiter Hand rot ergänzt.
[c] ‹zů Waltzhůtt› doppelt.
[d] MS: dochter.
[e] Auslassung, um Namen nachzutragen.
[f] MS: lebe [?].

[336] behielt es sich selbst vor.
[337] Rädelsführer.
[338] Zu den Täufern in Zürich: LOCHER, S. 236–266.
[339] Baltisar Hubmaier, um 1485–1528, geistiger Führer in der Täuferbewegung und im Bauernkrieg (vgl. Anm. 24).
[340] Vgl. Anm. 234.
[341] Am 7. März 1526 wurden erstmals 18 Täufer zu lebenslänglicher Haft verurteilt; das erste Todesurteil wurde am 7. März 1527 an Felix Manz vollstreckt (LOCHER, S. 251 f.).
[342] Disputationen.
[343] Ein entsprechendes Ratsmandat wurde bereits am 18. November 1525 verabschiedet (EAK 865).
[344] Neid.
[345] Vgl. die formelhafte Verbindung ‹mit Minne und Recht›: in gütlichem Übereinkommen (GRIMM VI 2240).

‖18 [50.] 1526 jar. Von stůllen inn den dry ördnen, als man die abracht etc.[346]

Uff den zwelften tag mertzen in obgeschriben jar erkantend sich aber malß min herren von Zürich, daß man alle stöll [!][347] in den drigen kilchen sölt ab brechen, deß glichen an Öttenbach und samling[348] zů Sant Frennen ouch. Dar uß wurden trotten hüsser und karren hüsser und bindhüsser, darin man faß in leitt und andren wůst[349] etc.

[51.] Item daß alle priester und pfaffen wiber söllen nemen und münch ouch etc.[350]

Uff den zwölften tag, was nach der zitt deß mertzen uff den balmtag[351], da ward verkünt an den kantzlen in den dry kilch hörrin[352] Zürich von mir herren bot[353] wegen, daß alle priester und pfaffen in irren statt, wie die alle namen hetten, irre kellerin und junffrowen, so biß har [argwenigklich][a] hushablich gesessen werren[354], ein andren zur e nemmen söltind in ferzechen tagen, und mit ein andren zů kilchen gan bin verlierung irren pfrůnden.[355] Und also warren vil junger pfaffen, die das gern tädent, dar gegen warrend etliche alt und kranck priester, die das unger tadent, und zugen irrn vil von Zürich und verliessend irre hüsser und pfrůnden und blibent bin alten glouben etc. Und versach sich ein jede wů hin er mocht.

[52.] Von vill lütten, die nach das sacriment enpfiengen[b].[356]

Item es sind ouch in dissem obgemelten jar gar vil fromer, ersamer

[a] unsichere Lesart. Vgl. entsprechendes Mandat (EAk 944, 2.): «Wo aber sunst ledige personen bi einander *argwenigklich* und verletzlich sitzend...»
[b] MS: enpfiegen.

[346] Wyss (S. 85 f.) gibt an, dass im Oktober 1527 die Gestühle aus dem Barfüsser-, Prediger-, Augustiner- und Oetenbach-Kloster in St. Peter neu aufgebaut worden sind. Letzteres soll die Klosterfrauen einst 600 Gl. gekostet haben.
[347] Chorstallen.
[348] dasselbe (Chorgestühl).
[349] Wust; abfällig für Zeug, Gerümpel, Kot.
[350] Die ‹Satzung in Ehesachen› wurde am 21. März 1526, Mittwoch vor Palmsonntag, von Räten und Bürgern verabschiedet (EAk 944): Der die Geistlichkeit betreffende Abschnitt lautet: «II. Von der huory: 1. Sidtemal der offnen huory (die bi einander mit verärgernuss einer christenlichen gemeind sitzt) sich niemans bishar unverschämpter und frevner gebrucht weder die pfaffen, ist geratschlaget, dass die erichter alle pfaffen, die bi inen ire huoren sitzen habend oder in bsunderen hüsren verlegend, warnind, dass si in 14 tagen einander eintweders zuo der e nemind oder aber von einander gangind und gänzlich scheidind. Wo si das nit tätind, sollend sölich übertretter dem grossen Rat angezeigt werden, und soll dem pfaffen die pfruond genommen und die huor hinweg getriben werden. Ouch sollend si die bezogne e vor einer gemeind offenlich innerthalb 14 tagen mit dem kilchgang bestäten.» (Vgl. auch Wyss, S. 35.)
[351] Die Satzung wurde am 21. März angenommen.
[352] Kirchhöre: Kirchgemeinde; die drei Pfarreien der Stadt.
[353] Gebot.
[354] d. h. diejenigen, die unter Verdacht stehen, bisher zusammen ein Haus bewohnt zu haben.
[355] Pfründe: Altarstelle und daran gebundenes Einkommen. – Edlibach unterschlägt die Möglichkeit der Geistlichen, bei Trennung von der Kellerin die Pfründe zu behalten.
[356] Die völlige Unterbindung der traditionellen Kommunion erfolgte über vier Jahre: 1524

lütten, von man und frowen, von kleinen und grossen rätten und von der gmeind von Zürich einer gan Einsidlen, der ander gan Zug, etlichen gan Baden, Wettingen, Schlieren und gan Far[357] und an andre ortt und end, und habend sich da mit dem helgen sackrement
5 lassen verrichten und versächen nach dem allten bruch uff den hochen donstag.[358] Und das ist nun von Zürich verbotten an ein bůß, daß der irren niemen in kein kilchen gan sölt, darinne meß hatt und deß allten gloube noch sige.

‖19 [53.] Waß[359] tag man hin sol firren etc.[360]

10 Im obgemelten jar ward an den dry kantzlen in den dry lütkilchen von den dry bredicaten verküntt, was tagan[!] man hinfür Zürich firren sölt durch das gantz jar umm, und die übrigen tag alle arbeitten und wercken etc.

Namlich den helgen cristag zů wienächt.[361]
15 Sant Steffens tag.[362]
Sant Johanß ewangelist tag.[363]

Zů ostren den helgen tag,
und morndeß den mentag.

Zů pfing[st]en den heligen pfing[st]tag,
20 und morndeß den mentag.

Abschaffung von Beichte und traditioneller Kommunionskleidung (Kap. 8); 1525 Einführung des reformierten Abendmahls bei gleichzeitiger Toleranz gegenüber traditioneller Kommunion in der Stadt (Kap. 31, 32); 1526 Verbot der Kommunion in Zürich, Möglichkeit der auswertigen Kommunion. 1527 (im kommenden Jahr) Verbot jeglichen traditionellen Sakramentsempfangs.

357 Orte, die damals den Gottesdienst noch in traditioneller Weise hielten. Wettingen: Ort vor Baden, etwa 20 km westlich von Zürich mit bedeutendem, 1517 neugeweihtem Zisterzienserkloster. Schlieren: Dorf 8 km westlich von Zürich. Fahr: Benediktinerinnenkloster etwa 10 km westlich von Zürich.

358 Gründonnerstag, Zürichs Kommunionstag (vgl. Kap. 8).

359 welche.

360 Vgl. hierzu: LARGIADÈR, ANTON. Das reformierte Zürich und die Fest- und Heiligentage. (Zwingliana, 9, Heft 9, 1953, S. 497–525). Das erste Feiertagsmandat wurde am 28. März (Mittwoch vor Ostern) 1526 erlassen (EAk 946). Im Vergleich dazu sind in Edlibachs Aufstellung zwei Feste fälschlicherweise aufgeführt (Johannes Ev. und Mariae Empfängnis); dafür fehlen: Beschneidung (1. Januar), Auffahrt, Verkündigung Mariae (25. März), Johannes Bapt. (24. Juni), Maria Magdalena (22. Juli), Felix und Regula (11. September). Unklar sind die Aposteltage. Das Mandat gibt «aller heiligen Zwölfbotten tag» an, was eigentlich den Tag der Divisio Apostolorum (15. Juli) bezeichnet. Edlibach hingegen meint alle einzelnen Aposteltage. – Entgegen Largiadèr, welcher der Festtagsordnung von 1526 noch relative Mässigkeit zubilligt, sei auf folgendes hingewiesen: 1. Dass die Festtage zum Teil noch Marien- und Heiligennamen tragen, ist absolut normal. Festtagsnamen lassen sich (das zeigt die Parallele zu heute atheistischen Staaten) nicht schnell aus dem Sprachgebrauch tilgen. Hingegen wäre es falsch anzunehmen, die Heiligenfeste seien als solche gefeiert worden. 2. Wie radikal dieses Feiertagsmandat gewesen ist, zeigt der Unterschied an arbeitsfreien Tagen vor und nach der Reformation: Etwa 30 Ruhetage sind ausser Kraft gesetzt worden! (Siehe S. 97, Anm. 55 und vgl. etwa die Feiertage bei SCHILLING.)

361 25. Dezember.

362 26. Dezember.

363 27. Dezember.

Unser frowen tag der liechtmeß.[364]
Unser frowen tag, als sy zů himel ver.[365]
Unser frowen tag, alß sy enpfangen ward.[366]
Aller heilligen tag.[367]
Und aller zwölff botten tag, wie die durch das jar falend.[368] 5

Und ouch alle suntag durch das gantz jar uß etc.
Und das sind nun die firtag, so die bredicanten dem gemeinen man uff gesetztet habent etc.

[54.] Von ampellen zum Grossen Münster[369]

Item wen eß tublex[370] oder samstag waß[!], so brunnend ob 10 70 amptlen zů dem Grossen Münster im kor, in der kilchen, in bein hüsren[371] [a]–und allen thalben vor den–[a] altaren etc. Die gengint ouch alle hin und ab etc.

‖[20] [55.] Von allen ältren uß allen kilchen[b] tan wurdet etc.[372] 279 15

Und also uff den fierzächenden tag meyen ouch im obmelten[c] jarre beschach die lestze erkantniß[d] von minen herren, klein und grossen rätten Zürich, daß man alle altar zum Münster und in allen kilchen, klöstren und kapellen, die noch ständint und über bliben werrint, hin und abschlissen sölt. Das beschach ouch etc.

[56.] Item wie fill aller altar Zürich in der statt gewessen sind etc.[373] 20

Item [e]–zů dem Grossen Münster sind gwessen: 21 altar und 24 corherren, 34 caplanen–[e].[374]

[a] von dritter Hand mit dunkler Tinte nachgezogen.
[b] MS: kikchen.
[c] Ed. 1846: obgemelten.
[d] ‹erkantniß› von Edlibach nachträglich eingefügt.
[e] von dritter Hand nachgezogen.

[364] 2. Februar.
[365] 15. August.
[366] 8. Dezember.
[367] 1. November.
[368] alle Apostelfeste?
[369] Statutenbücher, S. 32.
[370] Duplextage sind im Gegensatz zu Simplextagen erstrangige Feste.
[371] Beinhaus, Karner: Bau, in dem die auf dem Friedhof gefundenen Totengebeine aufbewahrt werden.
[372] Nachdem im Juni 1524 die Altarretabeln weggeräumt worden sind (Kap. 22), wird hier der Abbruch der Altarmensen beschrieben. Bullinger gibt als Datum den Juli 1526 an. Die Altarsteine wurden zum Bau von Zwinglis Kanzellettner wiederverwendet (siehe S. 109–116).
[373] Es handelt sich um das umfassendste Verzeichnis des Altarbestandes und der geistlichen Personen im vorreformatorischen Zürich. Zwar können nicht alle Angaben verifiziert werden, und wegen der fast vollständigen Überschreibung des Manuskriptes ist heute die Lesbarkeit zuweilen beeinträchtigt. Differenzen, die zwischen Edlibachs Auflistung und seiner Summierung auftreten, könnten aus Abschreibefehlern, falscher Addition oder daraus resultieren, dass Liste und Summierung von Anfang an nicht auf gleicher Zählung basierten. Zu den Frauenklöstern Oetenbach und St. Verena sind Edlibachs Angaben unsicher; hier hatte er ja auch keinen direkten Zutritt. Die Angaben zu

Item [a-]zů dem Frowen Münster sind gwesen: 12 altar; corheren und caplann: 18 priester; und 7[-a] corfrowenn.[375]

Item [a-]zů Sant Peter sint gwesen: 8 altar und 12 [priester], mit den helferen ---[b] [-a].[376]

Item [a-]zů den bredgeren: 13 altar und 12 priester und 3 epistler, 4 leviten [?][-a].[377]

Item [a-]zů augenstineren: 12 altar und 8 priest[er], 3 epistler und 2 lieviten [?][-a].[378]

Item [a-]zun barfůssen: 7 altar und 7 priester, 2 ewangelier und 2 -----[b].[379]

Item in der Wasserkilchenn: 6 altar.[380]

-----[c]

Item an Öttenbach: 7 altar; waren ob 60 closterfrowen[-a] und zwölff schwestren[d]; [a-]versecht [?] bredier [?][-a].[381]

Item [a-]zu Sant Frenenn: 5 altar; warend 25 closter[-a]frowen; [a-]versicht ouch bredier [?] etc. [?][-a].[382]

Item [a-]in der ellenden herbrig: 3 altar; versicht[-a] barfůssen [?].[383]

Item [a-]im spital: 4 altar; hand[-a] ein eignen priester.[384]

[a-]Summarum aller altaren in der stat:[-a] 96 altar.[385]

[a-]Summarum aller weltlichen priester: aller[-a] weltlichen [a-]92.[386]

[a] von dritter Hand nachgezogen.
[b] unleserliches Wort.
[c] Auslassung, um Zahl der Geistlichen nachzutragen.
[d] ‹und zwölff schwestren› von Edlibach nachträglich eingesetzt.

den übrigen Kirchen scheinen hingegen zuverlässig zu sein. Als Ratsherr hatte Edlibach immer wieder mit den Kirchen und Klerus zu tun, zuletzt mit der Auszahlung der Leibrenten an die austretenden Ordensleute. – Von Bedeutung ist hier im weiteren ein von SCHAUFELBERGER (S. 132) in die Zeit nach 1520 datiertes Mitgliederverzeichnis der Bettelorden, welches möglicherweise anlässlich der Klösteraufhebung verfasst worden ist (StAZ 63, Nr. 3). Vgl. auch SCHÄRLI, S. 17.

[374] Das Stift bestand aus 24 Chorherren und 32 Kaplänen (FIGI, S. 9); alle 21 Altäre sind namentlich bekannt (NÜSCHELER, S. 347–359).

[375] Alle 12 Altäre sind bekannt (NÜSCHELER, S. 367–371). Die Zahl von 18 Geistlichen hält NÜSCHELER (S. 271 f.) für realistisch, wenn man die zur Abtei gehörenden Kapellen ausserhalb der Stadt mitrechnet. Von den Stiftsdamen sind neben der Äbtissin Katharina von Zimmern die Namen von mindestens drei weiteren Chorfrauen überliefert (WYSS, GEORG V. Geschichte der Abtei Zürich. Zürich 1851–1858. Zusätze und Anmerkungen S. 38, Anm. 33. Beilage Nr. 500).

[376] sieben Altäre sind namentlich bekannt (NÜSCHELER, S. 377–379).

[377] StAZ 63, Nr. 3: 16 Insassen (Prior, 8 Anwesende, 5 Abwesende, 2 Novizen). Nur 3 Altäre sind urkundlich bezeugt (JOHNS-WEHRLI, S. 39).

[378] StAZ 63, Nr. 3: 9 Insassen (Prior, 6 Anwesende, 2 Abwesende). 6 Altäre sind bekannt (NÜSCHELER, S. 460 f.).

[379] StAZ 63, Nr. 3: 7 Insassen (Guardian, 3 Anwesende, 2 Abwesende, 1 Novize). 3 Altäre sind namentlich bekannt (SCHAUFELBERGER, S. 72).

[380] Wasserkirche: am Ort des angeblichen Martyriums von Felix und Regula, auf einer Insel im Limmatfluss gelegene, 1479–1484 neuerbaute Kapelle. Es sind 6 Altäre und 7 Pfründen bekannt (NÜSCHELER, S. 418–421).

[381] HALTER (S. 143 f.) hält Edlibachs Zahl der Konventsmitglieder für übertrieben; im 15. Jahrhundert hatte der Konvent den nachweislichen Bestand von 40 Mitgliedern kaum je überschritten. 6 Altäre sind bekannt (NÜSCHELER, S. 451 f.).

[382] Nur der Hochaltar ist bekannt (NÜSCHELER, S. 459).

[383] Pilgerspital. Zu den Altären ist weiter nichts überliefert (NÜSCHELER, S. 422).

[384] Nur ein Altar ist namentlich bekannt (NÜSCHELER, S. 430).

[385] 98 Altäre nach Addition gemäss unserer Lesart.

[386] 89 weltliche Priester nach Addition gemäss unserer Lesart. Edlibach hat für das Grossmünster zwei Kapläne zu viel, hingegen die Kleriker der Wasserkirche nicht ausgewiesen.

Summarum aller münchen:[–a] 30 [a–]priester ---[b].[387]
Summarum aller closterfrawen: 92, ane sch[w]estren[–a].[388]

Zur Textgeschichte

Zu Gerold Edlibachs ‹Aufzeichnungen über die Zürcher Reformation 1520–1526› ist ein Entwurf überliefert. Um dem Leser den Einblick in die Textgenese zu ermöglichen, geben wir diese Notizen hier wieder. Den einzelnen Passagen des ‹Entwurfs› stellen wir die Kapitelnummern der ‹Aufzeichnungen› voran; auf einen Kommentar hingegen verzichten wir an dieser Stelle.

Der ‹Entwurf› stammt aus Gerold Edlibachs verschollenem ‹Passionbüchli› (nicht zu verwechseln mit der ‹Uslegung des liden Jhesu Christi, das ein meister zuͦ Prag also zu tütsch hat bracht› (ZBZ MS B 288). Überliefert wird der ‹Entwurf› durch eine um 1705 datierte Abschrift des Historiographen und nachmaligen Stadtschreibers Hans Wilpert Zoller, die dem Sprachcharakter zufolge als recht zuverlässig zu beurteilen ist: Memorialia vom Edlibachen-Geschlecht und Hrn. Burgermeister Waldman (ZBZ MS J 367, S. 83–89). Von diesen Memoralia besteht eine weitere Abschrift von Johann Leu (ZBZ MS L 463, S. 41–46). Dass Leu von Zoller abhängt und nicht umgekehrt, geht eindeutig aus Zollers grösserer Nähe zu Edlibachs Sprache hervor und aus dem Eintrag auf dem Titelblatt: «Zusamen getragen von Hans Wilperth Zoller dem Jüngeren. Anno 1705, vor u. nacher.» Die bisher einzige, völlig ungenügende Edition hat Usteri nach Leus Abschrift erstellt (Usteri [wie S. 41, Anm. 1], S. 262–264). In unserer Edition stützen wir uns auf ZOLLER.

||83 Us dem passion-büchli Gerold Edlibachen.

[4] Anno domini 1524 uf den helligen wienach abind, da stellte man vil gesangs ab zuͦ mette, in ämpteren, zuͦ vesber, gumplet und andern zitten, die vormals Zürich und in der ganzen cristenheit brucht und loblich verbracht wurdend, got dem herren und siner wirdigen muͦter der junffrauen Marie zuͦ lob[c]. **[5]** Item es ward ouch das fest der junffrau Marie, der muͦter gotz, nüt meer begangen der lichtmeß mit wichen der kertzen und krützgängen, wie vor in aller cristenheit brucht[!] was.

[10] Als man am balmtag mit grosser process uf den hoff mit aller priesterschafft von den drey pfarren gieng, und dem ||84 heren zuͦ lob mit grosser andach schoß den balmen, und **[14]** derglichen ander prozessen und crüzgang zuͦ pfingsten uf den hof mit allem heltum von den drey stiften und den dreyen orden, **[11]** desglichen die fart gen Eisidlen mit dem opfer der kertzen unser frauen, **[entfällt]** ouch gan Altsteten, uf den Zürichberg zuͦ Sant Gilgen und **[15]** ander crützgang durch das gantz jar zuͦ den vier hochzyten, und **[17]** das loblich vest corpus christi mit der octaff und umgang der prozess das sacriment zuͦtragen, als abgetan, wie dann das in aller cristenhait allweg der bruch gewesen was.

[18, 22] Und desglichen so erkanten sich klein und grosse rät Zürich, alle gebildnuß als das crucifix, die biltnuß der würdigen muͦter gotz, der junf-

[a] von dritter Hand nachgezogen.
[b] unleserliches Wort.
[c] MS: abgestellt.

[387] Die Zahl von 30 Priestermönchen ergibt sich aus 12 Predigern, 8 Augustinern und 7 Barfüssern in den eigenen Klöstern sowie den drei Priestermönchen in Oetenbach, St. Verenen und in der Herberge. Hinzu kommen 16 Mönche mit niederen Weihen. Diesem Total von 46 Mönchen nach Edlibach stehen 32 Mönche laut StAZ 63, Nr. 3 gegenüber.

[388] Die Addition setzt sich aus den Klosterfrauen von Oetenbach und St. Verenen sowie den 7 Chorfrauen des Fraumünsters zusammen.

frauen Marie, uß den kilchen und klösteren zů ||85 tůn, und deßglichen alle biltnuß der lieben heiligen.

[**33**] Und in disem jar fiengend vil pfaffen an, wiber zů nemmen zů der ee, und [**18**] hůbend wenig priester mäss, und [**33**] luffend die münchen und nunnen us ihren clösteren, und gienge wild in aller wälth von geistlichen und weltlichen lüten.

[**entfällt**] Item in disem [jar] starb min her burgermeister Felix Schmid am andren tag, als man die helgen bild us den kilchen tad; das was uf Viet und Modest abint, und morndess starb ouch min her burgermeister Röist[a] uf Viet und Modesti. [**16**] In disem jar ward auch die kartus Itingen verbrent.

[**18**] Item es gieng ouch die frümess ab und [**7**] das bichten, [**entfällt**] item alle geepten[!] sibenten, dreisig und jarzit, und das lüten den ||86 lichen.

Item man verkünt ouch kein heilig zyt mer noch helgen tag an den kantzlen. Diss alles beschach im obgemellten 1524 jar.

[**20**] Item man toufft ouch in tüts[b] die kind on krisene und touffkertzen, man brucht kein gesegnet saltz noch wiewasser. [**54**] Es wurdent all amplen us den kilchen getan und us den bein hüseren die liechter.

[**9**] Item man verrich[c] ouch wenig lüten mer mit dem sacrament noch mit dem helgen öl.

[**7**] Item man fieng ouch an, in der vasten fleisch und eiger zů ässen; das solt nüt sünd sin. Und fastet wenig lüt mer weder die fronvast noch andren geboten tag als vor. [**18**] Und ward von vil lüten die heilig mäss[d] gar verachtet ||87 und grob darzů geredt. [**21**] Und [man] bat gott nüt mer für die seelen.

[**entfällt**] Item es firret wenig lüt den heiligen mer.

[**33**] Item pfaffen, münch und nunnen name als einandren zů der ee, und [**entfällt**] liessen ire blatten verwachsen, und [**20**] zugend bärt und bekleit[en sich] wie die leigen [**entfällt**] mit schwerteren und nüt als priester.

Vom 25. jar.

[**30**] In dissem jar wurdent auch die stül zum Grossen Münster da unden us der kilchen tan und [**24**] uf sambstag nach Bartol[omei] wurdent die bredier und augustiner herren alle zůsammen tan zů den barfůssen. [**entfällt**] Dessglichen beschach es mit den frouen clösteren in und vor der statt ouch, und wurdent pfleger darin gesezt.

||88 [**26**] Uf S. Lucien und da um schlisse man die greber St. Felix und Reglen und [**28**] ouch etliche altar. [**30**] Und uf die krummen mitwuchen hate man Zürich die letste mess und [**31**] ward der tisch gotz ufgericht und [**34**] das sacrament und das heilig öll [**39**] mit samt anderen gezirtten us den sacristigen genommen, und alle altar, so noch in den kilchen warend, wurdent enplüzet[!], und [**40**] alle 7 zyt weder mer gesungen noch gläsen und alle zitt bücher us dem cohr[!] genommen und verwüstet. [**entfällt**] Und im obgemelten 25. jar was aber ein disputatz von der toüffer wegen.

[**49**] Und darnach uf St. Ottmars tag do ward erkentt von minen herren, daß[e] man die grabstein us allen kilchhö||89fen thůn sölt in einem monat oder der bumeister sölte die zů gemeiner statt handen nemmen.

[**entfällt**] Anno 1526 den 2.[!] tag merzen starb Johanns Keller zum Steinbock am Rindermärkt. Gott helf siner sel.
Amen.

[a] MS: Roüst.
[b] Zoller setzt darüber: |:tütsch:|.
[c] MS: firrich.
[d] MS: mass.
[e] MS: das.

PETER JEZLER

Tempelreinigung oder Barbarei? Eine Geschichte vom Bild des Bilderstürmers

Schon über 4½ Jahrhunderte ist es her, seit in Zürich unter Zwinglis massgeblicher Leitung die Kirchen «gereinigt», d.h. die Fresken übertüncht und abgeschlagen, die Altäre zerhackt, die Skulpturen verbrannt, die Bibliotheken zensuriert, Handschriften zerrissen, das Pergament zu Spottpreisen verschleudert, die Edelsteine und Messgewänder den Bürgern zur luxuriösen Aufmachung verschachert, die Reliquiare aufgebrochen, die Silber- und Goldschmiedewerke eingeschmolzen und vermünzt worden sind[1].

In der Zwischenzeit hat sich das Blatt gewendet. Seit dem vorigen Jahrhundert haben Bilder auch in reformierten Kirchen zaghaften Einzug gehalten, und die Feindschaft gegen sie ist gewichen. Als im Oktober 1980 im Laufe der Zürcher Jugendunruhen eines von Chagalls Bildfenstern im Fraumünster zerbrach, war die Reaktion einhellig: das Attentat galt als barbarischer Akt sondergleichen.

Wo beginnt die Barbarei in der Bildfeindschaft? – die Frage hat sich auf die Chagall-Scherben hin auch Harald Nägeli, «der sprayer von zürich», gestellt. Chagall sei mit dem Steinwurf «grosse ehre» angetan worden, gab Nägeli in einem Leserbrief[2] zu verstehen, denn sein Werk werfe keine Fragen auf und sei zu schwach, selbst Geschichte zu machen; nun habe es eine Geschichte! «bei der kleinen story», führt Nägeli weiter aus, «denke ich natürlich auch an das schicksal meiner werke, die ich verschiedenen kirchen, der öffentlichkeit und privaten geschenkt habe. werke, die inzwischen von kirche, staat und privaten zum grössten teil vollkommen vernichtet worden sind. ... werke, die seit jahrzehnten hier in der schweiz und auch in europa als einzige vermochten, leidenschaftliche diskussionen auszulösen.» – Es folgte die Antwort des ehemaligen Präsidenten der betroffenen Kirchgemeinde: «Auf die sonderbaren Anwürfe des Sprayers wider das Chagallsche Kunstwerk möchte ich nicht näher eingehen: dass er dieses mit seinen eigenen Schmierereien vergleicht, muss als peinlich bezeichnet werden.»[3]

Über die Frage der bildfeindlichen Barbarei besteht offenbar auch heute kein Konsens; absolute Kriterien für den Kunstwert eines Werkes sind schwerlich zu bestimmen. Wir stossen auf den Kern unserer Fragestellung: Wie ist der reformatorische Bilderkampf zu beurteilen? Die Geschichte vom Bild des Bilderstürmers mag manches deutlich machen, was zur richtigen Einschätzung Voraussetzung ist.

[1] Auf den Nachweis jener Ereignisse, die in Edlibachs Aufzeichnungen (siehe S. 45–74) aufgeführt sind, wird hier verzichtet.
[2] Kirchenbote für den Kanton Zürich, 67. Jg., 16. Januar 1981.
[3] Hans Künzi in: Kirchenbote für den Kanton Zürich, 67. Jg., 16. Februar 1981.

Zwingli entwirft in seinen Schriften sozusagen ein Selbstporträt seiner bildfeindlichen Haltung. Mehr als andere Menschen, sagt er, habe er Freude an schönen Gemälden und Skulpturen[4]. Dennoch, die Frage der Ästhetik bleibt in der Bildvernichtung völlig ausser acht. Entscheidend ist einzig die Frage ‹Götze oder Bild?›.[5] Als Bilder bezeichnet Zwingli nur jene Werke, die nicht zur Verehrung verführen. Dazu zählen profane Darstellungen, reine biblische Buchillustrationen und – eine Folge von Zwinglis Kurzsichtigkeit?[6] – alles, was weit entfernt ist, wie die Glasmalereien und die Karlsstatue am Grossmünsterturm. Gegen sie ist nichts einzuwenden. Wo hingegen schon nur der Verdacht besteht, dass Verbildlichungen zum Kult führen könnten, da handelt es sich um «Götzen». Über sie wird der Stab gebrochen: «Ich fröw mich», schreibt Zwingli, «das die schantlich verfu̍rnus vor unseren ougen dennen [weg] komen ist» – eine pragmatische, nach heutigem Verständnis wenig kunstsinnige Haltung.

Auf der Seite der Altgläubigen hingegen wurden die Bilderstürmer als verwerflichste Frevler verurteilt. Thomas Murner, wortgewaltiger Antipode Luthers und Zwinglis, zeichnet den Bilderstürmer als Opportunist im Narrenkleid (Abb. 1): die hölzernen Skulpturen nimmt er gerne, weil sie ihm als Brennmaterial dienen, mit den steinernen hingegen lässt sich nichts anfangen, sie lässt er aus Faulheit stehen[7]. Murner verurteilt die Bilderstürmerei in erster Linie als Kirchendiebstahl:

> Wer dise büt [Beute] würt sehen an,
> Der würt da bei gar bald verstan,
> Was die selben knecht gewinnen,
> Die mit unsinnigen sinnen
> Sich des grosen můtwils fleissen,
> Die kirchen, klusen hie zerreissen.
> Ir habt ein schönen sturm gethon!
> Ist das die reformation?[8]

Das war im Dezember 1522, einige Monate nach dem Wittenberger Bildersturm; nach der Vermünzung der Zürcher Kirchenschätze sollte die Sprache deutlicher werden[9]: Zwingli, das ist ein «kirchendieb», «ein fiertzigmalmeineidiger, erloser [ehrloser] diebscher bößwicht»! – Im zugehörigen Holzschnitt (Abb. 2) führt Christus die Kirchendiebe zu Moses, der mit seinen zwei Geboten ‹Du solt nit stelen›, ‹Du solt keins frembden gůts begeren› den Reformierten das Gegenargument zum zweiten Gebot entgegenhält. Im Hintergrund lässt Murner Zwingli zur Abschreckung am Galgen hängen und schreibt erklärend dazu:

[4] Z IV 84, 24.

[5] Vgl. dazu: SENN, MATHIAS. Bilder und Götzen: Die Zürcher Reformatoren zur Bilderfrage. (Asper, S. 33–38.)

[6] Z IV 84, 24.

[7] MURNER, THOMAS. Von dem großen Lutherischen Narren. Hg. von Paul Merker. Strassburg 1981. (Thomas Murners Deutsche Schriften, IX), S. 157 f.

[8] Ebenda, S. 221.

[9] MURNER, THOMAS. Der lutherischen evangelischen Kirchendieb und Ketzer Kalender. Luzern, 10. Februar 1527. ZBZ KAL 3. 1527. 002.

1 THOMAS MURNER. Von dem großen Lutherischen Narren. Strassburg 1522. Holzschnitt. Im Narrenkleid verheizt der lutherische Bilderstürmer ein Schnitzbild, das eine Heilige Jungfrau darstellt.

«Das aber Zwingli in person und nammen da henkt, ist das die ursach, das er den 12 Orten einer loblichen Eidtgnoschafft ... zů geschribben hat, den begangenen kirchendiebstal zů verantwurten, wie es ein landtschatz sige, sinen herren verfallen [10]. Zeiget aber kein gschrifft an, das im gebüre, schetz graben in fremden kisten.»

Zwingli und seine Parteigänger sahen die Frage des Kirchengutes anders. Für sie bedeutete die Anhäufung von Kirchenschätzen Diebstahl an den Armen. Mit der Liquidierung sollte zuerst den Bedürftigen geholfen werden. Von Klaus Hottinger, einem dieser Stürmer, ist einiges bekannt [11]: Als er im September 1523, Ausdruck seiner eige-

[10] die Meinung ist: Weil nach Zwinglis Ansicht die Kirchenschätze dem Land (und nicht der kirchlichen Institution) gehörten, müsse die weltliche Obrigkeit über ihre Verwendung bestimmen.

[11] Zu Hottinger vgl. SCHÄRLI, S. 31–34, und SCHÄRLI, THOMAS. Die bewegten letzten zwei Jahre im Leben des Nikolaus Hottinger. Ein Seitenthema der Zürcher Reformationsgeschichte. (Erscheint im Zolliker Jahrheft 1984). Dem Autor danke ich für das freundliche Überlassen seines Manuskriptes.

·DER LVTHERISCHEN EVANGELISCHEN KIRCH·
EN DIEB VND KETZER KALENDER

So man zalt nach der geburt christi. M d xxvij ist F sontag buochstab. Ich Tho
mas Murner. Doctor. hab ein laß brieff vnd ein Kalender gesehen (got mieß es erbarmen) den solt einer Doctor Johan Ko
genant gemachet haben / ist on zwyfal des erlosen diebschen Zwinglys bůbentandt vnd dichtung. Dorin erstlich die christliche
orter / einer frommen loblichen vnd vralten eidtgnoschafft. Lutzern. Vry. Schwytz.. Vnderwalden. Zug. Friburg. Sola
horn / vnd die frōmen christlichen waleser / deren ich von wegen christlicher vereinigung miner gnedigen / günstigen herrē de

2 THOMAS MURNER. Der lutherischen evangelischen Kirchendieb und Ketzer Kalender. Luzern, 10. Februar 1527. Holzschnitt 13,2×21 cm. Christus führt die Kirchendiebe, welche die Goldschmiedewerke geplünderter Sakristeien und Schatzkammern mit sich tragen, zu Moses. Dieser hält in der Rechten die Gesetzestafeln, mit der Linken weist er auf den Titulus: «Du solt nit stelen!» Im Hintergrund hängt (laut Murners Erklärung) der Kirchendieb Zwingli am Galgen.

nen Konsequenz, vor Zürichs Toren ein mächtiges Wegkreuz stürzte, hatte er sich zuvor der Unterstützung einiger Ratsherren versichert, vom Besitzer des Kreuzes die Billigung der Tat erlangt, und die Absicht gehegt, das Holz zugunsten hausarmer Leute zu verkaufen. Dennoch wurde Hottinger, der als unruhiger Geist dem Rat ohnehin schon zu schaffen gemacht hatte, für sechs Wochen in Haft gehalten und anschliessend auf zwei Jahre aus Zürich verbannt. Als Wanderprediger fiel er schliesslich den Knechten des bischöflichen Vogts zu Klingnau in die Hände. Nun wird er in Baden vor das Landgericht gestellt, nach Luzern überführt und dort (trotz Zürichs Fürsprache) im Grunde genommen für seine Tat ein zweites Mal bestraft: Tod durch Enthauptung. Welches Ende Hottinger in Zürich genommen hätte? – darüber lässt sich spekulieren. In der Umgebung seines Bruders und seiner Freunde wäre er sicher zusammen mit diesen ein Täufer geworden, hätte sich seines konsequenten Charakters wegen der Verfolgung ausgesetzt und hätte möglicherweise unter reformierter Herrschaft dasselbe Schicksal erfahren. Nun aber fand er den Tod im altgläubigen Luzern: das liess sich ausschlachten. In Bullingers Reformations-Chronik, 1567 abgeschlossen, erfährt Hottinger eine Heldendarstellung wie kein Zweiter aus dem gemei-

3 Illustrierte Reformationschronik Bullingers von 1605/06. Zürich, Zentralbibliothek (B 316, S. 99 r). Klaus Hottinger und seine Gehilfen stürzen das Kruzifix in Stadelhofen. Aquarellierte Federzeichnung. 8,5×15 cm.

4 (wie Abb. 3), S. 116 v. Klaus Hottingers Tod. Aquarellierte Federzeichnung. 10,8×15,2 cm.

nen Volk[12]. Er wird als «ein wohlbeläßner und der religion wol berichter, redlicher man» vorgestellt und sein Lebensende der Passio Christi nachgezeichnet: Verhöre, Schmähungen (ein Bruder kommt gar mit dem Kruzifix!); aber Hottinger bleibt standhaft: «Mir beschähe nach dem willen Gottes, der verzihe allen denen, die wider mich sind, und mich zum todt fuͤrderend.» – Es folgt die Hinrichtung, und Hottinger «was der erst man, ia Marterer Christi, der von wägen der evangelischen leer in der Eydgenossenschaft getödt worden ist». – Von Bullingers Chronik besteht eine illustrierte Abschrift von 1605/06, in welcher sechs Miniaturen Hottingers Leben vom Sturz des Kruzifix bis zu seinem tragischen Ende darstellen (Abb. 3

[12] BULLINGER, S. 127, 145–151.

und 4)[13]. Nicht einmal Zwinglis Leben wird vergleichbare Aufmerksamkeit zuteil.

Der Bilderstürmer als Pragmatiker, als Kirchendieb, als Held – weder Zwingli noch Murner noch Bullinger werfen je die Frage nach dem Kunstwert der zugrunde gegangenen Bilder auf; das Problem als solches existierte noch gar nicht. Als Dürers Proportionenlehre, ein erster Ansatz einer ausserhalb Italiens entstandenen Ästhetik, 1528 erschien, waren Zürichs Kirchen bereits leer. Zur Bilderfrage in der Reformation hätte Dürer ohnehin nichts beitragen können. Im Zentrum des damaligen Bildverständnisses stand allein die Funktion: Bilder wurden wie alle Handwerksprodukte zum Gebrauch hergestellt: als Kultbilder, um die Liturgie zu bereichern; als Andachtsbilder, um die individuelle Devotion zu steigern; als Votivbilder, um ein Versprechen für erlangten himmlischen Beistand zu dokumentieren usw. Selbstverständlich treten auch dabei Qualitätsunterschiede in ästhetischer Hinsicht auf, aber darin unterschied sich die Bildkunst nicht im geringsten von anderen mechanischen Künsten wie dem Tischler- oder Schuhmacherhandwerk.

Erst seit in der Aufklärung der funktionelle Charakter eines Kunstwerks hinter die autonom gewordenen gestalterischen Qualitäten zurücktreten muss, kann der Bilderstreit an den zugrunde gegangenen Kunstwerten gemessen werden. Mit der Romantik wird der reformatorische Bildersturm auch im Protestantismus suspekt[14]. Dass die Stifter der eigenen Konfession hätten der Kunst Feinde sein sollen, wird zum untragbaren Vorwurf.

Eine kaum zu überbietende Rehabilitierung schafft Gustav König in seiner Luther-Leben-Illustration von 1847[15]. König hatte den Zyklus erst nach jahrelangem Studium in Angriff genommen; über die historischen Tatsachen wusste er Bescheid: Aus Luthers Frühschriften spricht unzweideutig eine bildfeindliche Haltung, die jedoch nicht mit den sich daraus ergebenden Konsequenzen rechnet. Während sich Luther auf der Wartburg versteckt hielt, gab Karlstadt den Traktat ‹Von abtuhung der Bylder› heraus. Der Wittenberger Bildersturm am 6. Februar 1522 war die direkte Folge. Auf die Unruhen hin kehrte Luther zurück nach Wittenberg und verurteilte die bilderstürmerischen Tendenzen in einer Reihe von acht Predigten. – Soweit die Fakten, die König in seiner Radierung ‹Luther dämpft den Bildersturm› in eigener Weise versinnlicht (Abb. 5): Hier ist Luther, als der Bildersturm ausbricht, bereits von der Wartburg herabgestiegen. Unverhofft erscheint er inmitten des fanatischen Pöbels und gebietet ihm als Schützer der Kunst mit mächtiger Geste Einhalt. Die Rollen

[13] Kopienband zur zürcherischen Kirchen- und Reformationsgeschichte (Hch. Bullinger) u.a. ZBZ MS B 316, S. 99r, 112r, 119r, 115r, 115v, 116v.

[14] Vgl. dazu den brillianten Aufsatz von: WARNKE, MARTIN. Von der Gewalt gegen die Kunst zur Gewalt der Kunst. Die Stellungnahmen von Schiller und Kleist zum Bildersturm. (Bildersturm. Die Zerstörung des Kunstwerks. Hg. von Martin Warnke. München 1973. S. 99–107).

[15] KÖNIG, GUSTAV/SELZER, HEINRICH. Dr. Martin Luther, der deutsche Reformator. Hamburg 1847, Tafel 26. – Zu König vgl. Luthers Leben in Illustrationen des 18. und 19. Jahrhunderts. Katalog der Ausstellung in der Coburger Landesstiftung. 23. April bis 5. Oktober 1980. Nr. 62.26.1 und S. 176–183.

5 GUSTAV KÖNIG. Luther dämpft den Bildersturm. 1847. Radierung. 10,4×11,8 cm.

Abbildungsnachweis: 2–5: Zürich, Zentralbibliothek.

erscheinen vertauscht. Nicht die Stürmer vollziehen die «Reinigung der Kirche», sondern Luther, der in Gestik und Haltung vollständig dem Christus-Typus der traditionellen Tempelreinigungs-Ikonographie verpflichtet ist. Er tritt auf, als wolle er die Stürmer zum Gotteshaus hinausjagen wie einst Jesus die Wechsler.

Und Zwingli? – Gegen ihn sprachen die Fakten zu deutlich, als dass der Makel der Kunstfeindschaft in solcher Weise hätte getilgt werden können. Ist es Zufall, dass in der Radierung von König die Gestalt, die vorn am rechten Rand mit grimmigem Blick zu Luther emporblickt, dem kanonischen Zwingli-Porträt verwandt ist?[16]

In Gottfried Kellers ‹Ursula› ist Zwingli während des Bildersturms nicht präsent. Das Ereignis vollzieht sich von selbst: «Trotz allem Schonen und Zögern brach es los wie ein Gewitter.»[17] Erstaunlich! Die Details, die Keller in seine literarische Verarbeitung der Ereignisse einflicht, verraten verblüffende Quellenkenntnis. Musste ihm da nicht auch begegnet sein, dass Zwingli federführend in die Vorgänge eingegriffen hatte? Verschwiegenheit zur Rettung von Zwinglis Image?

Das populäre Zwinglibild hat sich eines andern Auswegs bedient. Es ist nicht zu leugnen, dass Zwingli eine grosse Liebe zur Musik

[16] Der Kopf der Gestalt, neben Luthers der einzige im Vollprofil, erscheint wie nach einer Vorlage in die Komposition eingesetzt. Die Gewandung ist mit jener des kanonischen Zwingli-Porträts weitgehend identisch.

[17] Zitiert nach: GOTTFRIED KELLER. Ursula. Novelle. Mit einem Nachwort von Josef Kunz. Stuttgart 1967. (Reclams UB. 6185), S. 32.

hegte: Also war er doch musisch veranlagt! – Historisch betrachtet scheitert diese Rechtfertigung. Musik und Bildnerei haben sich erst zu den ‹Schönen Künsten› verschwistert, als Zwinglis Zeitalter schon lange vorbei war. Was heute als Gegenstand der Kulturpflege einen hohen gesellschaftlichen Ruf geniesst und nahe zusammen liegt, hatte damals wenig miteinander zu schaffen. Die musikalische Praxis (nicht die Theorie und der Chorgesang) war Sache von Verfemten – die Bildnerei war wenigstens ein ehrwürdiges Handwerk, aber auch nicht mehr. Zwingli erregte mit seiner musikalischen Beschäftigung den Anstoss seines Vaters, denn dieser wünschte sich, dass sein Sohn als Universitätsgelehrter aus Basel zurückkehre, und nicht als Gaukler![18]

Wie man's auch dreht: solange man mit einem modernen Kunstbegriff operiert, lässt sich Zwinglis Vorgehen nicht vom Anwurf gröbster Barbarei retten. Erst wenn man die Bildkunst als das nimmt, was sie damals gewesen ist, nämlich ein funktionell bestimmtes, stark sinnlich wirkendes Mittel zur materiellen Vergegenwärtigung der Heilserfahrung, ein Mittel, das im schroffen Gegensatz zur rein geistigen Ausrichtung des deutschen Humanismus stand, – erst dann stellt sich unter Einbezug der übrigen Rahmenbedingungen ein Verständnis ein. ‹Kunstfeindschaft› ist kein tauglicher Begriff zur Verurteilung des Zürcher Bildersturms. Sofern man diesen überhaupt hinterfragen will und in ihm nicht nur den mutigen Aufbruch zum reinigenden Gewitter erkennt, dann sind es der Opportunismus, der im Bildersturm zutage tritt, und die den Traditionalisten gegenüber rücksichtslose Durchsetzung, die erschüttern müssen.

[18] GARSIDE, S. 13.

PETER JEZLER · ELKE JEZLER · CHRISTINE GÖTTLER

Warum ein Bilderstreit? Der Kampf gegen die «Götzen» in Zürich als Beispiel

Der Zürcher Bildersturm ist der Prototyp obrigkeitlich verordneter Zerstörung der Kirchenzierden. Reformatorische Reaktivierung des biblischen Bildverbots traf als «Katalysator» auf eine allgemeine Bereitschaft, den Bilderkult abzuschaffen. Diese gründete auf unterschiedlichsten Faktoren, wie: humanistische Verachtung der «Leistungsfrömmigkeit», qualitative Überreizung und quantitative Übersättigung damaliger Bildproduktion, soziale und ökonomische Widerstände gegen den Bilderluxus. Teilweise im Rahmen karnevalistischer Fest-Anarchie entstand ein Druck, der die Obrigkeit aus Furcht vor unkontrolliertem Aufruhr selbst zum Handeln zwang. Der Bilderstreit kann als Schwelle zwischen spätmittelalterlicher Festkultur und reformatorisch/kapitalistischem Arbeitsethos interpretiert werden.

Nachdem am 1. September 1523 Leo Jud, der Leutpriester an St. Peter zu Zürich, gepredigt hatte, «wie man uss der göttlichen gschrift bewären [beweisen] möcht und recht wäre, dass man die götzen uss den kilchen tuon söllte» [1], kam es sechs Tage später in der Limmatstadt zu den ersten eindeutig reformatorisch motivierten Bilderzerstörungen [2]. Man könnte daraus schliessen, allein die Reaktivierung des biblischen Bilderverbotes habe bewirkt, dass in Zürich der grösste Teil sakraler Kunstschätze zerstört worden ist. Nun gibt es aber eine Reihe weiterer biblischer Gebote, denen die «offizielle» Zürcher Reformation nie die gleiche Aufmerksamkeit geschenkt hat, deren Verfechter im Gegenteil Verfolgungen ausgesetzt waren [3]. Es bleibt daher die Frage, warum ausgerechnet das Bilderverbot in Zwinglis Reformation solches Gewicht erhalten hat. – Die Antwort lässt sich in einer Analyse der theologischen Argumente allein nicht finden, vielmehr ist der Blick auf die historische Gesamtsituation zu richten.

Humanistische Gelehrtenkultur contra populäre Frömmigkeitsformen

Seit dem ausgehenden 15. Jahrhundert nimmt in der humanistischen und städtisch-bürgerlichen Literatur der Spott auf traditionelle

[1] EAk 416.3. – Zum Zürcher Bilderstreit vgl. SENN, MATTHIAS. Bilder und Götzen: Die Zürcher Reformatoren zur Bilderfrage. (Ausstellungskatalog Zürcher Kunst nach der Reformation. Hans Asper und seine Zeit. Zürich 1981), S. 33–38; ebenso: GARSIDE, CHARLES. Zwingli and the Arts. New Haven; London 1966.

[2] EAk 414, I.1. Vgl. auch unten Anm. 65.

[3] Forderungen der strengen Biblizisten wie: Erwachsenentaufe, Gebot zur Wehrlosigkeit (Mt 5, 1 ff.), Zinsverbot (Ex 22, 24; Lv 25, 36 f.; Dt 23, 20 f.); Eidverbot (Mt 5, 33 ff.); Überführung des Privateigentums in Gemeinbesitz (Apg 5, 1 ff.).

Frömmigkeitspraktiken zu. Etwa in Sebastian Brandts 1494 erschienenem «Narrenschiff» klingt eine Kritik an[4], die sich unter Erasmus von Rotterdam zum umfassenden Lasterkatalog ausweitet. Sein 1509 entstandenes «Lob der Torheit» bezeichnet es als närrisch, in ungehemmter Baulust Kirchen zu errichten, Weihegaben oder Lichtopfer darzubringen, für jedes Gebrechen den zuständigen Heiligen anzurufen, das Chorgebet herunterzuleiern, die Ablässe mit mathematischen Mitteln zu errechnen, nach Jerusalem, Rom oder zum heiligen Jakob zu pilgern usw.[5]. Der Kritik unterliegt jegliche Glaubensäusserung, die mit messbaren, sichtbaren oder greifbaren Leistungen verbunden ist. Auf die Bildfrömmigkeit kommt Erasmus im besonderen zu sprechen:

> «...einer törichten Einbildung überlassen» sich jene, die «überzeugt sind, sie könnten an einem Tag, an dem sie einen Blick auf eine Holzstatue oder ein Bild des Polyphem Christophorus geworfen haben, nicht sterben...»[6]

Das Urteil zeigt exemplarisch, wie die spätmittelalterliche Frömmigkeitspraxis ins Wanken geraten ist. Die Bilderverehrung war Teil einer Kultur, die auch als System von Überlebenspraktiken in einer dem Menschen feindlich gesinnten Welt begriffen werden kann. In der Bedrohung helfen die Heiligen, und der Verkehr mit ihnen ist dinglich. Mit der Schau ihrer Abbilder, einer erbrachten Leistung oder der Einhaltung eines Verzichts glaubte man, sich der überirdischen Hilfe versichern zu können. Der Humanist hingegen ist über solche Frömmigkeit erhaben. Der Blick auf den Christusträger hat für ihn keine Konsequenzen. Vielmehr wirken die monumentalen Masse, in denen der Schutzheilige für jedermann gut sichtbar dargestellt wird, lächerlich auf ihn und geben Anlass zum spöttischen Vergleich mit dem törichten einäugigen Riesen der Odyssee.

Für die reformatorische Bildgegnerschaft wurde das «Lob der Torheit» zum Handbuch. In Flugschriften und Predigten, auch in Zwinglis Schrifttum – überall begegnet man erasmianischen Reminiszenzen[7]. Erasmus selbst bereitete seiner Narrenschrift den Weg zur reformatorischen Aufnahme, indem er die Ausgabe von 1515 umfangreich kommentieren liess. Während der Haupttext beispielsweise die Dummheit lediglich konstatiert, mit welcher die Bilder «von jenen Stumpfsinnigen und Einfältigen selbst als Gottheiten angebetet werden», fügt der Kommentar hinzu, dass alle älteren Kirchenväter Bilder in den Gotteshäusern verurteilten und erst Gregor der Grosse (gest. 604) sie wohl zur Unterweisung, nicht aber zur Verehrung zugelassen habe[8]. Wie das «Lob der Torheit» von den späteren Reformatoren rezipiert worden ist, illustriert beispielhaft jenes Exemplar, Abb. 1

[4] BRANDT, SEBASTIAN. Das Narrenschiff. Hg. von Manfred Lemmer. Tübingen 1968², Kap. 11 und 91.

[5] ERASMUS VON ROTTERDAM. Das Lob der Torheit. Encomium Moriae. Übers. und hg. von Anton I. Gail. Stuttgart 1973, S. 49–54, 60–63, 77–79.

[6] ERASMUS (wie Anm. 5), S. 51.

[7] Zwingli etwa übernimmt den Namen «Polyphem» für Christophorus in seiner Antwort an Compar (Z IV, 99).

[8] ERASMUS (wie Anm. 5), S. 61; der Kommentar in: Opera omnia Desiderii Erasmi Roterodami. Ordinis quarti tomus tertius: Moriae Encomium id est Stultitiae Laus. Ed. CLARENCE H. MILLER. Amsterdam; Oxford 1979, S. 135, Anm. 176–178.

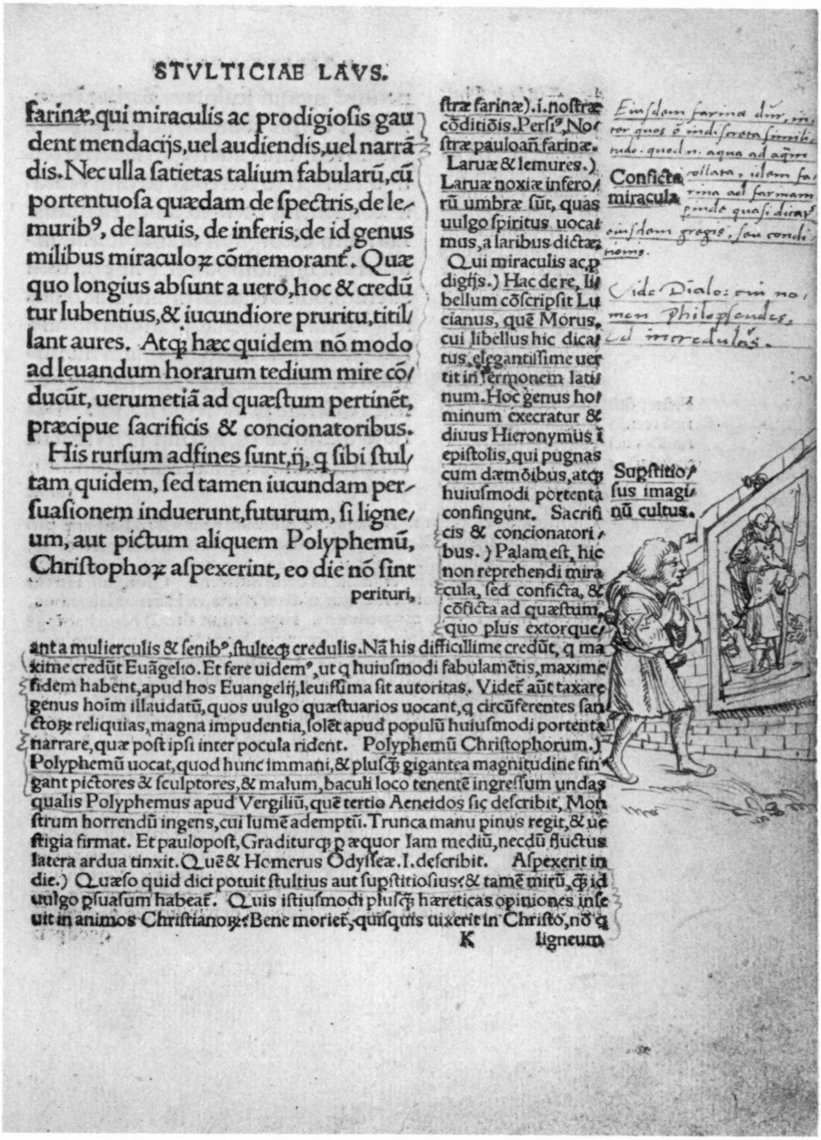

STVLTICIAE LAVS.

farinæ, qui miraculis ac prodigiosis gaudent mendacijs, uel audiendis, uel narrãdis. Nec ulla satietas talium fabularũ, cũ portentuosa quædam de spectris, de lemurib⁹, de laruis, de inferis, de id genus milibus miraculoꝝ cõmemorant. Quæ quo longius absunt a uero, hoc & creduntur lubentius, & iucundiore pruritu titillant aures. Atq; hæc quidem nõ modo ad leuandum horarum tedium mire cõducũt, uerumetiã ad quæstum pertinẽt, præcipue sacrificis & concionatoribus. His rursum adfines sunt, ij, q sibi stultam quidem, sed tamen iucundam persuasionem induerunt, futurum, si ligneum, aut pictum aliquem Polyphemũ, Christophoꝝ aspexerint, eo die nõ sint perituri,

stræ farinæ). i. nostræ cõditiõis. Persi⁹, Nostræ pauloã farinæ. Laruæ & lemures.) Laruæ noxiæ inferorũ umbræ sũt, quas uulgo spiritus uocamus, a laribus dictæ. Qui miraculis ac prodigijs.) Hac de re, libellum cõscripsit Lucianus, quẽ Morus, cui libellus hic dicatus, elegantissime uertit in sermonem latinum. Hoc genus hominum execratur & diuus Hieronymus i epistolis, qui pugnas cum dæmõibus, atq; huiusmodi portenta confingunt. Sacrificis & concionatoribus.) Palam est, hic non reprehendi miracula, sed conficta, & cõficta ad quæstum, quo plus extorqueant a mulierculis & senib⁹, stulteq; credulis. Nã his difficillime credũt, q maxime credũt Euãgelio. Et fere uidem⁹, ut q huiusmodi fabulamẽtis maxime fidem habent, apud hos Euangelij leuissima sit autoritas. Videt aũt taxare genus hoim illaudatũ, quos uulgo quæstuarios uocant, q circũferentes sanctorum reliquias, magna impudentia, solẽt apud populũ huiusmodi portenta narrare, quæ post ipsi inter pocula rident. Polyphemũ Christophorum.) Polyphemũ uocat, quod hunc immani, & plusq; gigantea magnitudine fingant pictores & sculptores, & malum, baculi loco tenentẽ ingressum undas qualis Polyphemus apud Vergiliũ, quẽ tertio Aeneidos sic describit, Monstrum horrendũ ingens, cui lumẽ ademptũ. Trunca manu pinus regit, & uestigia firmat. Et paulopost, Graditurq; p æquor Iam mediũ, necdũ fluctus latera ardua tinxit. Quẽ & Homerus Odysseæ. I. describit. Aspexerit in die.) Quæso quid dici potuit stultius aut supstitiosius? & tamẽ mirũ, q̃ id uulgo psuasum habeat. Quis istiusmodi plusq; hæreticas opiniones inseuit in animos Christianoꝝ? Bene morieẽ, quisquis uixerit in Christo, nõ q ligneum

Conficta miracula.

Supstitiosus imaginũ cultus.

K

1 Verehrung des heiligen Christophorus. Erasmus von Rotterdam: «Stultitiae laus» (Lob der Torheit). Basel: Johann Froben, 1515. Exemplar des Oswald Myconius (1488–1552). Kupferstichkabinett Basel, fol. K. – Im Grossdruck oben links der Haupttext von Erasmus; im Kleindruck daneben der von Gerhard Lister unter Mitwirkung des Erasmus verfasste Kommentar; Randzeichnung (Feder) von Hans Holbein d. J., um die Jahreswende 1515/16; darüber handschriftliche Marginalien von Oswald Myconius, um 1515/16, damals noch Lateinschullehrer in Basel.

welches Zwinglis Mitstreiter Myconius besessen und mit Randglossen versehen hat. Myconius geht 1516 bereits weiter als Erasmus' Kommentar und hält die Meinung der Hervorhebung wert,

> «dass die Maler durch obrigkeitliche Weisung dazu verpflichtet würden, aufs sorgfältigste Bilder der Heiligen, wie sie wirklich gelebt hätten, zu schaffen, damit das ungebildete Volk mehr zur Frömmigkeit angefeuert würde.»[9]

[9] RÜSCH, ERNST GERHARD. Vom Humanismus zur Reformation. Aus den Randbemerkungen von Oswald Myconius zum «Lob der Torheit» des Erasmus von Rotterdam. (Theologische Zeitschrift 39, 1983. Sonderheft zum 500. Geburtstag Huldrich Zwinglis), S. 39 f. RÜSCH interpretiert die Stelle als ironischen Kommentar des Myconius, was wir für unzutreffend halten.

Bis zur völligen Ablehnung der Bilder sollten nur noch wenige Jahre vergehen.

Die reformatorische Bewegung fand also den Boden bereitet, als sie zu ihrer Kritik an der Bilderverehrung und am Prunk des kirchlichen Zeremoniells anhob. Über den Humanismus hinaus konnte sie sich auf die Autorität der Bibel stützen: Es erschienen 1522 von Andreas Karlstadt in Wittenberg und im September 1523 von Ludwig Hätzer in Zürich die ersten systematischen Darstellungen biblischer Gründe zur Abschaffung der Bilder[10].

Bildproduktion am Vorabend der Reformation

Zum Teil liegt es in der Entwicklung der spätmittelalterlichen Bildproduktion selbst begründet, dass die Kunstwerke anfechtbar geworden sind[11]. Wir möchten nur drei Gründe nennen:

1. Quantitative Sättigung: Seit der zweiten Hälfte des 15. Jahrhunderts ist überall eine enorme Zunahme an sakralen Kunstwerken zu verzeichnen. Zwingli stellt 1525 den Zustand in seiner Schrift «Eine Antwort, Valentin Compar gegeben» mit humorvoller Anschaulichkeit dar:

> «Unsere frommen vordren ... habend von gemelden und bilden wenig gewüßt, als sich noch allenthalb in den teleren [Tälern] erfindt. Nun habend aber wir ietz iro so vil, das, wenn zehen so vil höws ässind als ein schaff, wir sy bald ze merckt tryben wurdind.»[12]

Welche Masse an Bildern sich allein in Zürich befunden haben muss, lässt sich nur noch erahnen. Edlibach überliefert für das damals enge Stadtgebiet die Zahl von 96 Altären; zählt man Kapellen und Klöster unmittelbar vor den Mauern dazu, so müssen mindestens 130 Altäre bestanden haben[13]. Die meisten davon dürften mit Retabeln ausgestattet gewesen sein. Hinzu kommt die immense Zahl der übrigen Andachts- und Heiligenbilder in und an Kirchen, Privathäusern und öffentlichen Bauten, sodann die Wegkreuze und Bildstöcke.

In der Masse verliert das Einzelwerk an Aura und sakralem Gehalt, und nur noch besondere Stücke erringen Aufmerksamkeit. Wiederholt begegnet man schon vor der Reformation der Mahnung, die Bilder nicht aufgrund ihrer gestalterischen Qualitäten zu verehren: Denn wenn du

[10] KARLSTADT, ANDREAS. Von abthuhung der Bylder / Vnd das keyn Betdler vnther den Christen seyn soll. (Deutsche Flugschriften zur Reformation. Hg. von Simon Karl. Stuttgart 1980. S. 231–279.); Ein urteil gottes unsers eegemahels / wie man sich mit allen götzen und bildnussen halten sol / uß der heiligen gschrifft gezogen durch Ludwig Hätzer. Zürich (Christoph Froschauer d. Ä.), 1523.

[11] Zur Beschaffenheit der damaligen Kunstproduktion vgl. den hervorragenden Überblick von: BAXANDALL, MICHAEL. The Limewood Sculptors of Renaissance Germany. New Haven; London 1980.

[12] Z IV, 126, 20–24; ebenso 123, 10–12.

[13] EDLIBACH, Kap. 56 (in diesem Band); die Gesamtzahl der Altäre in der nächsten Umgebung lässt sich annähernd eruieren aus: NÜSCHELER, ARNOLD. Die Gotteshäuser der Schweiz, Heft 3. Zürich 1864–1873 [Hefte 1–3], S. 347–461.

2 Zürcher Veilchenmeister: Maria Magdalena und Johannes der Täufer. Aus der ehemaligen St.-Moritz-Kapelle auf der Spanweid in Zürich-Unterstrass. Ausschnitt 97×72 cm. Öl auf Holz. Zürich, Schweizerisches Landesmuseum (Dep. Zürich, Zentralbibliothek).

«ein schoener und new bild mer eretest [ehrtest], dann ein ungeschaffen oder alt bildnuß, du begiengest die sunde der abgoeterei»![14]

2. *Naturalistische und sinnliche Überreizung:* Wollten Auftraggeber und Künstler verhindern, dass ihr Werk bald der Verachtung verfiel, so mussten sie um dessen verfeinerte Gestaltung besorgt sein. Hier mag ein Grund dafür liegen, dass sich Maltechnik und Formgestaltung im Spätmittelalter zu nie dagewesenem Raffinement entwickelt haben. Folgenreich für die protestantische Bildpolemik wurde insbesondere der neue Naturalismus, der prunkvolle Aufwand und die sinnliche Überreizung. Diese wird auch von Zwingli mit einem weitverbreiteten Argument angeprangert[15]:

[14] Der spiegel des súnders. Augsburg (Guenther Zainer) 1475, S. 36a. (Zitiert nach BAXANDALL (wie Anm. 11), S. 54).
[15] Zur Verbreitung des Arguments vgl. BAXANDALL (wie Anm. 11), S. 88–90.

«Hie stat ein Magdalena so huͤrisch gemaalet, das ouch alle pfaffen ye und ye gesprochen habend: Wie könd einer hie andächtig sin, mäß ze haben? Ja, die ewig, rein, unversert magt und můter Jesu Christi, die můß ire brüst harfürzogen haben. Dört stat ein Sebastion, Mauritius und der fromm Johanns evangelist so jünkerisch, kriegisch, kuplig, daß die wyber davon habend ze bychten ghebt.» [16]

Abb. 2

Zwinglis Kritik lässt sich an einer Altartafel veranschaulichen, die 1506 für die St.-Moritz-Kapelle auf der Spannweid, unweit vor Zürichs Toren, gemalt worden ist[17]. Maria Magdalenas prunkvolle Erscheinung, ihr unbedeckter Hals, das Decolleté, Goldkette, Goldborte und geschlitzte Ärmel, der goldene Gürtel, das brokatene Untergewand – das ist eine Aufmachung, derer sich ehrbare Bürgersfrauen zu enthalten hatten. Ein zeittypisches Zürcher Sittenmandat von 1488 nimmt vom Luxusverbot einzig Frauen mit grossem Vermögen und die Dirnen in den öffentlichen Frauenhäusern aus[18]. Dass Zwingli Gemälde wie die Spannweid-Altartafel als lasziv verurteilt hat, findet hier seinen Grund. – Allerdings lässt sich die Darstellungsweise historisch rechtfertigen. Gerade weil Maria Magdalena in aller Form noch als die Sünderin dasteht, die mit ihrem Salbgefäss bald reuig ins Haus des Pharisäers eintreten wird (Lc 7,37), macht sie deutlich, wie gross die Gnade ihrer Rettung ist. Das Gemälde bedient sich somit der Gegenbildlichkeit, einer beliebten rhetorischen Wendung der mittelalterlichen Moraldidaxe. War auf der Spannweid-Tafel der aufreizende Prunk also durchaus am Platz, so begann sich die moralische Absicht aufzulösen, wenn das verführerische Geschmeide nicht mehr auf die bekehrte Dirne beschränkt blieb, sondern auch zur Darstellung heiliger Jungfrauen eingesetzt wurde, an denen es inhaltlich verfehlt war[19].

3. *Privatisierte Auftraggeberschaft:* Während die Retabel der Hochaltäre normalerweise von ganzen Gemeinden oder Stifterkol-

[16] Z IV, 145f.

[17] Zur Tafel vgl. WÜTHRICH, LUCAS H. Spätgotische Tafelmalerei (1475 bis 1520). Bern 1969. (Aus dem Schweizerischen Landesmuseum 23), S. 14.

[18] «Und als dann mercklich unordnung ... fürgenomen ist, der kostlichen kleider halb, so frowen, und tochtern, an machen und tragen... Solichs abzůstellen und in ein zimlich maß zůbringen, haben wir angesehen und geordnet, das hinfür dhein frow noch tochter in unser stat, dhein silberin oder vergült haften ringlin oder gespeng, och dhein sidin gebräw oder belege an iren röcken, schuben, halsmänteln oder andrer kleidung in keinen weg tragen sol, usgenomen deren frowen und tochtern, so von recht uff geselschaften zem rüden oder zem schneggen gehören. Och das sus kein frow von der gemeind keinen beschlagnen gürtel machen noch tragen sol. Doch zu dem stück vorbehalten, das ein bürgers Eefrow, der tusent guldin wert gůtz oder darüber hat, einen beschlagnen gürtel haben, und tragen mag, der ungevarlich zwölff guldin wert sye und nit daruber, och nit me dann einen; darzů mögen die selben frowen sydin gebräw und beleginen in bescheidenheit ungevarlich an iren kleidern tragen; doch an häftlin oder gespenng wie obstat... Doch sind in solichem stuck vorbehalten und fry gelassen, die ofnen varenden frowen, so in beiden hüsern, im kratz und im graben offenlich [?] sind, und kein ander...» (StAZ A 42.2).

[19] Vgl. ERASMUS im Modus orandi: «Siquidem pictor epressurus Virginem Matrem, aut Agatham, nonnumquam exemplum sumit a lasciva meretricula...», zitiert nach: PANOFSKY, ERWIN. Erasmus and the Visual Arts. (Journal of the Warburg and Courtauld Inst. 32, 1969), S. 209, Anm. 25. – Ebenso der Franziskaner JOHANNES PAULI 1522: «... wan sie (die Maler) sant Katharinen oder sant Margareten sollen malen, so malen sie es so weltlich vnd mit vszgeschnitnen kleidern, wie man dan zů der selben zeit gat.» Schimpf und Ernst von Johannes Pauli. Hg. von HERMANN ÖSTERLEY. Stuttgart 1866, S. 250.

lektiven in Auftrag gegeben wurden, entstammten die Bildwerke auf den Nebenaltären vornehmlich privaten Stiftungen einzelner Familien. Sie waren dann verbunden mit entsprechenden Messstiftungen und sollten dem Seelenheil der Donatoren zugute kommen. Sozusagen als Beurkundung sind heraldische Kennzeichen oder Stifterbildnisse beigefügt, die letzteren versehen stellvertretend für die Abgebildeten das Gebet um Gnade. – Der Vorgang an sich war nicht neu, nur hatte sich im Spätmittelalter das Ausmass geändert. Mit dem Bürgertum weitete sich der Kreis der Stifter aus, und die Konkurrenz zwischen ihnen trat in den städtischen Kirchen im prunkenden Aufwand offen zutage. Zwingli sieht denn auch hinter den Donationen nichts anderes als Heilskalkül und Ehrsucht:

> Wir legen «kosten an sy [die Bilder] mit silber und gold. Nun mů̊ß dasselb beschehen eintweders uß hoffnung deß besseren, oder aber, das wir damit er [Ehre] sů̊chend; denn sust schütt nieman nütz vergeben uß.»[20]

Unterhalt des Zeremonien-Apparates

Zu den einmaligen Kosten der Bildherstellung gesellte sich der Aufwand dessen, was die Reformatoren als Bilderkult ablehnten: Vor den Altarretabeln lasen Geistliche Messen, vor Bildern wurden Lichter abgebrannt, Gnadenbildern brachte man Schmuck, wächserne und silberne Votive dar.

Die Ablehnung «missbräuchlicher» Bildfrömmigkeit bestand schon vor der Reformation; das belegen Beichtbüchlein und andere Schriften. Wenige Anzeichen sprechen gegen die Annahme, dass der überwiegende Teil der Gläubigen sich orthodox verhalten und die Bilder nicht in ihrer materiellen Substanz angebetet, sondern als Stellvertreter der himmlischen Bewohner verehrt hat[21]. Betrachtete man aber den Kult rein äusserlich, so bot die Bildverehrung eine günstige Angriffsfläche. Wie sollte man beweisen, dass eine Lichtspende nicht dem Bild galt, sondern dem darin dargestellten Heiligen zukommen sollte? Und wenn die Reformation schon die guten Werke ablehnte, so war der Vorwurf, die «Päpstler» dienten «Götzen», ein verlockend griffiges Argument. Hinzu trat der materielle Aspekt:

Die Mittel für den Bilderkult stammten aus freiwilligen Spenden und aus Zehnten- und Zinsabgaben der Landbevölkerung. Greifen wir als anschauliches Beispiel die Gräber der Stadtheiligen Felix und Regula im Grossmünster heraus: Sie waren mit jenen berühmten Bildtafeln von Hans Leu dem Älteren geschmückt, welche die Marterszenen vor dem Stadtpanorama zeigen[22]. Vor diesen Bildern brannten jeweils an allen Sonntagen und Duplexfesten (erstrangige Festtage) drei, später zwölf Hängelichter, welche jährlich mit je

[20] Z IV, 107, 24–27. Vgl. auch S. 108, 10–20.

[21] Vgl. BAXANDALL (wie Anm. 11), S. 51–55. Ebenso: STIRM, MARGARETHE. Die Bilderfrage in der Reformation. Gütersloh 1977. S. 229 und 238.

[22] Zu den Tafeln: GUTSCHER, DANIEL. Das Grossmünster in Zürich. Bern 1983. (Beiträge zur Kunstgeschichte der Schweiz 5), S. 141 f.

18 Pfund Wachs gespiesen wurden. Zur Finanzierung des kostbaren Wachses wendete die Stiftskammer aus ihren Zehnteneinnahmen 9½ Mütt (513 kg) Kernen auf. Sodann war die Propstei von verschiedenen Stiftern mit Grundrenten beschenkt worden, d.h. alle Bauern, welche die entsprechenden Güter Generation um Generation bewirtschafteten, mussten für die Lichter eine bestimmte Menge Wachs oder Korn abliefern: im ganzen 1 Pfund und ½ Mark Wachs und 1 Mütt Kernen. Allein die jährlichen 10½ Mütt Kernen hätten 1534 einem Meisterlohn für 74 Tage Arbeit entsprochen![23] – Überall waren Güter mit Wachszinsen für dieses oder jenes Bild belastet, und die waren noch bescheiden im Vergleich zu den Abgaben für Seelenmessen[24] oder für den Unterhalt des zelebrierenden Klerus, der 24 Stiftsherren und 32 Kapläne allein am Grossmünster. Mit einem Wort: Das katholische Zeremoniell war kostspielig – der protestantische Predigtgottesdienst dagegen versprach billig zu werden. Zerschlug man also die Bilder, so erübrigten sich die Lichter vor ihnen; vor gestürzten Retabeln entfiel das Messelesen und damit der Unterhalt der Geistlichen; versenkte man, wie in Zollikon geschehen, den Palmesel im See[25], so war künftig auch die Palmprozession aufgelöst: fehlten die Zeremonien, so fielen die Ausgaben dahin. Der Gedanke war für alle Vermögensschichten verlockend. Die Landbevölkerung konnte auf Befreiung von Abgaben hoffen, Städter und Vermögende spekulierten auf Rückerstattung und künftige Einsparung ihrer Stiftungen. Vieles sprach für die Liquidierung des Kultes – nicht nur das biblische Bilderverbot, sondern auch ein berechnendes Nützlichkeitsdenken und Sparsamkeit als wirtschaftliche Maxime. Erasmus fragt mit Spott:

3 Hans Holbein d.J.: Verehrung eines Marienbildes mittels Lichtspenden. Randzeichnung zur entsprechenden Textstelle von Erasmus' «Lob der Torheit», fol. M verso. (Vgl. Abb. 1.)

> «Wie viele weihen der Jungfrau und Gottesgebärerin ein Wachslicht, und zwar um die Mittagszeit, wenn es keinen Zweck erfüllt?»[26]

Noch schärfer lässt der Zürcher Pamphletist Utz Eckstein in seiner Flugschrift «Concilium» von 1525 verlauten:

> «Hastu verbrennt vil öl und ancken [Butter],
> drumm hand dir müß [Mäuse] und ratzen zdancken.
> Die hand nachts dester baß [um so besser] gsehen,
> wär besser, es wär nit gschehen.
> Hettist öl und anken ggeben
> den armen, das wär mir eben.

[23] «De candelis pendentibus ad tumbas sanctorum martirum patronorum et redditibus earundem»: Die Statutenbücher der Propstei St. Felix und Regula (Grossmünster) zu Zürich. Hg. von DIETRICH W.H. SCHWARZ. Zürich 1952, S. 32. – Die Lohnberechnung stützt sich auf: SIGG, OTTO. Bevölkerung, Landbau, Versorgung und Krieg vor und zur Zeit der Reformation. (Zwinglis Zürich 1484–1531. Hg. vom Staatsarchiv Zürich 1984. S. 3–11), S. 3.

[24] Vgl. dazu: LANDWEHR, DOMINIK. Gute und böse Engel contra Arme Seelen. Reformierte Dämonologie und die Folgen für die Kunst, gezeigt an Ludwig Lavaters Gespensterbuch von 1569 (in diesem Band, S. 125–133).

[25] EAk 462.

[26] ERASMUS (wie Anm. 5), S. 60.

[27] ECKSTEIN, UTZ. Concilium. Hie in dem bůch wirt disputiert, Das puren lang zyt hat verfůrt... [Zürich, 1525], A5b–A6a. Wiedergabe in Mikroform: Die deutschen und lateinischen Flugschriften des frühen 16. Jahrhunderts. Hg. von HANS-JOACHIM KÖHLER, HILDEGARD HEBENSTREIT, CHRISTOPH WEISMANN. Microfiche-Serie. Tübingen 1978ff. Fiche 943–944 / Nr. 2349.

So hettinds damit gschmeltzt ir suppen,
sunst schmirpt der Sigrist mit sin juppen [Jacke]
Und zündt den götzen durch die nacht,
denn einer den andren anlacht.
Das fröuwt, bissicher, dheilgen wol,
die gsehend nit, sind hinden hol ...»[27]

Bilderluxus und soziale Armut

Öl und Butter hätten also nach Utz Eckstein besser den Armen als Nahrung gedient denn als Lichtspender vor den «Götzen». – Die soziale Frage, das Missverhältnis zwischen Bildaufwand und verbreiteter Armut, konnte der Verbreitung bildfeindlicher Gesinnung unter dem Volk nur förderlich sein. Von Anfang an führen Bilderstürmer unter anderem das Elend der Armen als Motiv ihrer Empörung ins Feld. Den Sturz des grossen hölzernen Kruzifixes in Stadelhofen im September 1523 begründet der Hauptangeklagte Klaus Hottinger mit folgenden Worten:

> «Und syg ir meinung und anschlag gsin, dass si das holz verkoufen und das erlöst gelt husarmen lüten, da es am basten angeleit wär, erschiessen lassen welltind.»[28]

Die Forderung nach sozialem Ausgleich ist zwar in der langen Geschichte der Bildgegnerschaft seit der Spätantike immer gegenwärtig[29]. Ein Blick auf die ökonomische Situation der Landschaft Zürich am Vorabend der Reformation zeigt aber, wie aktuell das soziale Argument der Bildgegner tatsächlich gewesen ist: Der Anstieg der Bevölkerung von 25000 auf 50000 in den letzten Jahrzehnten des 15. Jahrhunderts, eine Verknappung der Landreserven, Missernten und steigende Preise, denen der Anstieg der Löhne nicht zu folgen vermochte – das sind die Quellen einer sich vor und während der Reformation rasch ausbreitenden Massenarmut[30]. Der Sturm auf die Kartause Ittingen galt zuerst Küche und Vorratsraum[31], und auch vor dem Kloster Töss gipfelte ein Auflauf der Bauern im exzessiven Verzehr herausgeforderter Nahrungsmittel[32].

Eine Verminderung des kirchlichen Aufwandes hätte Mittel für die Bedrängten freisetzen können. Als biblische Grundlage der polemischen Gegenüberstellung von Bilderdienst und Armenpflege erscheinen Jesu Worte von den sechs Werken der Barmherzigkeit (Mt 25,35 ff.). «Was ihr einem dieser geringsten meiner Brüder getan

[28] EAk 421, II; vgl. auch die Meinung, welche H. Jörg, Kaplan an St. Peter, schon vor den ersten Bildzerstörungen geäussert haben soll: «in geluste nüt bas, dann dass er einfart mit der kerzenstange[n] die götzen ab dem altar abhin schlüege; dann es wär so mänigs arms mentsch, das vor der kilchen und sust allenthalb sässe und weder umb noch an hett, sonders grossen hunger und arbentseligkeit liden müesste, mit welichen kostlichen zierden denselben wol geholfen möcht werden» (EAk 414, II).

[29] Dazu am vollständigsten: BREDEKAMP, HORST. Kunst als Medium sozialer Konflikte. Bilderkämpfe von der Spätantike bis zur Hussitenrevolution. Frankfurt a/M. 1975.

[30] SIGG (wie Anm. 23), S. 3.

[31] SIGG (wie Anm. 23), S. 8.

[32] Die Chronik des Laurencius Bosshart von Winterthur. 1185–1532. Hg. von KASPAR HAUSER. Basel 1905. (Quellen zur schweizerischen Reformationsgeschichte 3), S. 109–114.

habt, das habt ihr mir getan» (Mt 25,40) – diese Stelle spreche nicht von der Verehrung der Heiligen, so hält Zwingli den Bilderverehrern entgegen, sondern «von hilff der dürfftigen in disem zyt»[33]. Ausführlich wendet Utz Eckstein die Matthäus-Stelle auf Messwesen und Bilderdienst an:

«Sprichst: Ich hab hüpsch taflen bereyt,
mit gold die bilder daryn bkleyt,
Mässgwand ggeben, Stool und Alben,
die Kilchen bgaabet allenthalben.
Denn spricht der Herr: ‹was gadts mich an,
von dir wil ich nit der glychen han.
Du hast nun leym und holz bekleyt,
ich hatt dir von den armen gseyt.
Die selben hast erfryeren lon,
lang lassen vor der türen ston.›»[34]

Auch in einer Flugschrift des Zürchers Hans Füessli wird die Bildverehrung als Verstoss gegen das Gebot der Barmherzigkeit gewertet:

«Dann wandle einer das gantz Tütsch land uß (wo das götlich gsatz nit glert wirt), so findt er allenthalb die lüt an den bilden ze gnagen, als ob sy inen die fuͤß abfressen wellent ... Ouch so henckt man inen so groß huffen silber und gold an, dar zů kostliche Kleider, und dagegen den armen, nakkenden, ellenden, dürfftigen, sinen brůder, hunger, frost, ellend und mangel erlyden.»[35]

Prunksucht, Ehrgeiz und privater Eigennutz bestimmen, so Zwingli, den Bilderkult und lassen die Pflicht zur Armenfürsorge vergessen:

«Es ist ghein ring, stein, kleinot so tür nie gewesen, das es ein ergytig wyb ruwe an einen felwenstöckin (aus Weidenholz gemachten) götzen ze hencken; und so man sy sölchs ermant hette einem armen ze geben, hett man nütz mögen schaffen. Warumb? Er gleiß an dem armen nit, aber an dem götzen.»[36]

Der «päpstischen» Bilderpraxis setzt Zwingli die Gottesebenbildlichkeit des Menschen entgegen: Den «dürfftigen bilden gottes, den armen menschen» gebührt, was man den Bildern der Heiligen anhängt[37].

«Ja, alle götzenbuwer werdend gott ouch rechnung můssen geben, das sy imm syne bilder habend lassen hungren, früren etc.; und habend ire eignen götzen so tür gezieret.»[38]

Eine besonders umstrittene Einnahmequelle für die kirchliche Prachtentfaltung verklagt Johannes Kessler in seiner Reformationschronik «Sabbata»:

[33] An Compar, Z IV, 144,22.
[34] ECKSTEIN (wie Anm. 27), A5a–A5b.
[35] FÜESSLI, HANS. Antwurt eins Schwytzer Purens über die ungegründten geschrifft Meyster Jeronimi Gebwilers ... Zürich (Hans Hager) 1524. E4a–E4b. Zürich Zentralbibliothek, III N 146.
[36] An Compar, Z IV, 147, 8–12.
[37] Wie Anm. 36, 108, 1–4.
[38] Wie Anm. 36, 146, 5–8.

«Also welcher ... sin gůt, unfertig gewunnen, vertedigen wolt, so gab der selbige an stür an den kilchenbuw, an die bilder und götzen, an die meßgwander und ceremonien, an welchen dann sin schilt und helm erglanzen můßtend, damit man den frommen menschen, das fromme gschlecht, so diß gůtt werk gestift und verbessert, erkennen möcht. Zů sollichen gottzdiensten und tempelwerken hat uns kain gelt ze verwenden beduret; allein wenn man dem lebendigen tempel Gottes, den armen durftigen, handraichung tůn solt, wolt man verderben.»[39]

Das «unfertig gewunnen gůt», also unrechtmässig oder unehrenhaft erworbener Besitz (etwa aus Wucher), konnte der Schuldige zu seiner Entlastung der Kirche abtreten. Diesen Vorgang bezeugt beispielsweise eine Urkunde vom 7. Dezember 1435, in der die Propstei Zürich durch den päpstlichen Legaten ermächtigt wird, gegen Erteilung eines Ablasses solche Güter einzuziehen, deren rechtmässiger Besitzer für eine Rückerstattung nicht ermittelt werden kann. Die so erzielten Einkünfte sollten zum Unterhalt und zur Verbesserung der Gebäude dienen[40]. Im 33. Artikel der Schlussreden zur Ersten Disputation fordert nun Zwingli, «unfertig gůt» habe nicht mehr an kirchliche Instanzen zu fallen, sondern direkt den Bedürftigen zuzukommen[41].

Arbeitsethos und Festkultur

Das spätmittelalterliche Leben bewegte sich in Extremen. Der Jahreslauf war gegliedert vom Wechsel zwischen Fastenzeiten und Festen. Auf Perioden der Enthaltsamkeit, der Entbehrung und des produktiven Erwerbs folgten die Feste mit Völlerei, Ausschweifung und Verzehr. Die Akzente setzte der liturgische Kalender, der dem Wechsel der Jahreszeiten folgend Fasten und Feste über das Jahr verteilte[42]. Somit hatte zwar die Mehrzahl der Feste einen religiösen Anlass, im Anschluss an den Gottesdienst aber bot sich Gelegenheit zu Freizügigkeiten, welche die Kirche als Sünde verdammte.

Bildwerke standen während der grossen Feste im Zentrum des kirchlichen Zeremoniells. Für die Herrenfeste waren beispielsweise Figuren in Gebrauch, die das Festereignis sinnfällig machten: An Weihnachten wurde in den Kirchen das Bornkind gewiegt, am Palmsonntag zog man das Wägelchen mit dem Palmeselchristus durch die Strassen, am Karfreitag legte man das Bild des Christusleichnams ins Ostergrab, am Ostermorgen wechselte man es gegen die Figur des Auferstandenen aus und zog diese sodann am Himmelfahrtstag an einem Seil ins Gewölbe hinauf, und an Pfingsten schliesslich er-

[39] Johannes Kesslers Sabbata. Hg. von EMIL EGLI und RUDOLF SCHOCH. St. Gallen 1902. S. 49, 25–32.

[40] ESCHER, KONRAD. Rechnungen und Akten zur Baugeschichte und Ausstattung des Grossmünsters in Zürich, I. Bis 1525. (Anzeiger für Schweizerische Altertumskunde NF 29, 1927), S. 189 (Propsteiurkunde 5).

[41] Z II, 292–298.

[42] Das Thema ist im 16. Jh. Gegenstand einer reichen protestantischen Polemik. Vgl. etwa das Kapitel «Von der Rhömischen Christen fest, feyer, tempel, altar, begrebniß, besingniß und breüchen durch das ganz jar» in: FRANCK, SEBASTIAN. Weltbuch. Augsburg 1534, S. 131a–136b. Als hervorragendes Handbuch zum spätmittelalterlichen Kalender dient: ZEHNDER.

schien der Heilige Geist in Gestalt einer geschnitzten Taube aus dem Gewölbeloch[43]. Dazu kam das Öffnen und Schliessen der Altarretabel, das Verhüllen und Enthüllen der Skulpturen und das Zeigen und Umtragen der Reliquien, so dass die gesamte Kirchenausstattung zur Veranschaulichung des festlichen Anlasses diente. Die reformatorische Feiertagspolemik überliefert uns die Vorgänge in allen wünschenswerten Einzelheiten: Am Aschermittwoch werden

> «die bilder und götzen ... mit tůcher bedeckt, zů erinnern, das wir sy anzesechen nit wirdig sijen»; am Ostersamstag «entblötz man [sie] wider; sind nun wirdig worden, alles von angesicht zů angsicht zů schowen.»[44]

An Heiligenfesten

> «ziert man den tempel mit teppichen, grossen meyen, thůt die altär auff, butzt und mutzt die heiligen auff, sunderlich den Patron dises fests, setzt yhn gekleydet under die kirch thür zů betlen, da sitzt ein mann bey im, der im das wort thůt, weil das bild nit reden kan, der spricht: ‹Gebt sant Jörgen, Leonarden etc. etwas umb Gots willen› ...»[45]

Die Kultbilder waren also gleichsam die sinnfälligen Exponenten des jeweiligen Festes und damit Repräsentanten der damaligen Festkultur überhaupt. Um gegen diese Festkultur das protestantische Gleichmass durchzusetzen, bot sich ein Angriff auf die Bilder als wirksam an. Indem man sie vernichtete, war dem katholischen Festkalender sein repräsentativer Ausdruck entzogen, und mit der Abschaffung der Feste waren die Ausschweifungen an Festtagen unterbunden.

Die Opposition gegen die Festkultur war durch die unmässige Vermehrung der Feiertage und die Überfrachtung des liturgischen Kalenders geschürt worden. Abgesehen von einer innerkatholischen Reformbewegung[46] drängten vornehmlich protestantische Ethik und frühkapitalistischer Geist auf Bereinigung des Festkalenders[47]. Aus der Sicht des sich kapitalisierenden Gewerbes bedeuteten die Feste Verschwendung und unproduktive Verausgabung. Die protestantische Ethik bot mit ihrer Erhöhung der Arbeit zum sittlichen Wert die religiöse Begründung. Nicht die guten Werke und nicht besondere Bussleistungen, sondern ausschliesslich die Erfüllung innerweltlicher Pflichten, wie sie sich aus der Lebensstellung des einzelnen ergeben, sind das Mittel, gottgefällig zu leben[48]. Erwerbsfleiss und Sparsamkeit sind die Grundtugenden dieser innerweltlichen Askese. Luther propagierte im «Sermon von den guten Werken» und in der Schrift «An den christlichen Adel deutscher Nation» von 1520 folgerichtig die Abschaffung aller Feste ausser der Sonntage und die Ver-

[43] Alle diese Kultbilder waren über den ganzen deutschen Sprachraum, zum Teil auch darüber hinaus verbreitet. FRANCK (wie Anm. 42) und KESSLER (wie Anm. 39) beschreiben die Riten mit besonderer Aufmerksamkeit. Zu Zürich vgl. EDLIBACH, Kap. 4, 9, 10 und 12.

[44] KESSLER (wie Anm. 39), S. 53, 6–8; 53, 36–37.

[45] FRANCK (wie Anm. 42), S. 133 b.

[46] Vgl. MERKEL, HELMUT. Feste und Feiertage. (Theologische Realenzyklopädie 11), S. 123 f.

[47] Zum Problem der inneren Abhängigkeit von Kapitalismus und Protestantismus vgl. WEBER, MAX. Die protestantische Ethik. Hg. von Johannes Winckelmann. Bd. I: Eine Aufsatzsammlung, Bd. II: Kritiken und Antikritiken. Gütersloh 1981[6] bzw. 1978[3].

[48] WEBER (wie Anm. 17), Bd. 1, S. 67.

Ermanũg zů den Questionieren ab zůſtellen über
flüſſigen koſten.

4 Johannes Schweblin: «Ermanung zů den Questionieren [Almosensammeln] abzůstellen überflüssigen kosten.» Titelholzschnitt [Strassburg: J. Prüss, 1522]. Zürich, Zentralbibliothek [18.84 b]. – Mit Schellen wird auf eine Reliquienprozession aufmerksam gemacht, um Ablassspenden zu erheischen. Kniend bietet der einfache Landmann dem reich ausgestatteten Klerus von seinem Vieh dar.

legung grosser Marien- und Heiligenfeste auf den Sonntag. Durch den «miszprauch mit sauffenn, spielenn, mussig gang unnd allerley sund» erzürne der gemeine Mann nicht nur Gott, sondern nehme selbst Schaden, indem er

> «an seyner erbeyt vorseumpt wirt, datzu mehr vortzeret dann sonst, ja auch seinenn leyp schwecht unnd ungeschickt macht...»[49]

[49] An den christlichen Adel deutscher Nation von des christlichen Standes Besserung [WA 6, S. 403–469], S. 445 f. Vgl. auch: Von den guten Werken [WA 6, S. 196–276], S. 243 f.

Aus denselben Gründen stösst eine strenge Fastenpraxis auf Ablehnung: Askese und Enthaltsamkeit gefährden ebenso wie Völlerei und sexuelle Ausschweifung die leibliche Gesundheit. Beides beeinträchtigt die Arbeitsleistung[50].

Zwei Vorfälle können die Konfliktsituation für Zürich exemplarisch erleuchten: Im November 1520 klagten die Meister der Schneiderzunft beim Rat, dass sich ihre Gesellen unterstanden hätten,

> «einen heiligen, namlich Sant Guotmann[51] zuo fyren, und syent desshalb inen ab dem werch gangen, dadurch si biderb lüt mit irem hantwerch nit mögint wol fertigen, bsonder jetz diser zit, so si überladen und guoter hilf notdürftig wärent ...»

Den Gesellen, die «mit der trumen umhergezogen» seien, wird eine Busse auferlegt, und sie werden geheissen,

> «dass si hinfür iren heiligen Sant Guotmann mit betten, almuosen geben und andren guoten werchen, und nit mit fyren und tanzen eren...»[52]

Ähnlich argumentierte Christoph Froschauer in seiner Rechtfertigung des Wurstessens, das am 9. März 1522 als erster Fastenbruch den Auftakt zur Zürcher Reformation gab:

> «Ich han ein sölich werk vor handen, das mich do vil kostet und gestat, des libs, guots und [der] arbeit halb; denn ich muoss tag und nacht, firtag und werktag mit umgan und arbeiten, domit und ich es ferggen [fertigen] mög uf die Frankfurter mess... Do mag ich [es] mit minem husgesind mit muos, und sunst nüt, nit erzügen: und fisch vermag ich nit aber allwegen ze koufen.»[53]

Die Achtung der Arbeit als sittliches Verhalten und als ökonomischer Wert findet sich auch in Zwinglis Auslegung des 25. Artikels der Schlussreden:

> «Ja, es wäre vil wäger an dem merteil fyrtagen, das man, nachdem man das wort gottes gehört hat unnd den fronlychnam und bluͦt genossen und mit got recht erinneret, sich darnach widrumb zuͦ der arbeit schickte. Es wäre ruͦwen gnuͦg, so man den sontag ruͦwete, und thäte man alle andre fyrtag hyn nach dem kilchgang hin am morgen, ußgenommen den wychnachtag; unnd s. Steffans..., den tag annunciationis Marie..., sant Johans teuffers tag... unnd s. Peters unnd Paul tag... Sust ist das fyren, das wir thuͦnd mit fressen und trincken, mit spilen, mit lügen und unnützem schwätz an der sonnen ein grössere sünd dann gotsdienst. Ich find nienen, das muͤssiggon ein gotsdienst syg. So man schon am sontag ze acker gienge, nachdem man sich mit got verricht, maygte, schnitte, höwte oder welches werck die noturfft der zyt erfordrete, weiß ich wol, das es got gevelliger wäre denn das liederlich muͤssiggon.»[54]

Das neue reformatorische Arbeitsethos hatte für Zürich seine praktischen Auswirkungen: Am 28. März 1526 erliess der Rat eine radikal durchgreifende Feiertagsordnung, nach welcher neben den Sonntagen die Feste auf weniger als 15 Ruhetage pro Jahr reduziert wurden. Seit Beginn der Reformation waren somit gut 30 Ruhetage

[50] Zur Kritik der Fastenpraxis: An den christlichen Adel (wie Anm. 49), S. 446 f.; Von den guten Werken (wie Anm. 49), S. 245–247.

[51] Sant Guotmann: Bonus Homo aus Verona, Patron der Schneider.

[52] EAk 139.

[53] EAk 234.

[54] Z II, 247 f.

ausser Kraft gesetzt[55]. In den folgenden Jahren wurde die Ordnung noch verschärft, bis 1550 das Jahr von den Sonntagen und 6 Christusfesten abgesehen vollständig aus Werktagen bestand[56].

Bilderschändung als Revolte

Zu den vielfältigen Funktionen, welche Bilder im Mittelalter erfüllten, gehörten auch solche des Rechts. Ein Herrscherbildnis besass die Macht, den abwesenden Regenten zu vertreten und dessen Recht zu garantieren. Ebenso konnte das Abbild eines unerreichbaren Täters dem Strafvollzug unterzogen oder als Schandbild aufgerichtet werden[57]. Zwingli persönlich musste es erfahren, in Luzern «in effigie» verbrannt zu werden[58].

Wenn Bilder in der Lage waren, einen derart ausgeprägten Stellvertretungsanspruch zu erheben, so musste ein Bildersturm mehr bedeuten als eine blosse Reinigung der Kirchen. Mit ikonoklastischen Aktionen konnte man die Stifter schänden oder die Kirche als herrschende Institution treffen. Dieser Beweggrund lässt sich insbesondere in den radikalen Strömungen nachweisen, welche die Gesellschaft zur apostolischen Güter- und Lebensgemeinschaft zurückführen wollten. Martin Warnke hat am Beispiel des Täuferregiments in Münster gezeigt, dass sich der Bildersturm nicht nur in blindwütiger Zerstörung vollzog, sondern auch in gezielt verübten Deformationen[59]. An Grabfiguren wurden die Nasen und Herrschaftsinsignien abgeschlagen, d.h. es wurden ordentliche Strafmassnahmen an den gestürzten Herrschaftsvertretern vollzogen. – Gleichermassen berichtet Gerold Edlibach über die Vorgänge in Zürich:

> «Item eß wurdent ouch fil fromer, erlicher lütten begreptniß zurschleitz, zurrissen und abthan, da besorgen ist, daß vil mer nid und heimlicher haß das bracht hab, dan guͤtliche min und l[i]ebe [gütliche Absicht] das gewürckt hatten.»[60]

Dass Aggression gegen Bilder als Angriff auf die bestehenden Autoritäten verstanden worden ist, zeigen auch die Ratserlasse und Ge-

[55] EAk 946. Von den 17 beibehaltenen Festen sind Oster- und Pfingstag ohnehin Sonntage, zwei bis drei weitere können je nach Jahr auf Sonntage treffen. Diesem guten Dutzend arbeitsfreier Tage stehen beispielsweise an der Münsterbauhütte zu Freiburg i.Br. im Jahr 1471/72 nicht weniger als 44 Freitage gegenüber. Vgl. Ausstellungskatalog. Die Parler und der schöne Stil 1350–1400, 3. Köln 1978, S.56.

[56] «Habend wir geordnet und angesehen, das die unseren von Statt und Land vorab den Sontag, darzuͦ den heiligen Wyenecht und den volgendentag daruf, deßglych die Beschnydung und Uffart Christi, ouch den Ostermontag und den Pfingsmontag, so wir by unserer kilchen, von wägen des Nachtmals deß Herren und verkündigung sins göttlichen worts, angenommen, allenthalben glych fyren, und uff sölich tag niemants weder durch sich selbs, noch sine dienst und gsind wercken noch arbeiten.» StAZ III AAb 1.1 (Zürcherische Mandate. Erste Serie. Band I.1).

[57] Vgl. Reinle, Adolf. Bildnis. (Lexikon des Mittelalters 2, 1981, Sp.154–159).

[58] Zu Zwinglis Schandbild: Die Eidgenössischen Abschiede, IV/1a, 1521–1528, bearb. von Johannes Strickler. Zürich 1876, S.893 und 901.

[59] Warnke, Martin. Durchbrochene Geschichte? Die Bilderstürme der Wiedertäufer in Münster 1534/1535. (Bildersturm. Die Zerstörung des Kunstwerks. Hg. von M.Warnke. München 1973, S.65–98.)

[60] Edlibach, Kap.49 (in diesem Band, S.68).

richtsurteile, in denen die Obrigkeit unbedingt das Recht für sich in Anspruch nimmt, Destruktionen selbst zu verfügen bzw. an die Gemeindemehrheiten zu delegieren. Zwingli beschreibt die Reaktion der Regierung auf die ersten eigenmächtigen Bilderstürme:

> «Das woltend die herren nit erlyden, sorg, es wurde unrat geberen [Unruhe hervorrufen].»[61]

Durch den Aufruhr wären nicht nur Regiment und Besitztum gefährdet worden, sondern es hätten auch die übrigen Orte der Eidgenossenschaft provoziert werden können, im Zürcher Hoheitsgebiet zu intervenieren.

Rituelle Rebellion und Befriedung drohenden Aufruhrs

Es gilt, sich Klarheit zu verschaffen über die äusseren Anlässe, aus denen die bilderstürmerischen Aktionen erwachsen konnten. Paradoxerweise bot gerade der Fest-Kalender, der ja von den Reformatoren verworfen wurde, entscheidende Hilfe. Er teilte das Leben nicht nur in Entbehrung und Völlerei, sondern auch in Zeiten der Unterwerfung und Momente der Anarchie. Im Karneval erfolgte die Umkehr der Werte: Das Heilige wurde profaniert, die Macht gestürzt, das Niedrige hingegen erhöht. Die Narrheit triumphierte über die Vernunft und der Spott über den Ernst[62]. Es handelte sich um geradezu institutionalisierte Umkehr- und Rebellionsrituale, die insgesamt herrschaftsstabilisierende Funktion ausübten. Wenn in zeitlich geregelten Abständen das Chaos ausbrechen konnte, war die Ordnung und Herrschaft des Alltags um so leichter durchsetzbar. Allerdings barg das Chaos immer die Gefahr, den ihm zugestandenen Rahmen zu überschreiten und das Ritual in den realen Umsturz münden zu lassen. Jahreswechsel, Fastnacht im Frühjahr und Kirchweih im Herbst waren in dieser Hinsicht besonders labile Zeiten[63].

Wie weit sich gerade reformatorische Vorgänge innerhalb karnevalesker Rahmenbedingungen verwirklicht haben, kann Robert W. Scribner anhand von 22 Reformationsereignissen beispielhaft darlegen[64]. Für ikonoklastische Aktionen war dieser Rahmen besonders geeignet.

Die Geschichte des Zürcher Bildersturms ist allerdings weitgehend die Geschichte seiner Verhinderung, und die karnevalesken Wurzeln treten nicht so offen zutage wie beispielsweise in Basel, wo

[61] Z VI, 98, 26–30.

[62] Vgl. etwa BACHTIN, MICHAIL. Literatur und Karneval. Zur Romantheorie und Lachkultur. München 1969.

[63] ZEHNDER, S. 231–233; 313–315 (mit weiterer Literatur). Zu den Verhältnissen in der Schweiz vgl. insbes.: SCHAUFELBERGER, WALTHER. Der Alte Schweizer und sein Krieg. Zürich 1966², S. 165 ff. Ebenso: WACKERNAGEL, H. G. Altes Volkstum der Schweiz. Basel 1959. (Schriften der Schweizerischen Gesellschaft für Volkskunde 38), S. 28, 43, 231 f., 293, 308 f.

[64] SCRIBNER, ROBERT W. Reformation, Carnival and the World Turned Upside-Down. Stuttgart 1980. (Städtische Gesellschaft und Reformation. Kleine Schriften 2, hg. von I. Batori), S. 234–264.

1529 der Ikonoklasmus in einer Volksempörung direkt der Fastnacht entspringen sollte. Hält man aber in Zürich die Daten bilderstürmerischer Vorfälle und diesbezüglicher Ratsbeschlüsse neben den Festkalender, so drängt sich der Gedanke auf, dass die anarchistischen Festzeiten respektive die Angst vor ihnen die Termine mitdiktiert haben.

Die ersten Bilderzerstörungen in Zürich fallen je auf einen Sonntag, nämlich auf die Nacht vom 6. zum 7. September[65] sowie auf den 13. September 1523[66]. Dazwischen lag am Freitag, dem 11. September «Felix und Regula», der Zürcher Kirchweihtag. Die Unruhen hielten an[67], bis am 27. Oktober, während der Zweiten Zürcher Disputation, Bürgermeister und Räte verfügten, die Bilder seien einstweilen in den Kirchen zu belassen[68].

Nach einer relativen Ruhe macht sich gegen den Jahreswechsel 1523/24 hin eine ausgesprochene Nervosität bemerkbar: Kapläne und Helfer des Grossmünsters weigern sich, in traditioneller Form Messe zu lesen[69]. In Zollikon wird nach nächtlichem Umtrunk der Palmesel geschändet und im See versenkt[70]. Am 13. Dezember wiederholt die Regierung den Beschluss, die Bilder unangetastet zu lassen[71]. Nur sechs Tage später, am 19. Dezember, werden aber erste Zugeständnisse gemacht: Die Bilder sollen zwar einstweilen bleiben, sie dürfen aber nicht mehr aktiv in den Kult einbezogen werden, und den Klerikern wird erlaubt, das Messelesen zu unterlassen. Man beraumt auf den 28. Dezember eine neue Disputation über Messe und Bilder an und stellt auf Pfingsten 1524 den endgültigen Entscheid in Aussicht[72]. Noch am 23. Dezember kommt es zur Verurteilung der Zolliker Bilderstürmer und zur Verbannung des ikonoklastisch agitierenden Predigers Simon Stumpf[73]. – Waren es die Bochselnächte, die Zwölf Freien Nächte von Weihnacht bis Dreikönigstag mit Neujahrsnacht und Berchtoldstag, also alles Anlässe zur Maskerade oder zur Abrechnung mit den Oberen, welche hinter dieser Hektik standen?[74] – An Deutlichkeit nichts zu wünschen übrig lässt ein auf die folgende Fastnacht erlassenes Mandat: Danach ist es niemandem erlaubt, in einer Verkleidung umzugehen,

> «so bäpstlich Heligkeit, keiserliche Majestät, die Cardinal, unser Eidgnossen, die landsknecht, münch, pfaffen, klosterfrowen, noch ander fürsten ... mügent berüeren, bedüten, schmähen, reizen oder widerwillig machen ...»[75].

[65] EAk 414, I.1: «an u. Frowen abent umb die drü in der nacht», d.h. am Vigiltag von Mariae Geburt: am 7. September vor 3 Uhr.
[66] EAk 415.
[67] Vgl. EAk 421–423, 491.
[68] EAk 436. Einzig den Donatoren war es erlaubt, die selbst gestifteten Bilder aus den Kirchen zu entfernen.
[69] EAk 456.
[70] EAk 462.
[71] EAk 458.
[72] EAk 460.
[73] EAk 462, 463.
[74] Bochselnächte: die drei letzten Donnerstage des Advents (ZEHNDER, S. 293); Berchtoldstag: 2. Januar (ZEHNDER, S. 299).
[75] EAk 467.

Das gereizte Klima ertrug also die sonst übliche Ständesatire nicht mehr. Auch während der Fastenzeit unterband der Rat demonstratives Verhalten. Im privaten Kreis wird der Fleischgenuss zwar toleriert, aber niemand soll

> «in versammlungen nach su[n]st [in] gesellschaften, dardurch solich gross ärgernussen geben werden, fleisch bruchen und mit muotwillen essen»[76].

Fasten- und Osterzeit verliefen unter starker Einschränkung des kirchlichen Zeremoniells ruhig[77]. Doch danach wurde die Lage brenzlig. Der Rat hatte es versäumt, auf Pfingsten den versprochenen Entscheid über Bilder und Messe herbeizuführen, und die Pfingstwoche war bis dahin eine von Zürichs wichtigsten Festzeiten mit Wallfahrt nach Einsiedeln und prachtvoller Prozession und Feier auf dem Lindenhof[78]. Wie leicht hätte sich anstelle des traditionellen Rahmens, sozusagen als Verkehrung der Prozession, ein Sturm auf die Kirchen entwickeln können! Der Rat erliess deshalb vorsorglich noch am Samstag vor Pfingsten (14. Mai 1524) ein ausführliches Mandat, welches den Tanz, nächtliches Umgehen, Schmachlieder, Büchsenschiessen, Zutrinken und «zerhowen hosen» verbietet. Zum Schluss wird ausdrücklich und unter Strafandrohung verlangt, dass trotz verstrichener Frist in der Bilder- und Messfrage nichts «unrüewigs möcht fürgenommen werden»[79]. – Noch am Pfingsttag, also weniger als 24 Stunden nach Ergehen der Weisung, wurden in Zollikon Bilder und Altar zerschlagen. Die Radikalen hatten den offenen Ungehorsam demonstriert, und die Obrigkeit war nicht mehr fähig, ihre Strafandrohung durchzusetzen[80]. Stattdessen wurde sogleich am Pfingstmontag (16. Mai) eine Kommission eingesetzt[81]. Auf ihren Vorschlag hin beschloss der Rat am 8. Juni, die Bilder zu entfernen, aber noch nicht sie zu zerstören. Der Beschluss erwies sich vorerst als nicht durchsetzbar[82]. Da trat eine Woche später eine einmalige und unverhoffte Situation ein: Innerhalb von drei Tagen starben beide Bürgermeister; Felix Schmid am 13. Juni und Marx Röist am 15. Juni, abends zur zehnten Stunde[83]. Noch am Todestag von Röist war das endgültige Mandat «Wie man mit den kilchengötzen handlen soll» erlassen worden. War der Bürgermeister noch am Entscheid beteiligt? – Das Mandat selbst gibt vor, auch in seinem Namen verfasst worden zu sein; nicht aber der unmittelbar vorausgehende Mandatsbeschluss[84]. Es scheint, dass der Entscheid zustande gekommen ist,

[76] EAk 499.
[77] Bildzerstörungen sind nur noch vereinzelt bezeugt. Vgl. EAk 497, 502.2 und 511.
[78] Am Pfingstmontag waren die Zürcher nach Einsiedeln gepilgert, am Mittwoch führte eine Prozession auf den Lindenhof, wo unter Zelten Gottesdienste und danach ein Fest gehalten wurde. Vgl. EDLIBACH, Kap. 11 und 14 (in diesem Band, S. 52f.); ZEHNDER, S. 326 und S. 453; EAk 527.
[79] EAk 530.
[80] EAk 535.
[81] EAk 532.
[82] EAk 543. Das Datum nach WYSS, S. 40. Den öffentlichen Protest gegen das Mandat überliefert EDLIBACH, Kap. 22 (in diesem Band, S. 56).
[83] WYSS, S. 40 f.
[84] Der Beschluss (EAk 544) ist unterzeichnet von Statthalter Walder, Räten und Burgern; das Mandat (EAk 546) beginnt mit: «Als dann unser gnädigen Herren BM., R. und der gross R. etc.»

als Röist, dem «das ufrumen der götzen ... gar widrig und ein gros crütz ... was»[85], bereits im Sterben lag. – Bedenkt man, in welche Gefährdung im Mittelalter ein Regiment gerät, sobald der Führungsposten verwaist ist, so entsteht der Verdacht, dass nicht nur die reformatorische Partei durch die günstige Situation, sondern auch die Konservativen durch die Angst zur Eile getrieben worden sind. Der bisher eher zurückhaltende Rat musste am St.-Veits-Tag 1524 ganz einfach dem Druck von unten nachgeben, um mit einer Vorwärtsstrategie der entstehenden Unsicherheit zuvorzukommen. Die selbstverfügte Zerstörung der «Götzen», die zwischen dem 20. Juni und 2. Juli 1524 hinter verschlossenen Kirchentüren erfolgte[86], hätte somit auch dazu gedient, die durch Zehntenfrage und Freiheitsforderungen gefährdete Ordnung aufrechtzuerhalten.

Biblizismus als Katalysator

Kehren wir zum Ausgangspunkt unserer Arbeit zurück: Warum ist in Zürich ausgerechnet die Bilderfrage mit solcher Vehemenz entschieden worden? – Den Stein ins Rollen brachten zweifellos reformatorisch geprägte Theologen mit ihrer Reaktivierung des alttestamentlichen Bilderverbots. Sie gaben dem Bildersturm die religiöse Rechtfertigung, ohne welche die Vernichtung der kirchlichen Zierden absolut undenkbar gewesen wäre[87]. Die theologische Argumentation allein hätte aber kaum solche Auswirkungen gezeigt, wenn ihr nicht eine grundsätzliche sozialpsychologische Bereitschaft gegenübergestanden hätte. Sofort bestand für die Destruktionsvorgänge ein weitverbreitetes Verständnis, und sobald das Eis gebrochen war, konnten sich die Stürme von einem Ort auf den andern ausdehnen. Es entwickelte sich schliesslich eine vielschichtige Eigendynamik, worin unterschiedlichste soziale Schichten, Unternehmer ebenso wie Bauern oder Humanisten, soweit einen Konsens finden konnten, dass ihnen die Entbindung vom Bilderkult materiellen Nutzen oder psychische Entlastung versprach. – Die Wiedereinführung des Bilderverbots nach 1300 Jahren christlicher Bildtradition konnte die bedrängte Obrigkeit leichter zu ihrer Sache machen als manch andere biblische Forderung mit gesellschaftlich weiterreichenden Konsequenzen[88]. Zum Schluss darf nicht vergessen werden, dass der Regierung mit der Verstaatlichung der Kirchengüter ein unerhörter Machtzuwachs in Aussicht stand. Der reformatorische Biblizismus wirkte somit als Katalysator in einer Zeit, in der unterschiedlichste dem Ikonoklasmus förderliche Kräfte zusammentrafen.

[85] WYSS, S. 40.
[86] EAk 552; WYSS, S. 42f.; EDLIBACH, Kap. 22f (in diesem Band, S. 56f.).
[87] Weil die theologische Argumentation andernorts ihre profunde Darstellung gefunden hat, kann hier auf eine Wiederholung verzichtet werden. Vgl. den Aufsatz von HANS-DIETRICH ALTENDORF, (in diesem Band, S. 11–18); SENN (wie Anm. 1); STIRM (wie Anm. 21); CAMPENHAUSEN, HANS VON. Die Bilderfrage in der Reformation. (CAMPENHAUSEN, H. VON. Tradition und Leben. Tübingen 1960. S. 216–252.)
[88] Vgl. Anm. 3.

Ausblick

Zum Schluss bleibt die Frage nach den Konsequenzen. Der Zürcher Bilderstreit war der Prototyp des obrigkeitlich verordneten Ikonoklasmus. Bald sollte er in Schaffhausen, Konstanz, Strassburg und anderen Orten Nachahmung finden.

Das Kirchengut wurde konfisziert und – wenigstens anfangs – vollumfänglich zur Armenfürsorge verwendet[89]. Die Hoffnung der Bauern auf Befreiung von Zehnten- und Zinsabgaben erwies sich allerdings weitgehend als vergeblich; ebenso die Bemühungen der Stifter um Rückerstattung ihrer Schenkungen. Für die Landbevölkerung änderte sich faktisch wenig: An die Stelle der Ausbeutung durch den Klerus war die Abgabepflicht an die staatliche Obrigkeit getreten.

Der Bilderstreit war die Schwelle zwischen zwei Lebenshaltungen, von denen sich die alte in der spätmittelalterlichen Festkultur, die neue als protestantische Ethik äusserte. Parallel zur Ausbildung des Frühkapitalismus – Zürich wurde zu einem der kapitalreichsten und am frühesten industrialisierten Länder Europas – erfolgte die immer weitergehende puritanische Unterdrückung der Sinnlichkeit. Hier gewinnt denn der Zürcher Bilderstreit seine Bedeutung europäischen Ausmasses. Er steht am Anfang einer Entwicklung, welche über ganz Europa hinweg, nach dem Tridentinum auch in katholischen Gebieten, zu einer zunehmenden Repression gegen die Volkskultur geführt hat[90].

[89] Hierzu jüngst: BÄCHTOLD, HANS ULRICH. Heinrich Bullinger vor dem Rat. Zur Gestaltung des Zürcher Staatswesens in den Jahren 1531 bis 1575. Bern; Frankfurt a.M. 1982. (Zürcher Beiträge zur Reformationsgeschichte 12), S. 143–188.

[90] Einen sorgfältigen Forschungsüberblick bietet: ZEMON DAVIS, NATALIE. From «Popular Religion» to Religious Cultures. (Reformation Europe: A Guide to Research. Ed. Steven Ozment. St. Louis 1982, S. 321–341.) In unseren Ausführungen stützen wir uns insbesondere auf: MUCHEMBLED, ROBERT. Kultur des Volkes – Kultur der Eliten. Die Geschichte einer erfolgreichen Verdrängung. Stuttgart 1982; BURKE, PETER. Helden, Schurken und Narren. Europäische Volkskultur in der frühen Neuzeit. Hg. und mit einem Vorwort von Rudolf Schenda. Stuttgart 1981.

MARTIN GERMANN

Der Untergang der mittelalterlichen Bibliotheken Zürichs: der Büchersturm von 1525

Es handelt sich um das erste Kapitel eines Vortrages mit dem Titel «Bibliotheken im reformierten Zürich: vom Büchersturm (1525) zur Gründung der Stadtbibliothek (1629)», den der Verfasser am bibliotheksgeschichtlichen Seminar «Die Reformation und das städtische Büchereiwesen» im Oktober 1983 an der Herzog-August-Bibliothek in Wolfenbüttel gehalten hat. Die Publikation der Vorträge ist in Wolfenbüttel geplant.

Am 2. Oktober 1525 öffnet das Stiftskapitel des Grossmünsters die Sakristei. Längere Verhandlungen der Chorherren mit dem Zürcher Rat sind ergebnislos verlaufen. Weiterer Widerstand scheint zwecklos. Unter Aufsicht der beiden beauftragten Ratsherren wird der Stiftsschatz ins Kaufhaus an der Limmat übergeführt und dort an die Meistbietenden versteigert.

Bullinger beschreibt in seiner Reformationschronik [1], verfasst um 1574, den Vorgang und erwähnt unter den Messgewändern, Kelchen, Monstranzen und wertvollen Stoffen auch Karls des Kahlen Gebetbuch im Goldeinband («Caroli des keysers bättbůch in Gold gefasset») [2]. Die Stoffe wurden um geringes Geld verkauft, und Bullinger empört sich noch 40 Jahre später darüber, dass die Reichtümer von den neuen Erwerbern, wie er sagt, wieder zu Üppigkeit und Hochmut gebraucht worden seien.

Soweit der Bericht Bullingers, der als 21jähriger vielleicht Augenzeuge gewesen ist, über das Schicksal des Kirchenschatzes. Vom damaligen Stiftsschreiber Johannes Widmer besitzen wir Notizen über die Plünderung des Schatzes und der Bibliothek [3]. Nach ausführlicher Beschreibung der Vorgeschichte, der Verhandlungen zwischen Stift und Rat, berichtet er die Ereignisse des 2. Oktobers und gibt eine fünf

[1] Autograph in der Zentralbibliothek Zürich (im folgenden abgekürzt ZBZ), Ms. A 93, f. 332 ff. Abgedruckt bei LEHMANN, PAUL. Mittelalterliche Bibliothekskataloge, Bd. 1, München 1918 (Nachdruck 1969), S. 460 ff. (ungenau transkribiert). In der 1545 niedergeschriebenen ersten Fassung seiner Reformationschronik (ZBZ, Ms. J 59 Nr. 1) erwähnt Bullinger die Bibliotheksplünderung und Büchererzerstörung nur beiläufig. So auch die bisherige Literatur, z. B. SCHWEIZER, PAUL. Die Behandlung der zürcherischen Klostergüter in der Reformationszeit. (Theologische Zeitschrift aus der Schweiz, 2, 1885, S. 1–28 (und separat)). – Eine dichterisch inspirierte Beschreibung des Bilder- und Büchersturms in Zürich gibt GOTTFRIED KELLER im dritten Kapitel seiner Novelle «Ursula».

[2] Das goldene Gebetbuch Karls des Kahlen (823–877), erwähnt schon im Schatzverzeichnis des Grossmünsters von 1333, wurde 1525 von einem wackeren Bibliophilen gerettet und gelangte dann in das Kloster Rheinau, wurde 1583 als Geschenk an Herzog Wilhelm von Bayern überreicht. Heute in der Schatzkammer der ehem. königlichen Residenz in München.

[3] StAZ, G I 1 Nr. 75: (Aufzeichnungen Joh. Widmers über die Verhandlungen mit dem Rat und innerhalb des Stiftskapitels; Schatzverzeichnis; Inventar der Sakristei; Bericht über Abtransport von Schatz und Bibliothek), f. 7 verso. Die Darstellung stimmt mit jener des damaligen Propstes Felix Frey überein (StAZ, G I 1 Nr. 86).

Seiten umfassende Liste der weggeführten Reliquien, Monstranzen, Messkelche, Messgewänder und Stoffe. Gleichzeitig wurden die liturgischen Bücher in der grossen Sakristei gesammelt: «Demnach hant die genannten Deputaten vom radt geheißen alle chorgsangbuͤcher in die groß sacrasty tragen, wie sie in andren kilchen auch getan hand, damit daz chorgsang abgange.»

Erstes Ziel war es, die Liturgie, Chorgesang und Messe, zu verunmöglichen; zweites Ziel, die Wiedereinführung für immer zu verhindern. Das Chorherrenstift zum Grossmünster war am längsten geschont worden; die zweitwichtigste Kirche des Bistums Konstanz war für ihren Chorgesang und ihre feierliche Liturgie weit herum berühmt gewesen. Aber es blieb damals nicht bei der Vernichtung der liturgischen Bücher. Johannes Widmer berichtet über die Plünderung der Bibliothek[4], die er nicht verhindern konnte: «uff den sibenden tag octobris hant miner herren deputaten die großen und kleinen permentinen chorgsangbuͤcher uß der libery und großen sacrasty tragen uß eignem gwalt, wie wol ich sy bat, die do ze lassen; deßglichen den merteil anderer buͤchern groß und klein, die denn M. Ulrich, lew und propst von Embrach inen hant anzeigt als unnütz». Es folgt dann eine Liste von über 50 pergamentenen Mess- und Chorbüchern, «die hinwegtragen sind, damit sy uß gedechtnuß der mentschen kament...».

Auch Bullinger bezeugt die grosse Zahl der Bücher, «die zů schryben ein groß gällt kostet hattend...; deren gar vil gesyn und meertheyls Bermentin»[5]. Die Plünderung beschreibt er, ohne die Namen der drei Zensoren zu nennen: Gleichentags «ward ouch die libery ersůcht, und wenig (was man vermeint gůt syn) behalten, das ander alles als Sophistery, Scholastery, Fabelbücher etc. hinab under das Helmhus getragen, zerrissen und den Krämeren, Apoteckeren zu bulferhüslinen, den Bůchbinderen ynzůbinden und den Schůleren und wer kouffen wollt, um ein spott verkoufft».

Ein anderer Zürcher Chronist, Gerold Edlibach[6] (damals soeben von seinem Amt als Ratsbeauftragter für die Stiftsreformation zurückgetreten), kennt weitere Einzelheiten: «Item in dissen tagen giengen die verordnneten über alle liberigen Zürich, in das Münster und über andre liberigen in den pfarkilchen und clöstren, und nammend daruß alle buͤcher, die sy fundent. Item die glertten, die sich der buͤcher verstůndent, die meintend, daß sy mit 10000 guldin nüt gemachet werrend, dan sy mit gůttem bermett und costen geschriben warend; derro was ein grosser huff, die alle verkouft, zurrissen und zurzertt wurden und keinß gantz bleib etc.»

Vom Stiftsschreiber, dem oben zitierten Augenzeugen, erfahren wir, wer die Aussonderung unerwünschten Schrifttums vorgenommen hat: es war Ulrich Zwingli selbst, mit ihm Leo Jud (1482–1542, Pfarrer an der St. Peterskirche in Zürich), und Heinrich Brennwald

[4] StAZ, G I 1 Nr. 75, f. 8 recto/verso.
[5] ZBZ, Ms. A 93, f. 334 recto.
[6] Gerold Edlibach (1454–1530), Chronist, Ratsherr zu Hans Waldmanns Zeiten und wieder von 1493–1524, hinterliess Aufzeichnungen über die Zürcher Reformation, die ihn als Altgläubigen zeigen: (siehe S. 41–74) Autograph, ZBZ, Ms. L 104, S. 557 ff., das Zitat S. 571.

(1478–1551, Probst von Embrach und Chronist). Der Rat deckte ihr Vorgehen. Die Verschleuderung des Stiftsschatzes hat denn auch zu schwerem Zerwürfnis zwischen dem Chorherrenstift und dem Rat geführt[7]; der passive Widerstand der Chorherren ist mit harter Hand gebrochen worden. Ironie der Geschichte ist, dass Zwingli fünf Jahre vorher als Leutpriester an das Stift berufen worden war, gewählt von einer reformerisch gesinnten Mehrheit der Chorherren, die damals nicht ahnten, dass diese Wahl ihre Existenz innert weniger Jahre in Frage stellen würde.

Die Aktion ist im weiteren Zusammenhang mit den anderen revolutionären Entwicklungen jener Jahre, mit Bildersturm und Bauernkrieg, zu sehen. Seit 1523 sind da und dort auch im Zürcher Gebiet Kruzifixe zerschlagen, Heiligenstatuen von den Sockeln gestürzt und Bilder in Kirchen zerstört worden. 1524 wurde eine amtliche «Götzenentfernung» durchgeführt, um die von den Predigern aufgewiegelten Gemüter zu besänftigen. Wie im ganzen süddeutschen Raum, wo der Bauernkrieg ausgebrochen war, gärte es auch auf der Zürcher Landschaft. Im Frühling 1525 wurde im Zürcher Oberland das Prämonstratenserkloster Rüti von Bauern überfallen und geplündert. Es war eines der reichsten Klöster der Landschaft, Grabstätte des bei Morgarten und Näfels gefallenen österreichischen Adels. Von der Bibliothek kennen wir nur noch Bruchstücke.

In der süddeutschen Nachbarschaft ereignete sich ähnliches: Die Bauern suchten das Kloster Sankt Blasien heim und zerstörten die Bibliothek, zerrissen und zerschnitten die Bücher, bis sie knietief in den Pergament- und Papierfetzen wateten; sie glaubten, die Zinsrödel ihrer Grundherrschaft vernichtet zu haben. In der Stadt Zürich ist der Bilder- und Büchersturm anders verlaufen: hier war es eine obrigkeitliche Aktion, geleitet vom Reformator Zwingli selbst.

Wir kennen leider Zwinglis Kriterien und die ihm verhassten Titel nicht. Bei Luther sind wir besser unterrichtet. In seiner im Januar 1524 in Wittenberg publizierten und im gleichen Jahr in ganz Deutschland nachgedruckten Schrift «An die Ratsherren aller Städte deutschen Lands, daß sie christliche Schulen aufrichten und halten sollen» tadelt er die «tollen unnuͤtzen schedlichen Muͤniche buͤcher, Catholicon, Florista, Grecista, Labyrinthus, Dormi secure und der gleychen esels mist». Bullinger erwähnt die fast vollständige Vernichtung der Zürcher Liturgiehandschriften sowie der Bücher, die als «Sophisterei», «Scholasterei» und «Fabelbücher» bezeichnet wurden, reformatorische Termini für die mittelalterliche Theologie, für Katechetik, Kirchenrecht und Seelsorge und wohl auch für gewisse Werke der Literatur: die zuletzt genannten «Fabelbücher» werden wohl Heiligenlegenden, vielleicht auch Profangeschichte und -Litera-

[7] Bullinger berichtet: «Wie aber die Schaͤtz der kylchen von der Oberkeit hingenommen und die buͤcher geschenndt (geschändet) worden, kamend die Herren vom Capitel in großen unwillen gaͤgen der Oberkeit» (ZBZ Ms. A 93 f. 334 verso). Vgl. die ausführliche Darstellung von FIGI, JACQUES. Die innere Reorganisation des Großmünsterstifts in Zürich von 1519 bis 1531. Zürich 1951. (Zürcher Beiträge zur Geschichtswissenschaft, 9), Diss. phil. Zürich, S. 60 ff. – Eine gute Übersicht über die Ereignisse der Zürcher Reformation gibt LOCHER, GOTTFRIED W. Zwingli und die schweizerische Reformation. Göttingen 1982 (Die Kirche in ihrer Geschichte, Bd. 3 Lieferung J 1).

tur bezeichnet haben. Ob das Fehlen sicherer Nachrichten und das fast völlige Fehlen der Überlieferung mittelhochdeutscher Epik in der Stadt, die im frühen 14. Jahrhundert ein Zentrum mittelhochdeutscher Literatur gewesen ist, mit dieser Büchervernichtung erklärt werden muss?[8]

Den andern Kirchen- und Klosterbibliotheken der Stadt war es ebenso ergangen. Dies bezeugen unabhängig voneinander die beiden gut informierten Zeitgenossen Gerold Edlibach und Johannes Widmer. Der Buchbesitz der kirchlichen Institute wurde zum einen Teil zerstört, zum andern Teil zwar gerettet, aber in alle vier Himmelsrichtungen zerstreut. Das Zerschneiden und Verkaufen der Pergamentblätter an die Krämer und Apotheker, welche das Material zum Verpacken und als Pulversäcklein verwendeten, führte zur vollständigen Vernichtung. Was den Buchbindern als Rohmaterial verkauft worden ist, ist zwar oft noch vorhanden, aber nur noch in Fragmenten und verstreut: offenbar sind Pergamentvorräte aus mittelalterlichen Handschriften in verschiedenen Zürcher Buchbinderwerkstätten bis weit in das 17. Jahrhundert hinein für das Herstellen von Pergamentkoperteinbänden, als Material für Ansetzfälze und zum Unterlegen in Ledereinbänden gebraucht worden. In den Gestellen der Zentralbibliothek Zürich trifft man immer wieder auf Bände des 16. und 17. Jahrhunderts, oft Reformatorenhandschriften und Zürcher Drucke enthaltend, gebunden in Makulatur mittelalterlicher Handschriften, deren Herkunft allerdings schwierig zu bestimmen ist[9]. Was nach auswärts gegangen ist, kann nicht einmal mehr geschätzt werden.

Eine Geschichte der mittelalterlichen Bibliotheken, der Gelehrsamkeit und Buchkultur Zürichs zu schreiben, ist deshalb ein fast aussichtsloses Unternehmen. In den hier und dort erhalten gebliebenen Handschriften, Inkunabeln und Frühdrucken[10] sind oft auch die Spuren ihrer Herkunft verwischt, so dass es ausgedehnter Einzelforschung bedarf, um ihre frühere Bibliotheksheimat festzustellen[11]. Zum Beispiel gehörte die karolingische Bibel, um 825 im Skriptorium

[8] Man kann nur Vermutungen äussern, vgl. z. B. PREISENDANZ, KARL. Die Schicksale der Manesseschen Liederhandschrift. (Velhagens & Klasings Monatshefte, 1938, S. 54–58): «Dann aber scheint sie ihrer ersten Heimat, die man vielleicht in einem Zürcher Frauenstift zu sehn hat, wohl im Zusammenhang mit der Schweizer Reformation entfremdet worden zu sein: der grosse Bücherfreund Ulrich Fugger (1526–1584) hat sie vermutlich ... erworben».

[9] Über Versuche zur Bestimmung von Handschriftenmakulatur in Einbänden der ZBZ berichtet: MOHLBERG, LEO C. Katalog der Handschriften der Zentralbibliothek Zürich, Bd. 1: Mittelalterliche Handschriften. Zürich 1951, S. VIII.

[10] Listen von Handschriften der vorreformatorischen Zürcher Bibliotheken wurden schon mehrmals zusammenzustellen versucht: LEHMANN, PAUL (1918, zitiert in Anm. 1). – Kdm Zürich IV, 1, S. 95–165. – BRUCKNER, ALBERT. Scriptoria medii aevi Helvetica, Genf 1940, Bd. 4, S. 79–113 und Bd. 14 (Register). – MOHLBERG (wie Anm. 9), in der Einführung S. X–XVI und im Register unter «Zürich d) Hss. aus einzelnen Klöstern». Auswärts sind bisher Handschriften vorreformatorisch zürcherischer Herkunft nachgewiesen in Aarau, Berlin, Bern, Beromünster, Brüssel, Darmstadt, Einsiedeln, Engelberg, Heidelberg, Karlsruhe, Kopenhagen, London, Marburg, München, Rom, Stuttgart, Ulm, Valenciennes und Winterthur.

[11] MOHLBERG, LEO C. Rand- und andere Glossen zum ältesten Schriftwesen in Zürich bis etwa 1300. (Scriptorium, 1, 1946/1947), S. 17–32. – SCHÖNHERR, ALFONS. Kulturgeschichtliches aus dem alten Wettingen: aus der Werkstatt des Aarauer Handschriftenkataloges. Zürich 1955, darin S. 15 f. über Handschriften zürcherischer Provenienz.

von St. Martin in Tours entstanden, seit der Gründungszeit (1230) dem Predigerkloster Zürich und kam durch die Klosteraufhebung 1525 in die Stiftsbibliothek. Der im Codex eingetragene Besitzvermerk des Predigerklosters ist wahrscheinlich damals ausradiert worden und kann heute nur noch mit Hilfe der Ultraviolettlampe zu einem Teil sichtbar gemacht, zum anderen durch Vergleich mit Eintragungen in anderen Handschriften als «Iste liber est fratrum ordinis predicatorum de Turego» bestimmt werden[12]. Konrad Pellikan, der spätere Stiftsbibliothekar, hat sich dieser karolingischen Bibel übrigens besonders angenommen: In seinem Katalog von 1532 setzt er neben ihren Titel an den Rand die Bemerkung «cuius vastator anathema sit», also einen Fluch auf denjenigen, der sie schänden wolle. Der Schrecken der Bibliotheksplünderung sitzt ihm offenbar noch in den Knochen, und er fürchtet ein erneutes Aufflackern der Zerstörungswut.

Am besten dokumentiert sind wir über die Bücher des Augustiner-Chorherrenstiftes St. Martin auf dem Zürichberg, einem beliebten Wallfahrtsort der Zürcher vor der Reformation. Wir kennen neun mittelalterliche Handschriften und 57 Inkunabeln aus dieser Bibliothek. Die Überlieferung ist hier besser: zwar war die Wallfahrt 1524 abgestellt, die Aufnahme von Novizen untersagt worden, und den austretenden oder wegziehenden Chorherren gab man eine Abfindungssumme, oft auch Bücher mit; aber diejenigen, die bleiben wollten, erhielten ein Nutzniessungsrecht auf Lebzeiten zugesprochen, und als der letzte Chorherr 1533 starb, wirkte an der reformierten Stiftsbibliothek am Grossmünster bereits Konrad Pellikan, der wohl dafür gesorgt hat, dass der restliche Buchbestand in die von ihm neu eingerichtete Stiftsbibliothek überführt worden ist.

[12] Meinem Vorgänger an der Zentralbibliothek, Dr. A. Schönherr, danke ich für seine Hinweise auf die Provenienz. – Die Handschrift steht heute in der ZBZ (Ms. Car. C 1).

DANIEL GUTSCHER · MATTHIAS SENN

Zwinglis Kanzel im Zürcher Grossmünster – Reformation und künstlerischer Neubeginn

Nach der obrigkeitlichen Bilderentfernung vom Juni 1524 war es im Zürcher Grossmünster fürs erste nüchtern geworden. Immerhin: Die Sockel der sechzehn mittelalterlichen Altäre im Chor, an der Chortreppe, in der Zwölfbotenkapelle, in den Seitenschiffen und auf den Emporen waren zusammen mit dem Chorgestühl, der Orgel und dem Grab der Stadtpatrone Felix, Regula und Exuperantius samt den Tafelbildern ihres Martyriums, gemalt von Hans Leu d. Ä., im Münster verblieben. Ob dies auch für die seit dem 15. Jahrhundert sicher nicht mehr mit der Chorschranke verbundene Kanzel galt, wissen wir nicht. Die Tatsache, dass sie noch 1516 durch Hans Leu d. J. mit Gemälden der Stadtheiligen versehen worden war, lässt vermuten, dass sie mit den Bildern und dem Gestühl 1524 aus dem Kirchenschiff verschwand[1]. Es ist anzunehmen, dass sie wie andernorts üblich an der der Orgel gegenüberliegenden Wand, wohl ohne feste Verbindung vor einem der östlichen Mittelschiffpfeiler, stand.

Knappe zwei Jahre hat Zwingli in diesem improvisierten Raumgefüge gewirkt. Im Herbst 1526 lässt sich im Grossmünster ein gestalterischer Neubeginn feststellen, der Gegenstand unserer Zeilen sein soll. Nach dem Bericht des Chronisten Bernhard Wyss vom 5.–7. September 1526[2], nach anderer Überlieferung bereits im Juli[3], wurden in den Kirchen der Stadt die Altäre und Sakramentshäuschen abgebrochen und als Baumaterial für einen *Kanzellettner* ins Grossmünster gebracht. Heinrich Bullinger hat uns den Bauvorgang genau überliefert: «Und am 8. July namm man die fronaltarstein zuo dem Frowenmünster, zuo Predigern, Barfüsseren und Augustinern, und fürt sie zuo dem grossen Münster. Da ward ein nüwe Cantzel, uss ermellten steinen gebuwen: und ward der alltarstein von den predigern, alls der längist was, in mitten geleit, das er fürgieng, in die Cantzel daruff jetzund der predicant stadt.»[4] Es tönt zunächst wie ein äusserer Ausdruck des triumphalen Sieges der neuen Lehre über die alte, dass man zu diesem «boden der cantzel und lättner»[5] Altarsteine aus den Zürcher Kirchen verwendete.

[1] Zu den bau- und kunstgeschichtlich bedeutenden Ereignissen der Reformationszeit am Grossmünster vgl. GUTSCHER, DANIEL. Das Grossmünster in Zürich. Bern 1983. (Beiträge zur Kunstgeschichte der Schweiz, hg. von der Gesellschaft für Schweizerische Kunstgeschichte), S. 158–164.

[2] WYSS, BERNHARD. Chronik. Basel 1901. (Quellenschriften zur Reformationsgeschichte, hg. von G. FINSLER), S. 70 f.

[3] BULLINGER, HEINRICH. Reformationsgeschichte. Nach dem Autographon hg. von J. J. HOTTINGER und H. H. VÖGELI. Frauenfeld 1838/40, I, S. 368 und andere Zürcher Chroniken.

[4] BULLINGER (vgl. Anm. 3), I, S. 368.

[5] WYSS (wie Anm. 2), S. 70.

1 Zwinglis Kanzellettner im Zürcher Grossmünster. Darstellung aus der Chronik des Chorherren Johannes Wick zum Jahre 1572.

Das Phänomen an sich ist alt: Schon tausend Jahre zuvor waren die ersten christlichen Kirchen mit besonderer Vorliebe aus heidnischen Bautrümmern errichtet worden. Auf den Verenentag 1526 wurde der Boden aus den Altarplatten gelegt, und am 11. September, am Kirchweihfest, «tett meister Ulrich Zwingli die erst predig im nüwen predigstuel»[6]. Der statische Predigtgottesdienst hatte damit die mittelalterliche mobile Liturgie endgültig abgelöst. Über einer Mauer thronte in der Symmetrieachse der Kanzelkorb. Wie hätte die Über-

[6] WYSS (wie Anm. 2), S. 70.

2 Der Kanzellettner im Grossmünster im Jahre 1586. Darstellung aus der Chronik Wicks (vgl. Abb. 1).

zeugung, die Verkündigung des Evangeliums gehöre ins Zentrum, augenfälliger in eine bauliche Form gebracht werden können? Wie uns zwei Illustrationen aus der Chronik des Chorherren Johann Jakob Wick aus den Jahren 1572 und 1586 zeigen, setzte sich Zwinglis Kanzellettner aus folgenden Elementen zusammen: Über den seitlichen, rundbogigen Öffnungen der Krypta erhob sich in der Chorbogenleibung eine etwa drei Meter hohe Quadermauer. Ein mittlerer Türdurchlass öffnete sich auf die Chortreppe, Nachfolger der mittelalterlichen «gradus chori». Über dem glatten Mauersockel erhob sich eine Brüstung, zur Mitte hin vorkragend, wo sich korbartig bzw. polygonal vorbuchtend der Kanzelkorpus befand.

Abb. 1 und 2

Dass Zwingli, wie Wyss und Bullinger übereinstimmend berichten, beim Predigen auf der Sandsteinplatte der Altarmensa der Predigerkirche stand, wird nicht allein daraus zu erklären sein, dass dieser Stein «der längist» war. Vielmehr zeigt sich darin ein Anknüpfen an die Prediger- (sprich: Predigt-) Tradition und damit das behutsame Vorgehen Zwinglis, der darauf bedacht war, langezeit geübte Bräuche wiederherzustellen, sie neu zu beleben. Gleichsam aber manifestiert sich der Anspruch der rechtlichen Nachfolge. Die bewusste Wiederherstellung vergessener Traditionen sei mit zwei anderen Beispielen aus dem Grossmünster belegt. Bei der Entfernung des Hochaltars im Grossmünster zeigte sich, dass derselbe lediglich auf das Pflaster aufgesetzt war, d.h. jünger als der ältere Fussboden sein musste. Zwingli legte diesen Baubefund auf eine erste Benützungszeit des Chors ohne Altar aus, später bestärkt durch die Beobachtung im St.-Peter-Chor, wo unter dem Altar ein Taufsteinfundament entdeckt wurde[7]. Schon 1524 hatte man den alten Taufstein (heute in der Zwölfbotenkapelle des Grossmünsters) vom Baptisterium, d.h. von seinem Standort unter der Westempore, entfernt. Wohl kaum zufällig hat man ihn an die Stelle plaziert, die seit alter Zeit dem Gedächtnis des Begräbnisses der Patrone Felix und Regula galt: im westlichen Joch der Zwölfbotenkapelle. Was konnte die symbolische Nähe von Taufe und Tod besser ausdrücken, als dass am Ort, wo die Märtyrer einst das ewige Leben erhielten, nun die Christenmenschen durch das Sakrament der Taufe die Verheissung des ewigen Lebens empfangen sollten? Erst mit dem heutigen Taufstein von 1598 hat man auch im Grossmünster den Taufstein in die Achse ans Ostende des Mittelschiffs gerückt. Das Grossmünster hat in diesem Punkt in der Zwinglizeit keine architektonischen Dogmen formuliert. Zwingli selber riet den Bernern zu einer axialen Aufstellung des Taufsteines und folgte damit nicht dem Beispiel seiner eigenen Kirche[8].

3 Gabriel Mäleskircher, Aus der Veitslegende (Ausschnitt). München, Alte Pinakothek.

Wir werden diese Frage auch bezüglich Zwinglis Kanzellettner zu stellen haben, doch wollen wir zunächst seine Bauform etwas näher betrachten. Aufgrund seiner Umgestaltung im 17. Jahrhundert[9] und des völligen Abbruchs durch Ferdinand Stadler 1853[10] sind wir auf die Bildquellen allein angewiesen. Die geschlossene Brüstung zeigt – so naiv die Darstellung der Wickiana auch sein mag – eindeutig künstlerischen Schmuck. Ornamentales Flachrelief mit blauer und roter Fassung an den Brüstungsplatten paart sich mit einem hängenden Blendmasswerk, das in der jüngeren Bildquelle nicht mehr erscheint. Es dürfte vor 1586 einer zeitgemässeren Lösung mit Blattfries Platz gemacht haben. Hängendes Blendmasswerk an Balkonen und Brüstungen ist der Baukunst der Spätgotik geläufig. Wir belegen

[7] ZWINGLI, Hauptschriften: Zwingli der Prediger, 2. Teil, S. 61. Vgl. dazu die erneute archäologische Bestätigung: RUOFF, ULRICH/SCHNEIDER, JÜRG. Die archäologischen Untersuchungen in der Kirche St. Peter, Zürich. (Zeitschrift für Schweizerische Archäologie und Kunstgeschichte 33, 1976), S. 16.

[8] GERMANN, GEORG. Der protestantische Kirchenbau in der Schweiz. Zürich 1963, S. 24.

[9] GUTSCHER (wie Anm. 1), S. 163, 174.

[10] GUTSCHER (wie Anm. 1), S. 177.

dieses Motiv lediglich mit einem Ausschnitt aus einer Altartafel des Gabriel Mälesskircher (um 1425–1495). Neben diesem altertümlichen Motiv zeigt aber der Zwinglilettner Zeitgenössisches an den reliefierten Brüstungsplatten. Die plattige Band- und Blattornamentik findet sich in Hans Holbeins d. J. Skizzenbuch (um 1530) in ähnlicher Weise vorgebildet. Als Anleihen kommen auch Umformungen eines Daniel Hopfer († 1549) nach italienischen Dekorationen, z. B. Sebastiano Serlio (1475–1554), in Betracht. Indes: Die grossen Unterschiede der beiden bildlichen Darstellungen unter sich machen einen detaillierteren Vergleich unmöglich. Aber eines dürfen wir als Ergebnis bereits festhalten: Mit seiner aus gotischen und Renaissancemotiven entstandenen Mischform ist der Zwinglilettner Beweis dafür, dass nach den Jahren des Säuberns und Entfernens schon 1526 wieder ein deutliches Bestreben nach architektonischer und künstlerischer Gestaltung einsetzte. Mit dem Kanzellettner wurde die neue künstlerische Form an zentralster Stelle, am Ausgangspunkt der Reformation gleichermassen, gefunden und manifestiert.

Als Bauform lässt sich der Zwinglilettner durchaus von spätmittelalterlichen Lettnern herleiten, wie sie noch in den Jahren vor der Reformation im Berner Münster (um 1500)[11], in der Stadtkirche St. Johann in Schaffhausen (vor 1436, umgebaut Anfang 16. Jh.)[12] oder in der Stadtkirche Burgdorf (1511/12)[13] errichtet wurden. Aber die Umdeutung dieses Bauteils durch Anbringung einer axialen Kanzel darf 1526 als Novum gelten. Nur in Zürich ging man diesen Schritt so früh, während beispielsweise im Basler und Berner Münster die bestehenden Kanzeln ihren Dienst noch weiterhin versahen. Leider fehlen für Zürich die Bauakten, welche die Hintergründe dieser Neuschöpfung aus gotischem Lettner, gotischem Masswerk und Flachreliefbrüstung sowie die Urheberschaft etwas genauer umreissen könnten. Doch eines ist sicher: Zwingli darf nicht als alleiniger Urheber dieser Bauidee gelten. Wir wissen, dass das Baumaterial zum Lettner aus den übrigen Kirchen der Stadt herangeschafft worden war, die nicht zum Besitz des Chorherrenstiftes Grossmünster gerechnet werden dürfen. Das Grossmünster kann folgerichtig auch nicht über das Baumaterial jener Kirchen verfügen, sondern der Zürcher Rat. Demnach kann das aus Spolien errichtete Werk des Kanzellettners nicht ohne das Mitwirken der öffentlichen Hand entstanden sein. Es ist höchst bedauerlich, dass sich ausgerechnet aus jenen Jahren kein Zürcher Ratsprotokoll erhalten hat.

4 Lucas Cranach d. Ä., Salomos Thron. Illustration zur Wittenberger Lutherbibel von 1524.

Das Grossmünster ist mit seiner Kanzellettnerlösung in der Frage der neuen Gewichtung im Gottesdienst durch eine augenfällige bauliche Massnahme allen anderen Stadtkirchen der reformierten Orte vorausgegangen. Nirgendwo sonst hat die neu ins Zentrum gerückte Predigt sogleich auch ihren architektonischen Ausdruck gefunden.

[11] Die Kunstdenkmäler des Kantons Bern, V: Das Berner Münster, von MOJON, LUC. Basel 1960, S. 117–122.

[12] Die Kunstdenkmäler des Kantons Schaffhausen, I: Die Stadt Schaffhausen, von FRAUENFELDER, REINHARD. Basel 1951, S. 178 f.

[13] Kunstführer durch die Schweiz, begr. durch H. JENNY, hg. von der Gesellschaft für Schweizerische Kunstgeschichte, Band 3. Bern 1982, S. 454.

Die formale Anleihe bei den mittelalterlichen Lettnern mag naheliegend scheinen. Vielleicht darf indessen eine weitere Quelle in Betracht kommen, die wir stellvertretend mit einem Holzschnitt Cranachs d. Ä. illustrieren möchten. Der Thron Salomonis gilt als Verkörperung der menschlichen Weisheit. In der Illustration zu Luthers Wittenberger Bibel von 1524 stellt Cranach Salomos Thron über der obligaten Treppe in einer Nische einer Schrankenmauer dar, die einen grösseren Raum unterteilt. Treppe, Thron und Mauer lassen im Vergleich mit unserer Abbildung 1 die verwegene Idee aufkommen, ob nicht Zwinglis Kanzellettner an ähnliche Formen anklingen, ihnen einen symbolischen Zusammenhang geben und damit gleichermassen als Verkörperung der durch das Evangelium beseelten menschlichen Weisheit gelten könnte.

Bezeichnenderweise hat Zwingli aus der neugewonnenen Form kein architektonisches Traktat oder gar eine reformierte Bauvorschrift abgeleitet. Dennoch sind viele dem Beispiel des Grossmünsters gefolgt. In der Stadtkirche St. Johann in Schaffhausen hat man die 1494 von den Familien Im Thurn, Landenberg und Beringen gestiftete, mit spätgotischem Masswerk und Wappen geschnitzte Kanzel der Mittelachse des weiter bestehenden Lettners eingefügt[14]. Wir kennen die Disposition leider nur aus Darstellungen nach dem 1835/36 erfolgten Abbruch, beispielsweise von der lavierten Zeichnung J. J. Becks von 1847. Bekannt als Nachwirkung des Zwinglilettners ist die Kanzel der Zürcher St.-Peters-Kirche, die trotz ihrer Erneuerung durch Caspar Weber 1706 das 1527 entstandene Renaissancevorbild und damit die Grundzüge des Kanzellettners im Grossmünster spürbar bleiben lässt[15]. – Von besonderem Interesse in der Nachfolge des Zwinglilettners ist die 1594 durch den Schaffhauser Steinmetzen Martin Müller geschaffene Sandsteinkanzel für das Schaffhauser Münster. Das im Museum Allerheiligen deponierte Monument befindet sich gegenwärtig in Restaurierung und soll hernach wieder im Münster aufgestellt werden[16]. Auf den ersten Blick fallen Gemeinsamkeiten zur Zwinglikanzel auf. Die Mischung von spätgotischem, hängendem Blendmasswerk am Korb und krautigem Platten- und Spangenornament des reifen 16. Jahrhunderts an der Brüstung mutet um 1594 wie ein Stilbruch an. Der an sich berechtigte Einwand, ob es sich nicht um Reste aus verschiedenen Zeiten handle, kann durch die momentane Zugänglichkeit jedes einzelnen Fragments endgültig verneint werden. Die Elemente gehören alle – wenngleich auch in etwas anderer Zusammenfügung als auf unserer noch im Museum entstandenen Abbildung – zur Kanzel von 1594. Die stilistische Merkwürdigkeit fände in der Vermutung, es könnte sich hier um die Kopie der Zürcher Grossmünsterkanzel von 1526 oder eines verschollenen Zwischengliedes handeln, eine hinreichende Erklärung. Diese Vermutung wird gestützt durch eine wei-

Abb. 6

5 Schaffhausen, Kanzel aus dem Münster. Zustand vor der Restaurierung.

[14] HARDER, H. W. Die St. Johanneskirche zur Zeit des Katholizismus und ihre bauliche Umgestaltung bis zur Gegenwart. Schaffhausen 1867–1870, S. 76.

[15] RUOFF/SCHNEIDER (wie Anm. 7), S. 17.

[16] Für die freundliche Mithilfe sowie die Möglichkeit, das Original im Atelier zu besichtigen, danke ich A. Walser, Restaurator, Hünenberg ZG.

6 Schaffhausen, Stadtkirche St. Johann. Der gotische Lettner im Zustand vor seinem Abbruch. J. J. Beck, 1847.

Abbildungsnachweis:
1, 2: Zentralbibliothek Zürich. – 3: nach H. TH. MUSPER, Gotische Malerei nördlich der Alpen, Köln 1961, Abb. 94. – 4: nach HOLLSTEIN, German Engravings VI. Amsterdam 1959, S. 15. – 5: Hans Bührer, Schaffhausen. – 6: Museum zu Allerheiligen, Schaffhausen.

tere Beobachtung an der Schaffhauser Kanzel. Während ihr Korpus eine Tiefe von über 1,3 Metern aufweist, war der Sockel ursprünglich nur rund 70 Zentimeter tief und zeigte auf der Rückseite die rohen Steinflächen. Um nicht umzukippen, muss daher die Kanzel mit dem Sockel an und mit dem Korpus auf einer Mauer oder einem Mauersockel aufgelegen haben. Die Werkstücke des Sockels belegen zudem, dass dieses Mauerstück eine Höhe von mindestens 1,7 Metern gehabt haben muss. Dies gibt einige Fragen zur ursprünglichen Aufstellung der Kanzel auf. Die Schriftquellen berichten nur, dass sie bis 1865 zwischen den westlichen Vierungspfeilern in der Kirchenachse stand. Die einzige Bildquelle, eine Zeichnung des Neunkirchners Hans Schmid, hält den Zustand um 1735 fest[17]. Aufgrund der archäologischen Grabungen, die 1951/52 und 1955 durch Walter Drack

[17] Zeichnung im Staatsarchiv Schaffhausen. Freundliche Mitteilung von Dr. J. Ganter, Kant. Denkmalpfleger, Schaffhausen.

durchgeführt wurden, wissen wir, dass zumindest bis in die Zeit der Aufhebung der in eine Propstei umgewandelten Benediktinerabtei (1529) östlich der westlichen Vierungspfeiler eine 1,8 Meter hohe Schrankenmauer bestand, die sich in den Seitenschiffen bis zur Flucht der östlichen Mittelschiffpfeiler vorzog[18]. Ihr vorgelagert war zwischen den westlichen Vierungspfeilern ein erhöhtes Podium mit dem Heiligkreuzaltar. Wann diese Mauern abgebrochen wurden, wissen wir nicht. Die Masse am heutigen Kanzelkorpus lassen eine Aufstellung sowohl auf dem Stipes des Heiligkreuzaltars wie auch etwas weiter östlich auf der Chorschrankenmauer möglich erscheinen. Es ist zu hoffen, dass die Restaurierung der Kanzel weitere Befunde freilegt, die vielleicht zu gegebener Zeit unsere offene Frage lösen helfen. Wichtig ist für uns die Tatsache, dass auch die Schaffhauser Münsterkanzel axial und auf einem gemauerten Unterbau plaziert wurde. Dies und die Beobachtungen der formalen Elemente berechtigt dazu, die Kanzel zu Allerheiligen von 1594 als späten Ableger des Zwinglilettners zu sehen.

Kanzeln des frühen 16. Jahrhunderts haben kaum die Barockisierungswellen des 17. und 18. Jahrhunderts überstanden, selbst wenn man die Bildquellen als vollwertige Zeugen mitberücksichtigt. Dies darf aber nicht dazu verleiten, dem Zwinglilettner jede schulbildende Nachwirkung abzusprechen. Was im Grossmünster 1526 geschaffen wurde, hat, wie wir sahen, in der näheren Umgebung durchaus seine Wirkung gehabt. Wie steht es aber mit der weiteren Umgebung? Woher stammt die Idee der axialen Kanzeln beispielsweise der Hugenottentempel? Dürfen wir sie allein aus der Theaterform ableiten?[19] Sicher ist die Beharrlichkeit spätgotischer Formen, wie wir sie für das Berner und Basler Münster beobachteten, im 16. Jahrhundert vorherrschend gewesen. Wo aber neue Lösungen geschaffen wurden, darf die Wirkung des Kanzellettners von 1526 im Zürcher Grossmünster und ähnlicher Denkmäler nicht unterschätzt werden. Die Axialität des Kanzelstandortes wurde schliesslich zum festen Bestandteil der um 1600 einsetzenden Architekturtheorie des protestantischen Kirchenbaus[20]. Indessen reicht der Denkmälerbestand des 16. Jahrhunderts nicht aus, um Filiationen und gar die Herausbildung eines festen Architekturtyps wie des Kanzellettners nachzuzeichnen. Aber die Vorgänge am Grossmünster zeigen mit aller Deutlichkeit, dass sich bereits die Generation Zwinglis auch den Fragen der architektonischen und künstlerischen Neugestaltung annahm und sie bereits 1526 in gültiger Form zu lösen vermochte. Der Zwinglilettner ist dafür beredter Zeuge inmitten einer an Denkmälern der Reformationszeit sonst kargen Zürcher Kunstlandschaft.

[18] DRACK, WALTER. Zur Baugeschichte des Münsters zu Schaffhausen. (Zeitschrift für Schweizerische Archäologie und Kunstgeschichte 13, 1953, S. 1–23, und 17, 1957, S. 14–45).

[19] GERMANN (wie Anm. 8), S. 25.

[20] GERMANN (wie Anm. 8), S. 31 ff.

FRANÇOIS GUEX

Erneuerung und Neuerungen im Zürcher Baumeisteramt

Wie haben sich die als «Reformation» bekannten religiösen und politischen Vorgänge auf das Bauwesen ausgewirkt? In den vorangegangenen Jahrzehnten hatte eine rege kirchliche Bautätigkeit Stadt und Land erfasst. In Zürich und seinem Gebiet: die Wasserkirche (1486), die Grossmünstertürme (1490), die Stadtkirche Winterthur (1490) und gegen zwei Dutzend Landkirchen, unter denen Pfäffikon (1489) und Elgg (1518) vielleicht die bedeutendsten sind[1]. Am Schluss der Reihe steht Dinhard, wo nach jahrelanger Bauzeit die abschliessende Ausmalung noch vorgezeichnet, jedoch nicht mehr ausgeführt wurde[2].

Gegen die überkommenen Kirchengebäude als solche vorzugehen, gab es indes keine theologischen Gründe. Waren die Altäre und Bildwerke entfernt, die Malereien übertüncht, dienten sie weiterhin als Gottesdiensträume. Überflüssig gewordene Kirchen wurden zu Lagerhäusern und Kornspeichern bestimmt. Der reformierten christlichen Gemeinde und namentlich den Armen sollten sie so von grösserem Nutzen sein denn als Schauplätze eines veräusserlichten Kultes, der meinte, das Heil erkaufen zu können. Die Ablehnung jeder Werkgerechtigkeit und der neu ausgeprägte Sinn für das Nötige und Nützliche haben die Bauwelle gebrochen. Für Jahrzehnte war an neuen Kirchen kein Bedarf mehr. Gewiss wäre ohnehin bald eine Sättigung eingetreten. Doch dass die Zäsur so deutlich ist, muss auf die Reformation zurückgeführt werden.

Zwei Feststellungen relativieren den Bruch: Auch in den katholisch gebliebenen Teilen der Schweiz wird bis etwa 1580 kaum gebaut. Und für die wenigen reformierten Neubauten gilt: «In der Anlage unterscheiden sich die protestantischen Landkirchen des 16. Jahrhunderts nicht im geringsten von den gleichzeitigen katholischen Kirchen oder von ihren spätmittelalterlichen Vorgängern»[3].

Auf welche Gebiete hat sich die Bautätigkeit verlagert?

Der nach dem Bau des Rennwegbollwerkes (1521–1525) und des Bollwerkes auf Dorf (1525) kurze Zeit ruhende Ausbau der Stadtbefestigung wurde 1532 mit dem Oetenbachbollwerk und 1541 mit dem Ravelin im Kratz wieder aufgenommen[4]. In die Jahre um 1540 fallen die Anpassungen der profanierten Klosterkirchen an ihren neuen Zweck. Zwischenböden und Trennwände werden eingezogen, Fen-

[1] Zusammengestellt nach «Die Kunstdenkmäler des Kantons Zürich» und «Zürcher Denkmalpflege», 1. – 9. Bericht, Zürich 1961–1982.
[2] Zürcher Denkmalpflege, 7. Bericht, 1. Teil, S. 52 ff.
[3] GERMANN, GEORG. Der protestantische Kirchenbau in der Schweiz. Von der Reformation bis zur Romantik. Zürich 1963, S. 43.
[4] KDM Zürich IV, S. 51 ff.

ster vergittert oder vermauert[5]. Teilweise recht umfangreich sind die Bauarbeiten an den früheren Konventgebäuden und den Wirtschaftsbauten[6].

Einen besondern Aufschwung aber nahm ab etwa 1538 der Wohnbau. In den 1540er Jahren wurden im Schnitt jährlich zehn Umbauten oder Neubauten subventioniert. Im «Schwarzen Buch», einer 1539 angelegten Sammlung von Satzungen, findet sich dazu die Randbemerkung «Inn disen Jaren war die Statt Zürich mit buwen träffenlich erbesseret: die herren gabent den Burgeren ettwas hilff vom gemeynen gůt nach gst[alt] der sachen / unnd wolt yederman buwen Es dorfft sin ouch vast wa[nn] die hüser warend vast zergangen.»[7]

Das städtische Baumeisteramt

Der an der Bautätigkeit ablesbare Wandel zeigt sich auch in der Organisation des öffentlichen Bauwesens. Es wäre allerdings falsch, zu behaupten, das städtische Baumeisteramt sei erst nach der Reformation wirksam geführt worden. Da und dort wurden zwar einige Verbesserungen vorgenommen. Aber bis 1539 musste die Obrigkeit nie energisch durchgreifen. Dann war eine Krise zu überwinden, die jedoch bald von einem überzeugenden Neubeginn abgelöst wurde. Im Baumeisterbuch von 1543 nimmt der Wille, das Bauamt straff zu führen, am deutlichsten Gestalt an[8]. «Satzunngen, Ordnungen, Bekantnußen, ouch vertreg und anders, So unser Statt Buwmeister Ambt berüren» sind hier vom Baumeister Hans Rudolf Lavater[9] und dem Unterschreiber Hans Escher[10] zusammengestellt worden.

Die Baumeister der Zwinglizeit

Am Anfang des Baumeisterbuches steht der Pflichteid[11]. Über vorreformatorische Satzungssammlungen vermittelt, geht er wörtlich auf eine gegen 1450 in die «Stadtbücher» aufgenommene Formel zurück[12]. Er umschreibt damit auch die Aufgabe der zur Zeit Zwinglis tätigen Baumeister:

[5] StAZ F III 4, 1535–1544.

[6] z.B. für das Fraumünsteramt. Stadtarchiv Zürich, III B 326, III B 328.

[7] StAZ B III 4, fol. 209 r.

[8] StAZ B III 117 a und 117 b. Dieser Aufsatz beruht auf einer im Februar 1984 bei Prof. Dr. HR. Sennhauser an der Universität Zürich abgeschlossenen Dissertation «Das Zürcher Baumeisterbuch als Quelle zum Bauwesen des 16. Jahrhunderts».

[9] STUCKI, HEINZPETER. Bürgermeister Hans Rudolf Lavater, 1492–1557. Ein Politiker der Reformationszeit. Diss. Zürich. Zürich 1973. (Zürcher Beiträge zur Reformationsgeschichte, 3).

[10] SIGG, OTTO. Die Entwicklung des Finanzwesens und der Verwaltung Zürichs im ausgehenden 16. und im 17. Jahrhundert. Diss. Zürich. Bern/Frankfurt 1971, S. 114.

[11] StAZ B III 117 a fol. 1 r. Zu den Amtseiden/Pflichteiden eingehend SIGG (wie Anm. 10), S. 171–174.

[12] Die Zürcher Stadtbücher des XIV. und XV. Jahrhunderts. Hg. von H[einrich] ZELLER-WERDMÜLLER und HANS NABHOLZ. 3 Bände. Leipzig 1899–1906. Bd. III, S. 189, Nr. 90. Satzungssammlungen: StAZ A 43.1, Nr. 5 und B III 6, fol. 97 r, Nr. 1174.

Johannes Simler, «Den Zimmberleuthen Ihr werch Blatz» Radierung 1711 Zürich, Zentralbibliothek, Graphische Sammlung.

- Unterhalt der Stadtbefestigung, der Brücken und der Wasserversorgung,
- Führung und Einsatz der städtischen Bauhandwerker,
- Einziehen von Geldbussen und Einsatz von Leuten, die ihre Busse mit Arbeit abtragen,
- jährliche Rechnungsablage.

Seit etwa 1516 wirkte Rudolf Kienast[13]. Von ihm wird weder Nachteiliges noch Rühmliches berichtet[14]. Ausserordentliche Aufgaben hat man ihm nicht anvertraut. Den Bau des Rennwegtores leiteten Herr Felix Grebel, Ritter des Heiligen Grabes, und Junker Jörg Göldli. Als bewährte Kriegsleute kannten beide die Anforderungen, denen ein Festungsbau zu genügen hatte. Kienast hatte dazu bei seiner Tätigkeit als Schindelbeschauer und Vogt zu Fluntern, Ober- und Unterstrass wenig Erfahrung sammeln können[15].

Aus anderm Holz war Rudolf Reyg[16]. Der Grosse Rat erwartete von ihm eine selbständige, aber nicht selbstherrliche Amtsführung[17].

[13] StAZ B VI 246, fol. 210v spricht im August 1517 von Wiederwahl. Zur Person: JACOB, WALTER. Politische Führungsschicht und Reformation in Zürich 1519–1528. Diss. Zürich. (Zürcher Beiträge zur Reformationsgeschichte, 1), S. 202–204.

[14] Zwar wird einmal von ihm behauptet, er habe Marchsteine falsch gesetzt. StAZ B VI 248, fol. 139r.

[15] Zu Göldli und Grebel siehe JACOB (wie Anm. 13), S. 167–170 bzw. 171–172. Die Abrechnungen über den Bau des Rennwegtores in StAZ A 49.1, Nr. 7–9.

[16] JACOB (wie Anm. 13), S. 231 f.

[17] StAZ B VI 249, fol. 249r.

Gleich bei Antritt seines Amtes im August 1526 liess Reyg sich bestätigen, dass er «vollen gwalt und macht haben solle, mit den knechten an unser Statt werch zehanndlen, unnd soll im gar niemantz nüt darinn reden, noch im dehein [keinen] knecht ufstossen [aufzwingen]» [18]. Reyg stellte damit klar, dass er kein Klientelen-Wesen dulden wollte. Selber nicht Mitglied des Kleinen Rates – eine seltene Ausnahme unter allen Baumeistern –, war er davon unabhängiger als andere. Allerdings gab der Rat nichts aus der Hand und behielt sich Ausnahmen vor.

Während Reygs Amtszeit wird über das Bauamt kaum etwas berichtet. Ein Streit mit Schwyz wegen des städtischen Steinbruches bei Bäch am Zürichsee konnte nach langem Hin und Her beigelegt werden [19].

Rudolf Reyg gilt als Freund Zwinglis. Er ist bei Kappel gefallen.

Krise und Neubeginn

Mit weniger Geschick stand Hans Balthasar Keller dem Amt vor [20]. Während seiner häufigen Abwesenheit waren «die werchlütt allenthalbenn eben liederlich» [21].

Bald hatten sich die Zustände im Bauamt so verschlechtert, dass es einer durchgreifenden Neuordnung bedurfte. Der Grosse Rat setzte eine Kommission von führenden Politikern ein. Keller durfte nicht mitreden [22].

Die Kommission stellt fest: Auch ohne grössere Bauvorhaben sind die Ausgaben des Bauamtes ins Unerträgliche gestiegen. Die Bürger sind mit Kalk und Baumaterial schlecht versorgt. Folgende Verbesserungen drängen sich auf:

1. Die Versorgung mit gebranntem Kalk ist spätestens auf Pfingsten 1540 sicherzustellen.
2. Bauholz darf nur noch in Ausnahmefällen an Bürger verkauft werden.
3. Die Hausbauten der Bürger sollen nicht mehr mit Materialspenden, sondern mit Bargeld gefördert werden.
4. Der Knecht in der Zeughütte muss den Mörtel sorgfältiger zubereiten. Über Ziegelverkäufe muss er genau Rechnung führen.
5. Der Baumeister muss das «Verwerchen» und das Einziehen der Bussen energischer betreiben.
6. Auf grosse Neubauten soll die Stadt verzichten, bis wieder Geld vorhanden ist. Damit können Bauleute eingespart werden. Nichtstuer sind sofort zu entlassen.
7. Der Baumeister soll mit keinen Geschäften ausserhalb der Stadt beauftragt werden, wenn sie nicht sein Amt betreffen.

[18] StAZ B VI 249, fol. 250 r und wörtlich übernommen im Baumeisterbuch B III 117 a, fol. 44 r.
[19] StAZ B III 117 a, fol. 79 r (Abschrift der Urkunde C I 864). Akten dazu in A 253.1 und B IV 3, 164; ein Kommissionsantrag in A 49.1 a.
[20] JACOB (wie Anm. 13), S. 232.
[21] StAZ B VI 252, fol. 219 r.
[22] StAZ A 49. 1, Nr. 12. Dazu auch STUCKI (wie Anm. 9), S. 176.

Mit wenigen Änderungen wurde der Kommissionsantrag zum Beschluss erhoben. Die neue Ordnung wurde ins «Schwarze Buch»[23] aufgenommen, den bereits erwähnten Pergamentband mit einem von Hans Asper gemalten Titelbild, der die grundlegenden Satzungen der Stadt enthält. Im Baumeisterbuch findet sich der Text nicht. Es stehen dort die in der Folge daraus hervorgegangenen Erlasse.

Wir greifen zwei Punkte heraus: die Kalkversorgung und die Bausubventionen.

Die Kalkversorgung

Für die Zubereitung einer grössern Menge Kalk suchte man nach «frömbden Ruchen Lüthen ald [oder] walchen [Welschen] die ruch essend und wol werchen mögend»[24]. Tatsächlich war der bei Thalwil gebrannte Kalk noch vor Pfingsten 1540 in Zürich[25]. Die Aktion wurde 1540/41 wiederholt, worüber eine detaillierte Abrechnung vorhanden ist[26]. Mindestens 600 Malter (über 200 m^3) gelangten damals abgefüllt in 249 Fässer auf Ledischiffen nach Zürich.

Gegenüber der ungeduldigen Bürgerschaft erklärte nun aber die Obrigkeit, dass der Kalk für die städtischen Bauaufgaben dringend nötig sei und deshalb vorerst nicht an Private abgegeben werden könne[27]. Dafür wurde bald eine andere Seite des Problems angepackt: der Betrieb der Kalkhütte und die Mörtelzubereitung[28]. Wie schon 1539 war «der züg übel gewerchet, nit recht geschwelt, unnd mer verbrennt, dann zůrecht bracht, damit die welt übel versorgt...»

Ein neuer «knecht im kalchhus» im Range eines vereidigten Amtmannes wurde eingesetzt. Hans Mugler bezog die erneuerte Wohnung in der Kalkhütte, denn man wollte, «das der knecht [...] da ussen bim züg wonne, und des zügs warte, Sonst were es alles vergebens»[29].

Schon immer hatte das Bauamt in kleinen Mengen Mörtel verkauft. Mugler durfte niemandem mehr als eine «karaten» (Fuhre unbekannter Grösse) fertig zubereiteten Mörtel geben. Benötigte einer mehr, konnte er ungelöschten Kalk und Sand beziehen. Bei grösseren Bauten sollte der Mörtel auf der Baustelle zubereitet werden[30].

Diese Ordnung war den Zürchern «ze nach angebunden» und wurde deshalb schon nach einem Monat wieder geändert: Jeder Bauwillige durfte darauf bis zu zehn «karaten» Mörtel beziehen[31].

[23] StAZ B III 4.
[24] StAZ A 49.1, Nr. 12. Walchen sind zunächst einmal Leute, die eine romanische Sprache sprechen. Abschätzig verwendet meint der Ausdruck auch Landstreicher. Es handelt sich hier also nicht unbedingt um Bündner, Tessiner oder Italiener, sondern eher um rauhe Burschen, die zupacken können, aber kein Leben biederer Sesshaftigkeit führen. Auskünfte zum Stichwort «Walchen» verdanke ich Dr. P. Ott von der Redaktion des Schweizerdeutschen Wörterbuches.
[25] StAZ F III 4 1539, Ausgaben Kalk, Ziegel, Sand.
[26] StAZ F III 4 1540.
[27] StAZ B VI 256, fol. 10 r. 1541, Februar 2.
[28] StAZ B III 117 a, fol. 17 r ff.; A 49.1, Nr. 16.
[29] Ebenda und StAZ F III 4 1538, 1539.
[30] Ebenda.
[31] StAZ B VI 256, fol. 51 r; B III 117 a, fol. 18 v.

Das bürgerfreundliche Konzept, die ganze Stadt von einer Stelle aus ständig mit frischem Mörtel zu versorgen, ist jedoch offenbar daran gescheitert, dass dieser kein «bestenndig werschafft» ist[32], nicht auf Vorrat gehalten werden kann. Jedenfalls nennt keine spätere Verordnung mehr einen Verkaufspreis für Mörtel, während regelmässig Preiserhöhungen für Kalk erlassen werden.

«Ußgebenn den Burgern an ire Büw»

Die Unterstützung der baulustigen Bürger durch die Stadt entwikkelte sich von der Baumaterialschenkung über die verbilligte Materiallieferung zu einer seit 1539 bar ausgerichteten Beihilfe, dem später so genannten «Bauschilling». Eine Wurzel dieser Einrichtung ist – schon um 1300 – die Sorge um Sicherheit vor Feuersbrünsten und Hauseinsturz[33]. Dann verfügte Zürich gerade im 16. Jahrhundert über ein tüchtiges, selbstbewusstes Baugewerbe[34]. An dessen Fortkommen war auch der Stadt im Hinblick auf den Unterhalt der zahlreichen Liegenschaften gelegen, welche durch die Aufhebung der Klöster in ihr Eigentum gelangt sind.

Gemäss der Neuordnung von 1539 setzte der Kleine Rat den Beitrag fest. Dabei ist nicht bekannt, wie hoch jeweils der einzelne Betrag im Verhältnis zu den gesamten Baukosten war. Gleichzeitig wollte die Reorganisation säumige Zahler nicht mehr nachsichtig behandeln. Auch waren gewisse Preiserhöhungen unumgänglich. Die Baumaterialspenden wurden eingestellt.

So gerne und so oft die neue Form der «stür» in Anspruch genommen wurde: die weitern Massnahmen fanden kein Verständnis und führten zu Klagen aus der Bürgerschaft. Da «myne herren ire biderbenlüth nit gern beschwärend, Sonnder meer geneygt sind dieselben zefürdern, damit Statt und Lannd destbas [besser] inn buw unnd Eer gleyt werde», erlauben sie schon 1540 wieder Gratisbezüge von Bruchstein[35].

Das Konzept, Baumaterial zu einigermassen kostendeckenden Preisen zu verkaufen und erst nachher an den fertiggestellten Bau einen Barbeitrag zu leisten, liess sich noch nicht streng durchführen. Auch waren die Bedingungen zu unbestimmt, nach denen ein Bauvorhaben Unterstützung verdiente. So stellte man 1541 fest, dass «Gemeyner Statt Seckel ein zit har übel beschwert worden» weil auch für blosse Reparaturen und für unnötige Bauten Beiträge ausgerichtet worden sind[36]. Also noch eine Revision – und sogleich spiegelt sich der Erfolg in den Rechnungen: Von Ende 1539 bis Anfangs 1541 sind 29 Beiträge gesprochen worden. Nach der Revision vom 23. März konnte sich bis Ende Juli gerade noch ein einziger Bürger der Beihilfe erfreuen[37].

[32] Wie Anm. 28.

[33] Um 1300: Der Richtebrief der Burger von Zürich. Mitgeteilt von FRIEDRICH OTT. (Archiv für schweizerische Geschichte 5/1847. S. 149–291), S. 228.

[34] STROLZ, KLAUS. Das Bauhandwerk im Alten Zürich unter besonderer Berücksichtigung seiner Löhne. Diss. Zürich. Aarau 1970.

[35] StAZ B VI 254, fol. 204 v.

[36] StAZ B III 117 a, fol. 6 r. Zitat in dieser Form nicht vor 1543 nachgewiesen.

[37] Zunächst übernahm das Seckelamt die Auszahlung, nachher das Bauamt. StAZ F III 32, 1537 ff.; F III 4, 1540.

Das Baubewilligungsverfahren ist gestrafft worden. Jeder baulustige Bürger musste nun den Bauherren[38] oder den Werkmeistern sein Vorhaben erläutern und ihren Rat einholen. Die gleichen Fachleute prüften, ob der vollendete Bau ihren Anweisungen entspräche. Traf dies zu, wurde an die genau belegten Kosten «allweg der zechent pfening» geleistet[39].

An Luxusbauten und für alle dem Gewerbe dienenden Einrichtungen will die Stadt keine Beiträge leisten. Sie sind ihr nicht von besonderm Nutzen. Doch steht jedem frei, so zu bauen, wie es seinen Möglichkeiten entspricht.

Begünstigt durch die gedeihliche Entwicklung der Staatsfinanzen in den 1540er Jahren[40], konnte sich die neue Ordnung sogleich gut einführen. Für ein Jahrhundert hatte damit die Stadt Zürich ihren Weg der Bauförderung gefunden.

Festigung des Erreichten

Nachdem der Rat 1539 die drängendsten Probleme einmal angepackt hatte, folgten in den nächsten Jahren zahlreiche Beschlüsse, teils grundsätzlicher Art, teils zur Regelung von Einzelfragen. Einige wesentliche Erlasse wurden 1542 zusammengestellt als «Ordnung und verbesserung des Buwmeister Ambts»[41]. Es geht um das Vorgehen bei der Projektierung grosser öffentlicher Bauten, um die Rechte und Pflichten des Baumeisters, der Werkmeister und der städtischen Bauhandwerker und schliesslich um das Verhältnis zu andern Ämtern und zur Bürgerschaft. Aber erst mit dem Baumeisterbuch, das zusammenfasst, was vorher auf Bücher, Hefte und einzelne Blätter verteilt war, wurde aus dem verwirrenden, noch durchaus spätmittelalterlichen Geflecht von Satzungen und Gewohnheiten ein Verwaltungshandbuch. Ohne langes Suchen wissen zu können, was gilt – das stärkte die Stellung des Baumeisters und der ganzen Obrigkeit. Diese Stärkung des Obrigkeitsstaates ist das wesentliche Ergebnis aller Neuerungen im Baumeisteramt.

[38] Kommission von drei Mitgliedern des Kleinen Rates, die an der Beratung von Baufragen mitwirkt. Der Baumeister als Vorsteher und Leiter des Bauamtes gehört ex officio dazu.
[39] StAZ B III 117a, fol. 6v.
[40] KOERNER, MARTIN H. Solidarités financières en Suisse au XVI. siècle. Lausanne 1980, S. 99–102.
[41] StAZ B III 117a, fol. 40r–52r.

Dominik Landwehr

Gute und böse Engel contra Arme Seelen

Reformierte Dämonologie und die Folgen für die Kunst, gezeigt an Ludwig Lavaters Gespensterbuch von 1569

Der vorliegende Aufsatz beruht zu wesentlichen Teilen auf meiner im Jahr 1982 bei Prof. Dr. Rudolf Schenda am volkskundlichen Seminar der Universität Zürich (Abteilung Europäische Volksliteratur) vorgelegten Lizentiatsarbeit: Landwehr, Dominik. Ludwig Lavaters Gespensterbuch von 1569 im Rahmen der zeitgenössischen populären Literatur von Zürich. Zürich 1982 (Typoskript).

Einleitung

1569 – in der zweiten Hälfte des 16. Jahrhunderts also – beschäftigt sich noch einmal ein Zürcher Theologe in breiter Weise mit einer der theologischen Voraussetzungen der Bilderverehrung, nämlich mit dem Glauben an die Armen Seelen. Es ist Ludwig Lavater mit seiner Schrift:

> «Von Gespänsten/ unghüreren/ fälen (Stürzen)/ und anderen wunderbaren dingen/ so merteils wenn die menschen sterben söllend/ oder wenn sunst grosse sachen unnd enderungen vorhanden sind/ beschähend/ kurtzer und einfaltiger bericht/ gestelt durch Ludwigen Lavater diener der Kirchen zů Zürych.» [1]

Die Schrift wurde im 16. und 17. Jahrhundert 19mal gedruckt und in lateinischer, deutscher, französischer, englischer und niederländischer Sprache vertrieben [2].

Im rund 250 Seiten starken Oktavband beschreibt Lavater den katholischen Kult ausführlich, beschäftigt sich mit dessen gesellschaftlichen Konsequenzen und kritisiert ihn schliesslich. Seine Schrift ist geeignet, die Bilderfrage aus der Sicht eines Zeitgenossen des späten 16. Jahrhunderts darzustellen.

Ludwig Lavater stellt das Erscheinen von Geistern keineswegs in Abrede: Mit seiner Schrift will er ihre reale Existenz gerade beweisen, jedoch mit wesentlichen Einschränkungen: Frauen, Melancholi-

[1] Lavater, Ludwig: Von Gespänsten/ unghüren/ fälen/ und anderen wunderbaren dingen/ so merteils wenn die menschen sterben söllend/ oder wenn sunst grosse sachen unnd enderungen vorhanden sind/ beschähend/ kurtzer und einfaltiger bericht/ gestelt durch Ludwigen Lavater diener der Kirchen zů Zürych. Zürich 1569. (Christoph Froschauer). Zürich 1578 (Christoph Froschauer). Frankfurt 1586 (Nicolaus Bassé; in: Theatrum de Veneficiis). Zürich 1670 (Heinrich Bodmer).

[2] Die Schrift wurde bis ins 20. Jahrhundert insgesamt 21mal aufgelegt: ich konnte bisher vier deutsche, zwei französische, drei englische, drei niederländische und neun lateinische Ausgaben nachweisen. Grundlage der nicht-deutschen Übersetzungen bildet jeweils eine lateinische Ausgabe. Die lateinischen Ausgaben bringen einen identischen Text, der gegenüber der deutschen Erstausgabe von 1569 um rund einen Drittel vermehrt ist. Die deutsche Ausgabe von 1670 ist eine Rückübersetzung aus dem Latein.

ker und Kurzsichtige sind nach seinen Erfahrungen nämlich besonders anfällig für Einbildungen. Aber auch absichtliche Betrügereien sind nicht selten. Harmlos sind dabei Gesellenstücke etwa der folgenden Art: Lavater berichtet, wie in Zürich als Gespenster verkleidete junge Männer in einem nächtlichen Totentanz die Bevölkerung erschreckten[3]. Weniger harmlos sind demgegenüber die überaus zahlreichen Betrügereien, die sich katholische Geistliche hatten zuschulden kommen lassen. Erscheinungen sind für Lavater niemals Arme Seelen, sondern gute oder böse Engel, die Gott «... sinen ußerwelten zů gůtem/ und den verworffnen zur straaf erschynen ...»[4] lässt. Mit zu den Erscheinungen, die die Menschen mahnen sollen, gehören auch Zeichen, die am Himmel und auf der Erde geschehen:

> «Wenn grosse enderungen der regimenten (Regierungen)/ tödtliche und langwirige krieg/ ufrůren/ und andere schwäre gfarliche loeuff (Ereignisse) und zyten vorhanden sind/ beschähend merteils vorhin vil wunderbare ding wider den gemeinen lauff der natur im lufft/ uff erden/ und an den thieren. Die Latini nennends ostenta, portenta, monstra, prodigia (Wunder, Vorzeichen, Wunderzeichen). Man sicht in lüfften schwärter/ spiess/ unnd unzalbar andere ding/ man hört oder sicht auch in lüfften oder uff der erden zwen heerzüg einanderen angryffen/ und dass einer den anderen in die flucht trybt/ etwan hört man seltzame gschrey/ ein klipperen der waffen. Jn den zühüseren rodend und bewegend sich die büchsen/ spiess/ hallenbarten und andere weer und waffen. Wenn man gegen den fyend ußziehen wil/ so wöllend die fändli (Kriegsfahnen) nit von der stangen flügen/ sondern schlahend sich den fendrichen umb die köpff/ die kriegslüt sind gar tuchig (betrübt). Man sagt daß etwan auch die roß trurig syend/ nit wöllind zum vortel (günstige Stellung) gon/ unnd jre herren nit lassen ufsitzen/ wenn verlursten (Niederlagen) vorhanden sind.»[5]

Zwischen 1550 und 1650 erschienen auf dem europäischen Buchmarkt gehäuft Werke, die alle verfügbaren Meldungen von Kometen, Missgeburten, Wetterzeichen, Geistererscheinungen, Unglücksfällen und Verbrechen aller Art versammelten. Es handelt sich um Werke der Prodigienliteratur, zu denen auch die Gespensterschrift von Ludwig Lavater zählt. Die bewegenden Kräfte für diese Literatur sind im Sensationshunger des Menschen zu suchen, aber auch im zeittypischen Gedanken, dass religiöse und politische Missstände auf dem Zorn Gottes beruhen[6].

Lavater bringt in seinem Buch gegen 300 einzelne Geschichten – nicht zum Selbstzweck, sondern immer in der Funktion eines Exempels, als anschauliche Illustration für einen Gedanken. Rund 70 Schriftsteller aus Antike, Mittelalter und seiner Gegenwart nennt er als Gewährsleute und Quellen, unter anderen Aristoteles, Plut-

[3] LAVATER (wie Anm. 1), fol. 9 v.
[4] LAVATER (wie Anm. 1), fol. 95 v.
[5] LAVATER (wie Anm. 1), fol. 41 v.
[6] SCHENDA, RUDOLF. Die deutschen Prodigiensammlungen des 16. und 17. Jahrhunderts. (Archiv für Geschichte des Buchwesens 4, 1962, Sp. 637–710), Sp. 638/639.

arch, Augustinus, Hieronymus, Johannes Trithemius, Georgius Agricola, Erasmus von Rotterdam, Felix Hämmerlin, Johannes Stumpf und Philipp Melanchthon.[7]

Dabei ist Lavater kein eigenbrötlerischer Spinner, sondern ein typischer Theologe seiner Zeit. Auch sein Lebenslauf verrät nichts Aussergewöhnliches: Geboren wurde er am 1. März 1527 auf Schloss Kyburg, in der Nähe von Zürich. In Strassburg, Lausanne, Paris und anderen Orten studierte der junge Lavater Theologie und wurde 1550 zum ersten Prädikanten ans Grossmünster in Zürich gewählt. 1585 wurde er zum Antistes, ins höchste Amt der Zürcher Kirche berufen – er konnte es allerdings nur noch einige Monate inne haben und verstarb am 15. Juli 1586[8].

Ludwig Lavater hinterliess ein reiches Werk, darin bilden Kommentare zu den alttestamentarischen Schriften einen Schwerpunkt. Weiter beschrieb er Einrichtungen und Bräuche der Zürcher Kirche, verfasste eine längere Abhandlung über die Abendmahlstreitigkeiten und eine Biographie seines Schwiegervaters Heinrich Bullinger. Bekannt machte ihn schliesslich ein umfangreicher Kometenkatalog, der sich lückenlos in die Flut der Prodigienliteratur seiner Zeit einreiht[9].

Reformatorisches Gedankengut in Argumentation und Polemik

Im Gespensterbuch erweist sich Ludwig Lavater auf Schritt und Tritt als überzeugter Verfechter der Reformation, gleichzeitig aber auch als belesener Kenner der Kirchengeschichte und fundierter Kritiker der katholischen Lehre. Theologisches Kernstück ist dessen zweiter Teil: Hat der Autor im ersten Teil bewiesen, dass es Erscheinungen gibt, und im dritten Teil die Gründe dafür angegeben, so legt er hier dar, warum diese Erscheinungen keine Arme Seelen sein können, sondern gute oder böse Engel sind.

Lavater beschreibt zunächst die Anschauungen über den Verbleib der Seelen der Toten bei den Heiden, den Juden und den Türken – ein enzyklopädischer Rahmen ist ihm in seinen Erörterungen wichtig, auch wenn die Titelüberschriften nicht immer halten, was sie versprechen.

In epischer Breite widmet er sich erwartungsgemäss den Anschauungen der Katholiken. Als Kronzeugen für seine Darstellung zitiert er den «Tractatus de apparitionibus animarum post exitum earum a corporibus» (Traktat über die Erscheinungen der Seelen nach dem leiblichen Tod) des Theologen und Reformschriftstellers

[7] Eine vollständige Liste findet sich in der erwähnten Lizentiatsarbeit auf S. 56/57.

[8] Zur Biographie: Grundlage für die Artikel in den einschlägigen Handbüchern ist eine zeitgenössische Biographie aus der Feder von Johann Wilhelm Stucki (1542–1607), die im Anhang einer Lavater Schrift abgedruckt ist: LAVATER, LUDWIG. Nehemias. Liber Nehemiae qui et secundus Ezrae dicitur. Zürich 1586 (Christoph Froschauer).

[9] Das vollständigste Werkverzeichnis bietet der alphabetische Zentralkatalog der Zentralbibliothek Zürich – eine Auswahl die obige Lizentiatsarbeit.

Jakob von Paradies aus dem Jahr 1475[10]. Durch den sachlichen Grundton in seinen Ausführungen erweckt Lavater einerseits Glaubwürdigkeit und schafft andererseits eine Distanz, die ihren Inhalt exotisch verfremdet. Nach Jakobus kennen die Katholiken vier Aufenthaltsorte für die Seelen der Verstorbenen: Himmel, Hölle, Limbus für die ungetauft verstorbenen Kinder und das Fegefeuer – einzig hier ist der Aufenthalt zeitlich begrenzt. Durch Gottes besondere Weisung ist – immer nach Jakobus – ein zeitweiliger Austritt und ein Erscheinen einer Armen Seele aus dem Fegefeuer möglich, «... einsteils/ dass sy die läbendigen tröstind und warnind; anders teils/ dass sy hilff und trost von jnen begärind»[11]. Das Erscheinen einer Armen Seele darf nach katholischer Auffassung gewünscht, ja sogar herbeigeführt werden, vorausgesetzt dies geschieht nicht aus Eitelkeit oder aus Leichtsinn:

> «Deß orts und der zyt halb/ wenn sich die geist erzeigind/ könne man kein gwüsse regel fürschryben dann es stande an Gott/ wölle er einen bald erlösen/ so lasse er jn bald/ unnd an orten da man jn höre/ erschynen. Wyter so erschynind sy nit allwägen sichtbarer gstalt/ sonder unsichtbar/ rüsplind (machen ein leises Geräusch) sy sich/ etwan schlahinds die hend zůsamen/ etc. [...] Uber das so erschinind die seelen nit einem yetlichen/ gäbind auch nit einem yetlichen antwort/ sonder under vilen etwan einem. Darumb wenn man sy fragen wölle/ müsse man sich darzů vorbereiten/ als mit fasten/ bätten/ wie Daniel gethon am 10. und 11. capitel item mit bychten/ und mäss halten/ man sölle auch nit von stundan der sach glauben geben wenn man ein zeichen höre/ sondern warten biß man es ein mal oder drü höre/ wie Samuel der prophet do er noch jung was. Dann der böß fyend tribe sin spil auch. Nach sölichem sölle man vier oder fünff andechtig priester berůffen/ die an das ort ganging da sich der geist erzeigt. Die selben söllind jre ceremonien bruchen: söllind ein kertzen nemmen/ die an unser frauwen Liechtmess gwycht (geweiht) seye/ und die selb anzünden/ item wychwasser (Weihwasser)/ ein cruzifix/ das rauchfaß/ söllind siben Psalmen bätten im zůhingon/ oder das Evangelium Joan. Wenn sy an das ort kommind/ söllind sy es gesprützen mit wychwasser/ söllind röucken/ es möge auch nichts schaden so man die stol (Stola) neme. Sy söllind niderknüwen/ und einer uß jnen sölle bätten uff volgende meinung.»[12]

Es folgt die Wiedergabe eines entsprechenden Gebetes. Sodann wird die Befragung der Armen Seele beschrieben. – Dabei wird vor allem nach dem Begehren dieser Armen Seele geforscht. In Frage kommen: Messen, Almosen, Fastenübungen, Bau von Spitälern, Hospizen und Siechenhäusern. Auch die Katholiken müssen indes bei der Befragung einer Armen Seele auf der Hut sein und achten, dass

[10] Jakob von Paradies heisst bei Lavater Jakobus de Clusa. Weitere Angaben in: RUH, KURT. Die deutsche Literatur des Mittelalters. Verfasserlexikon, 4, 1983, Sp. 478–487.
[11] LAVATER (wie Anm. 1), fol. 54 v.
[12] LAVATER (wie Anm. 1), fol. 55 r+v.

Tafel des einstigen Allerseelenaltars im Berner Münster, 1505, Mischtechnik auf Tannenholz, 149×62 cm. Bern, Kunstmuseum (Gottfried Keller-Stiftung).
Die Bildtafel ist ein Musterbeispiel um den spätmittelalterlichen Seelenkult zu veranschaulichen: Der ehemalige Stadtschreiber Dr. Thuͤring Fricker stiftete 1505 «in s. Vincenzen münster hie zuͦ Bern 40 Rynscher gulden järlicher gült, mit geding, dass der caplan und caplani ‹aller selen caplan und caplani› sölte heissen und gnemt werden, und der caplan alle wochen fünf selmessen halten uf sinem altar, welchen er mit kostlichen, geschnezten und gemaleten toten, deren ein teil für sich, ire gesellen und lebendigen guͦttäter mess hielten, hat lassen zieren.» – Die Tafel illustriert eine Legende des um 1480 verfassten ‹Speculum Exemplorum›. Als der Küster eines Nachts in seiner Kirche Nachschau hält, erblickt er drei Priester, die das Totenamt zelebrieren. Sie sind selbst mit zahlreichen, zum Teil verwesten Toten den Gräbern entstiegen und können für sie das rettende Opfer bringen. Zwei Engel tragen bereits erlöste Seelen in den Himmel. Der Küster, der von Grauen gepackt fliehen will, wird von einem Totengerippe zurückgehalten: Er soll Zeuge der erlösenden Wirkung des Seelgeräts werden. (Die Kunstdenkmäler des Kantons Bern, IV: Das Berner Münster, von LUC MOJON. Basel 1960. S. 362–367.)

nicht der Teufel sie irreführt. Zur Unterscheidung der erscheinenden Geister gibt es darum Regeln; so lesen wir bei Lavater:

> «Erschynind sy in eines löuwen/ bären/ hunds/ einer krotten (Kröte)/ schlangen/ katzen gstalt/ oder wie ein schwartzer schatten/ so seye wol zů vermůten/ daß es ein böser geist sye. Ein guter geist erzeigt sich in einer tuben/ eines menschen/ eines lambs/ gstalt/ oder mit einem glantz. Man muͤsse auch acht haben/ ob die stimm so ghört wirt lieblich/ angnem/ demuͤtig/ niderträchtig/ schmertzlich seye/ oder erschrockenlich/ grüsam und böchisch (hinterhältig).» [13]

Durch die umfangreiche Beschreibung ist der Leser nun vorbereitet auf die Schilderung der Folgen dieser Kultpraxis: Alle Erscheinungen wurden nämlich – obiger Wegleitung zum Trotz – für Seelen der Verstorbenen gehalten. Dabei habe die rechte Lehre, die Jesus Christus als alleinigen Vermittler vor Gott anerkennt, gelitten und menschliche Satzungen hätten so ein höheres Gewicht als göttliche Gesetze erhalten, klagt Lavater. Er weist dabei nicht nur auf theologische Auswirkungen hin:

> «Durch dises mittel sind die Mässen/ Bilder/ Wallfert/ Heltumm/ Klosterglübt/ fyrtag/ Bycht/ und allerley ceremonien/ und summa alles das so uß der geschrifft sunst nit mag erhalten werden/ in ein groß und träffentlich ansähen kommen. Uber das alles habend/ wie man weißt/ vil frommer einfalter lüten an jrem halß erspart/ daß sy münchen und pfaffen angehenckt/ und den bilderen geopfferet. Sy habend capellen/ altär/ klöster/ eewige liechter/ iarzyt/ brůderschafften/ und anders gestifft/ daß man die jren uß der pyn unnd not des fägfhürs möchte erlösen. Dardurch die Pfarren/ gestifft und klöster an rennt unnd gült träffenlichen zůgenommen/ die besten höf unnd guͤter/ fischenzen (Fischgründe)/ eigen lüt/ grichtszwäng/ ja gantze herrschafften/ und eigen stöck und galgen (Territorien) an sich zogen und überkommen habend. Dann nachdem man vestenklich glaubt/ die seelen kommind wider/ hatt der merteil gethon was man jnen nun zůgemůtet hat.» [14]

Bemerkenswert ist hier die Tatsache, dass Lavater wirtschaftliche Folgen dieser Praxis schildert – katholisches Zeremoniell ist teuer, protestantisches dagegen billig, wie schon an anderer Stelle (s. S. 89–91) festgestellt wurde.

Soweit der Ausgangspunkt von Lavaters Argumentation. In seiner Beweisführung gegen die katholische Anschauung mobilisiert er auf den nächsten 100 Seiten das ganze ihm verfügbare theologische Arsenal. Erscheinungen sind – so lautet immer noch Lavaters These – niemals Arme Seelen, sondern gute oder böse Engel. Beweise dafür bringt er aus den Schriften der Kirchenväter bei und aus der Bibel.

[13] LAVATER (wie Anm. 1), fol. 56 v.
[14] LAVATER (wie Anm. 1), fol. 58 v.

Mögliche Einwände werden berücksichtigt und auch gleich widerlegt. Ausführlich diskutiert Lavater die biblischen Erscheinungen, erst dann folgert er:

> «Daß du das in einer kurtzen summ habist/ sag ich also: Ist es nit ein falsche beredtnuß uß blödigkeit [Schwäche] der empfindtnussen/ uß forcht und anderen derglychen entsprungen/ oder ein betrug der menschen/ oder sunst ein natürlich ding/ darvon im anfang der lenge nach ist gehandlet worden/ so ist es nichts anders dann eintweders ein gůter/ oder aber ein böser engel/ oder sunst ein wunderbare ordnung und warnung Gottes/ ....» [15]

Alle Erscheinungen sind somit gute oder böse Engel – oder sonstige Warnungen Gottes. Von letzteren war bereits oben die Rede. Es braucht kaum gesagt zu werden, dass die bösen Engel dem Menschen häufiger erscheinen als die guten. Zu den bösen lesen wir bei Lavater:

> «Sy erschinind in mancherley gstalten. Dann kan der tüfel/ wie Paulus sagt/ sich in eines engels gstalt verstellen/ so kan er sich für einen Propheten/ Apostel/ Evangelisten/ Bischoff und martyrer auch ußgäben/ und in jrer gstalt erschynen/ oder uns dermassen vergalsteren/ daß wir vermeinend wir sähind und hörind sy. Er understadt auch von künfftigen dingen wyßzesagen/ er träffe es oder nit. Er sagt/ er seye dise oder yhene seel/ uff die unnd die wyß seye jm zehelffen/ bringt hiemit die ding die keinen grund in der gschrifft habend/ in ein groß ansehen. Durch falsche wunder und zeichen richtet er nüwe fest/ wallferten/ capellen an: durch bschweeren/ sägnen/ schwarze kunst und zauberwerck understadt er den krancken zehelffen/ damit sin ding dester mer ansähens habe.» [16]

Zweierlei ist hier bemerkenswert: auf eine scheinbar logische Weise ist es Lavater gelungen zu zeigen, dass die katholischen Anschauungen falsch sind und die Kultpraxis auf den Anstiftungen des Satans beruhen. – Ein Vorwurf, der durch die Rationalität, mit der er vorgetragen wird, noch an Gewicht und Überzeugungskraft gewinnt. Zweitens darf festgehalten werden, dass Lavater offenbar, im Gegensatz zu Zwingli, wieder an einen personalisierten Teufel glaubt [17].

Lavater beherrscht die Rhetorik der logischen Argumentation; dass ihm aber auch die Polemik nicht fremd ist, beweist er im Gespensterbuch immer wieder: mit genüsslichem Spott beschreibt er Verfehlungen katholischer Priester und Mönche, die den Glauben an die Armen Seelen auszunutzen wussten.

[15] LAVATER (wie Anm. 1), fol. 86 v.
[16] LAVATER (wie Anm. 1), fol. 88 v.
[17] Paul Schweizer schreibt über den Teufelsglauben Lavaters: «Dieser krasse Glaube an einen persönlichen Teufel ist ein trauriges Zeichen, wie wenig Zwingli von seinem dritten Nachfolger in der Leitung der Zürcher Kirche verstanden wurde; während noch der zweite Antistes Gwalther in seiner Predigt über die Versuchung Christi der Auffassung seines Schwiegersohnes nahe steht». (SCHWEIZER, PAUL. Der Hexenprozess und seine Anwendung in Zürich. [Zürcher Taschenbuch 1902, S. 1–64], S. 42.)

Zwei solche Geschichten kennt er von Erasmus:

«Es seye ein pfarrer gsyn/ by dem habe [...] nahe baß ein rych wyb gewonet/ umb mitte nacht habe er/ der pfarrer/ ein lylachen oder sunst ein wyß tůch umb sich geschlagen/ seye in jr kammer geschlichen/ und habe sich nit anders gestelt dann als ob er ein geist oder seel wäre/ habe sich etlicher dingen lassen mercken/ in hoffnung das wyb wurde ein Exorcistam ein beschweerer beschikken/ oder jn selbs fragen und mit jm reden. Sy aber sey nit unbesinnt gsyn/ habe heimlich einen jrer vetteren bestelt/ daß er ein nacht by jren in jrer kamer syn wölte. Diser habe für die Exorcismos/ das ist/ an statt deß beschweerens ein gůten bengel oder knüttel zů jm benommen/ habe redlich truncken/ dass er jm selbs einen můt machte/ seye stillschwigligen [leise] an ein bett gelägen. Das unghür sye aber dahär kommen/ wie vormals/ und als es sich übel gehebt/ und gsüffzet [seufzte]/ seye der Exorcista/ dem der wyn noch nit uß dem kopff was/ darab erwachet/ sye dahär gsprungen und habe an das unghür hin wöllen. Das unghür aber habe es jm mit worten und gebärden understanden abzetröuwen. Aber der truncken poß [Schlingel] habe nienerum nichts geben/ sonder gsagt: Bist du der tüfel/ so bin ich sin můter/ sye an jn hin gwütscht/ habe mit dem bengel in massen uff in gruͤrt [geworfen]/ daß er jn gar hett ußgmachet wo nit der pfarrer der die spraach verenderet hatt/ angefangen hett recht reden/ der gnaden begären/ und sagen/ ich bin kein seel/ sondern ich bin der herr Hans/ so bald das wyb jn an der stimm kannt/ sey sy uß dem bett gesprungen und habe frid genommen.» [18]

Die beherzte Frau liess sich in diesem Beispiel nicht täuschen – anders im nächsten, das ebenfalls von Erasmus stammt:

«Es schrybt auch yetzgemälter Erasmus/ es sey eben der pfarrer gsyn/ der uff den heiligen Pfingstag läbendig kräbs uff den kilchhof habe kriechen lassen mit angehefften brünnenden wachskertzlinen. Da die selben by den greberen/ umbhin krochend, was es nachts erschrokenlich/ und dorfft niemant nach zůhin gon. Darvon ward ein groß gschrey. Wie yedermann übel erschrocken was/ stund der pfarrer an die Canzel/ und sagt/ es wärend seelen der abgestorbnen/ die begärend dass man sy uß der grossen not durch Mässen und almůsen wölte erlösen. Diser trug ist bald hernach also offenbar worden. Man hatt ein kräbs/ zwen in den steinen und schärben gefunden/ die der pfarrer nit wider hat ufgeläsen/ an denen die wachskertzli noch gsyn sind.» [19]

[18] LAVATER (wie Anm. 1), fol. 21 v+22 r.
[19] LAVATER (wie Anm. 1), fol. 22 r+v.
[20] Vgl.: LE GOFF, JACQUES. La naissance du Purgatoire. Paris 1981.
[21] Luther Nürnberg, S. 41–72. – HALM, PH. H. Ikonographische Studien zum Armen-Seelen-Kultus. (Münchner Jahrbuch der bildenden Kunst, 11, 1921, S. 1–24).

Zusammenfassung

Lavaters Gespensterbuch ist nicht eine Anhäufung kurioser und unheimlicher Geistergeschichten – auch wenn das Buch von seinen Rezipienten in der Barockzeit und später als solches behandelt wurde –, sondern eine ernsthafte, theologisch fundierte Auseinandersetzung mit dem Glauben an die Armen Seelen.

Für die Bilderfrage gewann diese Problematik zentrale Bedeutung: nachdem sich die Vorstellung vom Fegefeuer seit dem 13. Jahrhundert durchsetzte[20], konnte im Spätmittelalter die Bildproduktion im Zusammenhang mit dem Arme-Seelen-Kult einen enormen Zuwachs verzeichnen[21]. Erst die Vorstellung, man könne seinen Angehörigen oder sich selbst durch Seelenmessen Pein im Fegefeuer ersparen, hatte zur Folge, dass immer mehr Altarstellen und mit ihnen liturgisches Gerät und Altarretabel eingerichtet worden waren. Indem die Reformatoren und mit ihnen Ludwig Lavater die Armen Seelen als bedarfslose Geister entlarven, verliert auch der Kult seine Grundlage. Der grösste Teil der vorreformatorischen Bildproduktion wird hinfällig: ohne Arme Seelen keine Stiftungen und ohne Stiftungen keine Bilder und Altäre.

Lavater gelingt es, den Arme-Seelen-Kult im buchstäblichen Sinn zu verteufeln – ist doch der Satan selbst letztlich Urheber der meisten Erscheinungen. – Die Katholiken sind demnach Opfer von Einflüsterungen des Satans: für die Zeitgenossen zwar kein neuer, aber dennoch ungeheuerlicher Vorwurf an die Adresse der Katholiken.

Es mag erstaunen, dass Lavaters Schrift im protestantischen Zürich mehr als 40 Jahre nach der Reformation erscheint. Zufällig ist dies jedoch nicht, und zwar aus verschiedenen Gründen:

1. In Zürich bestand wohl seit der Reformation ein strenges Bilderverbot im sakralen Bereich. Die Kirchenreinigung war aber vorab in der Landschaft noch nicht zu Ende geführt. Bemerkenswert ist in diesem Zusammenhang auch ein Hinweis, der sich in identischer Form in den Jahren 1550 und 1580 in den Zürcher Sittenmandaten findet:

   «Ist unser ernstlich meinung/ wie die Bilder und anders/ im anfang der Reformation/ nach vermög des wort Gottes/ hin und ab gethon/ das söllichs niemant me gebruchen, noch widerumb ynfüeren oder ufrichten. Dann deren dingen halb/ sol es beston by allen unseren mandaten, wie die anfangs der Reformation/ wider allerley frömder Religion ußgangen sind.»[22]

2. Lavaters Gespensterbuch erschien 1569: gerade in die sechziger Jahre des 16. Jahrhunderts fallen aber heftige Auseinandersetzungen um Bilder in Frankreich und in den Niederlanden – entsprechende Meldungen dürften auch in Zürich verbreitet worden sein und Gesprächsstoff geliefert haben.

[22] Zitiert nach dem Zürcher Sittenmandat von 1550: Christenliche Ordnung... (StAZ III AABI–XXV)

3. Im Gefolge des tridentinischen Konzils wurde die Bilderfrage auch bei den Katholiken diskutiert. Auch dies dürfte in protestantischen Kreisen nicht unbemerkt geblieben sein.

Damit war ein allgemeines Klima geschaffen, das für eine grundsätzliche Abhandlung von Voraussetzungen der Bilderverehrung offen war. Die zahlreichen Übersetzungen von Lavaters Schrift – gerade auch ins Französische und Niederländische – untermauern diese These. Die Tatsache, dass das Gespensterbuch ausserdem einen grossen Unterhaltungswert besass, konnte seiner Verbreitung nur entgegenkommen.

Matthias Senn

Ein später Bildersturm in Zürich, 1587

Die an anschaulichen Berichten zum aktuellen Tagesgeschehen reiche Nachrichtensammlung des Zürcher Chorherrn *Johann Jakob Wick* (1522–1588) enthält in ihrem 24. und letzten Band die Schilderung eines Vorfalles, der sich am 9. Mai 1587 in Zürich zutrug. Folgendes wird erzählt und zusätzlich mit einem ganzseitigen Bild illustriert[1]:

«Wie ein wilder lärmann unnd tumult von jungen knaben allhie in miner herrenn statt am Rennweg vor dem wirtzhus zum Kindli der götzen halb, die von Veldkylch allhar khommen unnd in Lucerner piet gefuͤrt söllen werden, sich am 9. tag May zwüschet syben unnd acht stund zuͦ angender[2] nacht zuͦgetragen.

‖[155] Alls von Veldkich[!] unnd Wallistatt allhar inn myner herren statt uff dem see inn dryen kisten vil götzen, klein und groß, khommen unnd etlich tag im khouffhuß unverseert daglägen, unnd am 9. May zween fuͦrman von Merischwanden khommen unnd dise dry kisten uff einen wagen geladen unnd, wie man gredt, die gen Merischwanden, etlich gen Sursee fuͤren wöllen, unnd die fuͦrlüth fürgäben, sy wöllinnt disse kisten gen Birmenstorff fuͤren, alda übernacht blyben, habennt sich im wirtzhuß zum Kindli gsumpt unnd truncken unnd nüt fürgfaren, sonder da übernacht blyben wöllen, sind vil junger knaben, die hinderrucks[3] irer ellteren unnd vorab myner gnedigen herren wüssen unnd willen zuͦgfharen[4], die götzen uß den kisten genommen, etlichen die nasen, etlichen die arm abgeschlagenn unnd uff das allerhöchst mißhanndlet, etlich inn brunnen geworffen, füruß[5] sannct Vyt bildung[6], unnd mit söllicher ungstümme fürgfaren, das mencklich[7] sich hat muͤssen größlich verwunderen, wie ouch inn einer söllicher kurtzer zyt ein sölliche grosse vile[8] der knaben zuͦsammen mögen khommen.

Morndes[9] hatt man uß empfelch[10] myner gnedigen herren (die ein groß beduren unnd mißfallen, als mengklicher mehr[11], ghept) die götzen, die man ‖[155a] noch gfunden, widerumb zuͦsammen tragen

[1] ZBZ Ms F 35 (Wickiana), S. 154–155 a.
[2] beginnender.
[3] hinter dem Rücken.
[4] zu Werke gingen (SI I 901).
[5] vor allem.
[6] die Statue des heiligen Vitus. Vitus ist Patron der Pfarrkirche von Merenschwand.
[7] jedermann.
[8] Menge.
[9] am andern Tag.
[10] Befehl.
[11] wie viele andere auch.

uff das rhathuß, biß uff witeren bscheid zůgehallten[12] gheissen. Dise fräffne thaat wirt gar luth schrygen[13]; wette gott, sy were erspart.

Morndes am 10. May, auch etlich tag hernach, habennt myn gnedig herren ein erntstliche [!] nachfrag ghan, wer joch[14] an disser fräffner thaat schuld trage, unnd etlich vom rath geordnet[15], khundtschafft ynzůnemmen[16]. Da hat sich so vil erfunden[17], das die fůrlüth, die von Merischwanden gsin, zum theil selbs schuldig unnd disen knaben grossen anlaß darzů gebenn. Dann etlich tag ist dise whar inn dryen kisten unverseert im khouffhuß glegen, unnd als die fůrlüth khommen, habennt sy frů gnůg unnd nach[18] by gůter tagszyth disse kisten geladen, ouch der Jörg Stadler, wagmeister im kouffhuß sy bätten, das sy fürfarind[19], sich nit lanng sumind[20]. Als sy nun unnder tillinen[21] ouch für den vischmerckt gfaren, sy gfraget[22], was sy da fůrtend, habennt sy geantwortet: ‹Thodte lüth›, unnd gar mit spöttlichen, schimpflichen worten, wie dann myn gnedig herren die khundtschaffter by iren eyden inn bysyn der fůrlüthen verhört.»

Die Protokolle der zum Schluss erwähnten, vom Zürcher Rat veranlassten und während mehr als 14 Tagen durchgeführten Verhöre, in denen sich beschuldigte Täter, Augenzeugen und die beteiligten Fuhrleute zu dem aufsehenerregenden Ereignis äusserten, sind vollständig erhalten[23] und erlauben uns eine Beurteilung der Zuverlässigkeit von Wicks Berichterstattung. Im Vergleich mit diesen Akten erweist sich die Version des Chorherrn insgesamt als zutreffend und bis in Einzelheiten mit den Zeugenaussagen übereinstimmend. Besonders nahe kommt der vorliegende Text dem Wortlaut eines Briefes der Zürcher Räte an Bern und Basel vom 23. Mai 1587, in welchem der Sachverhalt ganz ähnlich geschildert wird. Man geht wohl nicht fehl in der Annahme, Wick selbst habe nicht zu den Augenzeugen gehört (zumindest erscheint sein Name in keinem Verhör-Protokoll) und halte sich deshalb an die obrigkeitliche, offizielle Darstellung der Ereignisse. Bei vielem bleibt er nun aber im Unbestimmten, manches wird von ihm nur angedeutet und wäre unverständlich, könnte man nicht die ausführlicheren Dokumente im Staatsarchiv zu Rate ziehen. Auf einige Punkte sei im folgenden kurz eingegangen.

Den Akten lässt sich entnehmen, dass die für Sursee (Kanton Luzern) und Merenschwand im aargauischen Freiamt bestimmten

[12] aufzubewahren, zu verwahren.
[13] schreien. Gemeint ist wohl: wird grossen Schaden anrichten (vgl. SI IX 1460 f.).
[14] denn auch (SI III 6).
[15] beauftragt.
[16] Zeugenaussagen aufzunehmen, Verhöre anzustellen.
[17] gezeigt.
[18] noch.
[19] weiterfahren sollen.
[20] säumen sollen.
[21] unter den Dielen. Gemeint ist der Fahrweg entlang der Limmat zwischen Rüden und Rathaus, der unter der Häuserzeile hindurchführte. «Under tillinen» spielte sich der Hauptteil des Zürcher Lebensmittelmarktes ab.
[22] sie gefragt wurden.
[23] Staatsarchiv des Kantons Zürich, E I 1.5 b. Wo nichts anderes vermerkt, finden sich die zitierten Quellen hier.

Johann Jakob Wick. Bildersturm von 1587. Mischtechnik ca. 22×33 cm. Zürich, Zentralbibliothek.

Altäre vom Vorarlberger Bildschnitzer Heinrich Dieffolt verfertigt worden waren[24]. Dieffolt, der 1578–1600 in Feldkirch nachweisbar ist, hatte schon in den Jahren 1580 und 1582 Aufträge für Altäre in Sursee und in Muri (Kanton Aargau) erhalten[25], wo er offensichtlich als bekannter Bildhauer geschätzt wurde. Er wirkte auch in Bormio im Veltlin, wie aus einer 1599 datierten Urkunde hervorgeht[26]. Die aktenmässig erfassbaren Werke Dieffolts sind jedoch nicht erhalten.

Die für die Lieferung der Altäre nach Sursee und Muri abgeschlossenen Verträge von 1580 und 1582 halten beide unter anderem fest, Dieffolt solle die fertigen Werke «bis gen Zürich in sinen kosten verfertigen unnd fuͤren lassen»[27]. Von Feldkirch wurden die Schnitzereien also auf dem direktesten und bequemsten Weg über Walen- und Zürichsee in den Aargau geschickt, ohne dass man annehmen musste, beim Passieren der Stadt Zürich irgendwelchen Schwierigkeiten zu begegnen. Auch 1587 war der Transport von so brisanter Ware durch die bilderfeindliche Zwinglistadt im Grunde genommen

[24] Zu Heinrich Dieffolt siehe SOMWEBER, ERICH. Die Zerstörung der Werke des Feldkircher Bildschnitzers Heinrich Dieffolt in Zürich 1587. (Zürcher Taschenbuch auf das Jahr 1959, Zürich 1958), S. 37–50; *derselbe.* Die Feldkircher Bildschnitzer Heinrich und Arnold Dieffolt im Veltlin. (Jahrbuch des Vorarlberger Landesmuseumsvereins 1963, Bregenz 1964), S. 47–54; vgl. noch Die Kunstdenkmäler des Kantons Luzern, IV: Das Amt Sursee, von ADOLF REINLE. Basel 1956, S. 426; Die Kunstdenkmäler des Kantons Aargau, V: Der Bezirk Muri, von GEORG GERMANN. Basel 1967, S. 158 f.

[25] Die entsprechenden Verträge im Archiv Muri, siehe HERZOG, HANS. Miscellen (Anzeiger für Schweizerische Alterthumskunde, 17, 1884), S. 25 f.

[26] SOMWEBER. Heinrich und Arnold Dieffolt im Veltlin (wie Anm. 24), S. 51 f.

[27] HERZOG (wie Anm. 25), S. 26.

ohne Risiko möglich. Das beweist der Umstand, dass die drei Kisten, in denen die Heiligenstatuen eingepackt waren, während einiger Tage unversehrt im Zürcher Kaufhaus lagerten.

Was war denn die Ursache für die bildersturmartige Aktion? Übereinstimmend berichten die Augenzeugen von provozierenden Schmähreden der Fuhrleute auf ihrer Fahrt vom Kaufhaus zum Rennweg, wodurch die Zürcher überhaupt erst auf den Inhalt des Transports aufmerksam wurden. Wick berichtet nur ganz kurz, wie die Fuhrleute auf die Fragen, was sie mit sich führten, «gar mit spöttlichen, schimpflichen worten» geantwortet hätten: «Thodte lüth». So knapp zusammengefasst wirkt diese Auskunft einigermassen rätselhaft, und warum man sich dadurch verspottet fühlte, bleibt unverständlich. Aufschluss darüber geben die ausführlichen Protokolle, in denen von einem Zeugen unter anderem folgende Aussage der Fuhrleute erwähnt wird: «Es [gemeint ist das mitgeführte Gut] ist kostbar wie todtenbein, und sy achten es höher und costind glych sovil als die todtenbein zů Zug». Damit wird auf ein Ereignis angespielt, das Ende des Jahres 1582 die Gemüter der Zürcher heftig erregt hatte. Damals gruben einige Zuger die Gebeine der im Gefecht am Gubel (am 24. Oktober 1531) gefallenen und dort bestatteten Reformierten aus und trieben – so wurde in Zürich erzählt – damit ein pietätloses Spiel. Tief verletzt, da in provozierender Art an die Niederlagen des Zweiten Kappelerkrieges erinnert, der auch nach fünfzig Jahren noch als Trauma wirkte, reagierten die Zürcher ausserordentlich scharf, schickten eine Ratsdelegation nach Zug und erreichten die erneute Bestattung der Gebeine[28]. Es ist verständlich, dass die offenen Spötteleien über diesen Vorfall in Zürich Ärger hervorriefen. Als nun die Fuhrleute, ungeachtet der Mahnungen des Waagmeisters, die Stadt möglichst schnell zu verlassen, noch im Wirtshaus zum Kindli einkehrten und den Wagen mit der ihnen anvertrauten Ware längere Zeit unbeaufsichtigt stehen liessen, war der Anreiz zum Aufbrechen der Kisten und zur Zerstörung der Heiligenbilder gegeben. Nach dieser offiziellen Darstellung der Vorgänge wird den Fuhrleuten eine erhebliche Mitverantwortung am Ausbruch des Tumults angelastet, nicht zuletzt wohl deshalb, weil die Obrigkeit die wirklich Schuldigen nicht ausfindig machen konnte oder wollte. Zu viele hatten offenbar beim Zerstörungswerk mitgemacht, als dass man einzelne hätte zur Verantwortung ziehen können. Zudem zog sich der Auflauf bis in die Dunkelheit hinein, so dass mancher sich unbekannt daran beteiligt haben mochte. Was die von Wick erwähnten «jungen knaben» angeht, die sich bei der Aktion besonders hervorgetan hatten, so handelte es sich um eine Gruppe von Jünglingen im Alter von 14 bis 20 Jahren. Deren Einvernahme erfolgte am 13. Mai 1587, führte aber auch nicht zur erhofften Ermittlung der Schuldigen. Entweder sagten sie aus, sie wüssten von nichts, oder wiesen darauf hin, dass «inen niemand nüt gwert», sondern «jederman glachet» habe. Währenddem einige Zeugen ebenfalls

[28] Zu diesem Vorfall finden sich mehrere Berichte in der Nachrichtensammlung von Johann Jakob Wick, Zentralbibliothek Zürich, Ms F 30, S. 323 ff., und F 31, S. 1 ff.

bestätigten, dass man die Bilderstürmer nicht an ihrem Tun gehindert habe, wussten andere zu berichten, dass jene, die sich gewehrt und mahnend eingegriffen hätten[29], verspottet und bedroht worden seien.

Aufschlussreich für die Beweggründe zur Zerstörung der Statuen sind folgende, von Augenzeugen überlieferte Reden: «Diser götz hat ouch ghulffen den nüwen calender machen, darumb mů̊ss er in brunnen. Item, der götz ouch gehulffen die todtenbein fürhin graben, mů̊ss deshalb ouch in brunnen und baden.» Aus diesen Worten spricht Verärgerung über die Widerwärtigkeiten, die das reformierte Zürich immer wieder von seiten seiner katholischen Miteidgenossen erleiden musste, nicht nur im Zusammenhang mit der bereits erwähnten Affäre um die Gebeine am Gubel, sondern auch mit der gregorianischen Kalenderreform, die seit ihrer Annahme durch die katholischen Orte im Jahre 1584 während Jahren Anlass zu erbitterten Streitereien zwischen den konfessionellen Parteien gab. Hier liegt auch ein Schlüssel zum Verständnis des Zürcher Bildersturms von 1587. Auch wenn am Rand von Wicks Bericht wohl von späterer Hand die Glosse hinzugefügt wurde: «Boni alicuius praesagium est, nam idolatriae tollendae praenuncium fuit»[30], so ging es bei diesem Vorfall nicht wie ehedem bei den Bildzerstörungen der Reformationszeit um das sichtbare Zeichen der Abschaffung der Heiligenverehrung und der Verbesserung des Glaubens. Hier handelte es sich vielmehr um einen von Emotionen getragenen, unfreundlichen Akt gegen die ungeliebten Miteidgenossen der anderen Konfession. Die Figuren der Heiligen als handgreifliche Symbole dieser anderen Konfession, ja geradezu als Personifizierung der gegnerischen Partei, waren geeignete Objekte, an denen sich die aufgestauten Aggressionen abreagieren liessen. Als politische Manifestation wurde der Zürcher Tumult auch in Luzern[31] und den übrigen katholischen Orten aufgefasst. Bern und Basel befürchteten kriegerische Auseinandersetzungen und ermahnten Zürich zur Wachsamkeit[32]. Die Fünf Orte versammelten sich am 2. und 20. Juni in Luzern, um die Folgen des Bildersturms zu besprechen[33]. Schliesslich entschuldigte sich Zürich in aller Form und stellte vollkommene Entschädigung für die zerstörten Bildwerke in Aussicht, so dass die Angelegenheit an der Badener Tagsatzung vom 28. Juni beigelegt werden konnte[34].

Ambivalent stand man in Zürich dem Ereignis gegenüber, das lässt sich den Zeugenaussagen wie dem Bericht des Chorherrn Wick entnehmen. Einerseits herrschte bei vielen Schadenfreude, ja beinahe Genugtuung über die vom reformierten Standpunkt aus ja be-

[29] Bezeichnenderweise waren es vor allem einige Goldschmiede, die, den Wert der Kunstwerke erkennend, die Heiligenbilder zu retten versuchten.

[30] Dies ist ein Vorzeichen von Gutem, denn es zeigte an, dass der Götzendienst abzuschaffen sei.

[31] Am 13. Mai 1587 erschien eine Luzerner Ratsdelegation in Zürich, um über den Vorfall zu verhandeln; Akten im Staatsarchiv Zürich (wie Anm. 23).

[32] Die brieflichen Anfragen der Städte Basel und Bern (Staatsarchiv Zürich, wie Anm. 23) sind am 21. Mai 1587 datiert.

[33] Die eidgenössischen Abschiede aus dem Zeitraum von 1587 bis 1617, hg. von J. K. KRÜTLI und J. KAISER. Bd. V/1 a, S. 27 f. bzw. 31.

[34] Die eidgenössischen Abschiede (wie Anm. 33), S. 35 f.

grüssenswerte Demolierung von schädlichem Götzenwerk, andererseits war man sich sehr wohl bewusst, dass nicht nur fremdes Gut beschädigt wurde, sondern vor allem dass dadurch eine Krise in den Beziehungen zu den katholischen Orten unvermeidlich war, weshalb sich die Zürcher Obrigkeit veranlasst sah, mit zahlreichen Verhören den Ursachen des Vorfalls auf die Spur zu kommen und Entgegenkommen gegenüber den finanziellen Forderungen der Geschädigten zu zeigen.

Die Episode aus dem Jahre 1587 erhellt schlaglichtartig, wie gespannt die Verhältnisse in der Eidgenossenschaft Ende des 16. Jahrhunderts waren und wie wenig es brauchte, um Kriegsgefahr zwischen den konfessionellen Parteien heraufzubeschwören.

HANS MARTIN GUBLER

«Reformierter» Kirchenbau?

Skizze zur Entwicklung des nachreformatorischen zürcherischen Landkirchenbaus zwischen 1580 und 1630

Während wir zu den theologischen Grundfragen der Reformation genügend direkte Quellen besitzen, aus denen ein anschauliches Bild der Entwicklung gezeichnet werden kann, und auch einzelne Aspekte der Reformationsbewegung – etwa die Aussagen zur Bilderfrage – plastisch hervortreten, was dann der Obrigkeit erlaubte, den «Bildersturm» in einer beinahe unwirklichen, klinisch sauberen Atmosphäre durchzuspielen, sind Aussagen zum baulichen Rahmen des reformierten Gottesdienstes ausserordentlich selten und haben sich nur ansatzweise zu einer «Theorie» verdichtet[1].

Auch die mehr oder weniger deutlichen Hinweise auf die Kirche als Ort des Gottesdienstes, etwa in der «Confessio helvetica prior», der «Confessio raetica» (1553) oder dem «Zweiten Helvetischen Bekenntnis» (1566), sind eher allgemeiner Art und lassen sich als Willenskundgebung und nicht als Anordnung verstehen[2].

RUDOLF HOSPINIANS Werk «De templis», 1587 erstmals in Zürich publiziert, umschreibt denn auch eher die Gesinnung der reformierten Kirche und nicht deren Form, wenn er festlegt, dass die Kirchen der Christen so beschaffen sein müssten, «dass sie die Braut Christi, welche die Kirche ist, zieren und brauchbar sind für einen würdigen Gottesdienst»[3].

GEORG GERMANN hat in seiner Darstellung des protestantischen Kirchenbaus in der Schweiz darauf hingewiesen, wie sich im Laufe des mittleren und späteren 16. Jahrhunderts eine neue Gesinnung herausbildete, welche in mancher Hinsicht als Abkehr von vorerst eingenommenen, radikalen Stellungnahmen gesehen werden kann und die eher eine Tendenz zum Anschluss an die vorreformatorische Tradition aufzeigt[4]. Nach ihm lassen sich die Pole etwa mit der vehementen Verdammung des unvollendeten Berner Münstertur-

[1] Allgemein zum Thema des reformierten Kirchenbaus: GERMANN, GEORG. Der protestantische Kirchenbau in der Schweiz, Zürich 1963 (grundlegend, mit kritischer Bibliographie bis 1963). – Liturgisch: BIELER, ANDRÉ. Liturgie et architecture. Le temple des chrétiens. Esquisse des rapports entre la théologie de culte et la conception architecturale des églises chrétiennes, des origines à nos jours. Avec une notice de Karl Barth: «Le problème de l'architecture des lieux de culte dans le protestantisme». Genève 1961. – SENN, OTTO H. Evangelischer Kirchenbau im oekumenischen Kontext. Identität und Variabilität – Tradition und Freiheit. Basel 1983. – Zum Vergleich die reichste Arbeit zum Thema: FRITSCH, K. E. O. Der Kirchenbau des Protestantismus von der Reformation bis zur Gegenwart. Berlin 1893. – Viele Übersichten enthalten knappe Einleitungen, zuletzt etwa: SCHELTER, ALFRED. Der protestantische Kirchenbau des 18. Jahrhunderts in Franken. Kulmbach 1981, S. 15–36.
Zur Durchführung des «Bildersturms in Zürich» siehe S. 83–102. – SENN, MATTHIAS. Die Zürcher Reformatoren zur Bilderfrage, in: Asper, S. 33–38.

[2] GERMANN (wie Anm. 1), S. 11–14.

[3] HOSPINIAN, RUDOLPHUS. De Templis; hoc est de origine, progressu, usu et abusu templorum ac communio rerum omnium ad Templa pertinentium libri V. Turicum 1587.

[4] GERMANN (wie Anm. 1), S. 24 (Tradition als Kriterium).

mes als «steineren Götzen» (um 1528) und dem Beschluss des Bernischen Rates (1571), den Turm zu vollenden, umschreiben.

Es lässt sich in Zürich gut beobachten, wie die Reformation von der staatlichen Obrigkeit quasi per Dekret schrittweise durchgeführt wurde, wobei man sich auch auf Volksbefragungen in der Landschaft stützte, um sich gegen Unvorhergesehenes abzusichern[5]; dennoch verfügen wir über genügend Nachrichten, dass vorerst etliche Nischen des alten Kultes noch bestehen blieben und noch vier bis fünf Jahre nach der Regelung der Bilderfrage, unter sanftem Druck, ausgeräumt werden mussten. Vielfach sind etwa die Hinweise, dass in Kirchen noch «Götzen» auf den Altären ständen, wenn auch die allgemeine Tendenz durch die Massnahmen der Kirche Dinhard, die 1525/26 allen «kilchen blunder» verkaufte, eher charakterisiert wird[6].

Trotzdem – und diese kurzen Hinweise sollen nur unterstreichen, dass von einer radikalen Bilderstürmerei auf der Landschaft nicht die Rede sein kann – gibt es interessante Belege, dass auch danach, bis ins 17. Jahrhundert hinein vorreformatorische Zeugnisse erhalten blieben und erst in der ersten Hälfte des 17. Jahrhunderts, beim Überhandnehmen der Orthodoxie und des strengen Kirchenregiments, einem verstärkten Druck der Obrigkeit geopfert wurden.

Als man 1620 den Beschluss gefasst hatte, das Grossmünster im Innern zu renovieren, und sich in Winterthur für die Stadtkirche eine gleiche Massnahme abzeichnete, unterliess es Johann Jakob Breitinger (1575–1645) nicht, den «geliebeten Schwager», Dekan Diethelm Wohnlich (1562–1633), zu bitten, die Sache auch mit dem notwendigen Eifer auf vorreformatorische Überbleibsel auszudehnen: «Ich weiss mich woll zu erinnern, daß in der Kilchen Winterthur noch an Underschidelichen orten etliche waapen der prelaten, Crutzifix und andern anzeigungen alter Superstition und aberglaubens zu sehen (...)», stellte Breitinger fest und bat den Dekan, nun die Kirche gänzlich säubern zu lassen. Weniger die Bitte erstaunt als die wortreiche, gut zwei Seiten umfassende Begründung des verlangten Schrittes, welche sich breit auf Argumente abstützte, die anzeigen, dass man wohl den Wunsch nicht als selbstverständlich anschaute, denn selbst wenn man davon ausgehe, so Breitinger, dass sich an diesen Relikten niemand stosse und sie kein Ärgernis seien, könne deren Anwesenheit nicht mehr vertreten werden[7].

Dass Winterthur kein Einzelfall war, zeigt ein Brief des Glaubensflüchtlings Joachim Näf aus Zell im Tösstal, der 1641 Breitinger berichtete, dass «by unß In der Kilchen In der trischkamer (...) noch ein altes gemäl vom babstumb über bliben», welches nun der Jkr. Landvogt zu entfernen befohlen habe; das gleiche wusste Näf auch von Elgg zu berichten[8]. Schliesslich überliefern die Kirchenrechnungen

[5] HUBER, PETER HEINRICH. Annahme und Durchführung der Reformation auf der Zürcher Landschaft in den Jahren 1519–1530. Zürich 1972 (phil. Diss. I). – STIEFEL, MAX. Die kirchlichen Verhältnisse im Knonaueramt nach der Reformation 1531–1600. Ein Beitrag zur landschaftlichen Reformationsgeschichte. Affoltern a. A. 1947 (phil. Diss. I).

[6] EAK. – Zu Dinhard: Kirchgemeindearchiv Dinhard, III A 1 (1525/26). – Zwingliana II (1910), S. 338/339.

[7] Stadtarchiv Winterthur, AM 179/5 (1620, Juli 11).

[8] StAZ, E II 398, fol. 870 (1641, April 29). – Zu Näf auch: KLÄUI, HANS/SIGG, OTTO, Geschichte der Gemeinde Zell. Zell 1983, passim.

von Dinhard für 1645, dass einige einheimische Handwerker bezahlt werden mussten «alß sy daß alt gemähl Inn der kilchen abgeschaben»[9].

Diese wenigen Hinweise lassen doch erahnen, dass das nachreformatorische Klima ein anderes war, als wir es uns oberflächlich vorstellen. Sicher sind die Beispiele nicht zu generalisieren, sie überliefern jedoch ein Stimmungsbild, das unser Verständnis für die Form der Kirchenbauten, die zu Ende des 16. Jahrhunderts errichtet wurden, erleichtert.

Rafz und Rorbas, die ersten reformierten Kirchenbauten im Kanton Zürich

Am 8. Mai 1585 orientierten Sekelmeister Schwerzenbach und Obmann Keller die versammelten Rechenherren, dass man in Rorbas «der notturfft halb» die Kirche bauen müsse und am 21. Juli 1585 erhielten Obmann Keller und Bauherr Oeri «gwalt[...] die Kilchen zuo Raffz, uff das angehängt Verdingwerck, buwen Ze laßen. (...) Glychen gstalt, söllend oberwälte beid Herren, wenn der Vorrath Vorhanden, die Kilchen Zuo Rorbas, von nüwen ufbuwen laßen, darbey sy den Schaffner Zuo Embrach, mit Verfertigung deß buws, bruchen mög(en)»[10].

Durch die planenden und ausführenden Leute und nicht nur zufällig durch den Ratsentscheid, sind die beiden Bauten aufs engste miteinander verbunden. Es ist festzuhalten, dass es sich um Bauunternehmen der Obrigkeit handelte, wenn auch die Kirchgemeinden beider Ortschaften zu Frondienstleistungen und Beitrag an die Kosten beigezogen wurden. Wir können von diesen Bauten her füglich eine Aussage über das Verhältnis der Bauherrschaft zum Thema Kirchenbau erwarten. Das nüchterne Beschlussprotokoll des Rates, das sich auf Finanzierung und Material beschränkt, aber auch die (spärlich) erhaltenen Archivalien geben keinerlei Hinweise, ob man sich des programmatischen Charakters dieser beiden Bauvorhaben bewusst war, handelte es sich doch dabei um die beiden ersten sakralen Neubauten des reformierten Zürich. Es scheint eher, dass man ganz nüchtern und pragmatisch an die Bauaufgabe heranging, einen Raum «brauchbar für einen würdigen Gottesdienst» (HOSPINIAN) zu schaffen.

1586 konnte man in Rorbas bereits das erste Kind im neuen Kirchenbau zur Taufe tragen, auch Rafz dürfte damals vollendet gewesen sein. Beide Kirchen zeigen nur noch bedingt den Bauzustand von 1585/86, doch betreffen die Umbauten nicht die uns hier interes-

[9] Kirchgemeindearchiv Dinhard, III A 1 (1645). – Zu den fraglichen Gemälden vgl. GUBLER, HANS MARTIN. Die Kunstdenkmäler des Kantons Zürich, Bd. VII. Der Bezirk Winterthur (in Vorbereitung).

[10] StAZ, B II 210, fol. 30; 212, fol. 3/4. – Vgl. DÄNDLIKER, KARL. Geschichte der Gemeinden Rorbas, Freienstein und Teufen. Bülach 1870. – SIEGRIST, J. Zur 350. Jubiläumsfeier der Kirche Rafz, Bülach 1935. – FIETZ, HERMANN. Die Kunstdenkmäler des Kantons Zürich, Bd. II. Die Bezirke Bülach, Dielsdorf, Hinwil, Horgen und Meilen. Basel 1943, S. 71–74; alle mit dem falschen Datum vom 24. Juli 1585.

sierenden Teile, sondern bestanden in der Verlängerung der Langhäuser im 17./18. Jahrhundert[11].

Bereits ein oberflächlicher Blick zeigt eindeutig, dass die beiden Kirchen, obwohl von den beiden gleichen Bausachverständigen[12] geplant und vorbereitet, typologisch miteinander nichts gemeinsam haben.

Bei Rafz handelt es sich um einen Langbau mit anschliessendem, polygonalem Chor, der in voller Langhausbreite ansetzt, im Innern aber durch kurze Zungenmauern, welche einen Chorbogen tragen, vom Langhaus geschieden bleibt. Die Fenster in Chor und Langhaus waren mit Masswerken aufwendig verziert.

Rorbas hingegen ist eine Langhauskirche mit einem markanten Chorturm, der von der älteren Forschung – gut verständlich – als romanisch bezeichnet wurde. Der kleine Chorbereich mit seinem Gratgewölbe weist ebenfalls Masswerkfenster auf[13]. Wenn man die beiden Kirchen in der traditionellen Stilabfolge situieren müsste, so entspräche Rorbas dem Stilbild der romanischen Epoche, Rafz jenem der Spätgotik.

Es ist nicht zu übersehen, dass in beiden Kirchen der Chor als höherwertiger Sakralbereich herausgestellt wird; das entspricht nun in keiner Weise dem Bild, das wir uns vom reformierten Kirchenbau zu machen geneigt sind[14]. Dass dieses Idealbild eher eine Projektion der Gegenwart ist, zeigen die beiden ersten reformierten Neubauten der Landschaft.

Der zur gleichen Zeit vorgenommene Umbau der mittelalterlichen Kapelle in Volketswil durch Keller und Oeri, 1583, gibt uns den gleichen Eindruck. Auch hier erstellte man einen Polygonalchor, welcher zur gleichen Grundrissform wie in Rafz führte[15]. Ein Blick auf die zeitlich nächsten Kirchenbauten in Uitikon, erbaut 1625/26 durch die Gerichtsherren Steiner oder Buchs, errichtet durch die Gemeinde 1631, bestätigen durch ihre nahe typologische Verwandtschaft die Vermutung, dass nach anderen Kriterien gesucht werden

[11] DÄNDLIKER und SIEGRIST (wie Anm. 10). – Die Abschlussrechnung ist in Rafz allerdings erst 1590 datiert, vgl. StAZ, E I. 30.138. – Auch in Rorbas wurde 1973 das Datum 1590 freigelegt, vgl. Anm. 13.

[12] Es handelte sich dabei um Johannes Keller († 1601), Obmann der Gemeinen Klöster und Kleinrat (1573), Pannerherr (1589) und Bürgermeister (1594), sowie Meister Antoni Oeri (1532–1594), Zunftmeister zur Zimmerleuten (1585–1587), Bauherr (1583), Landvogt zu Wädenswil 1588.

[13] Vgl. DÄNDLIKER (wie Anm. 10), mit Bezug auf Meyer von Knonau. Aus diesem Grunde fehlt die Kirche auch in der Übersicht von AFTERGUT, EMIL. Reformierte Kirchen im Kanton Zürich von der Reformation bis zur Romantik, Berlin 1922, da sich der Autor einzig an der Literatur orientierte.
Zu Rorbas auch: Festschrift zur Renovation 1973/74, o. O. u. J. (1974), mit Beiträgen von WALTER DRACK und HANS MARTIN GUBLER.

[14] Vgl. zum Beispiel die Darstellung von SCHWEIZER, JULIUS. Zur Frage der Restauration von Gotteshäusern in zwinglischem Gebiet. (Theologische Zeitschrift 12, 1956, S. 237–252), wo behauptet wird, Zwingli habe den Chorraum aus der protestantischen Liturgie verwiesen und das liturgische Zentrum allein in den Gemeinderaum verlegt. Verbal mag sich das aus den Schriften bestätigen lassen; die gebauten, nachreformatorischen Kirchen belegen gerade das Gegenteil.

[15] GUBLER, HANS MARTIN. Die Kunstdenkmäler des Kantons Zürich, Bd. III. Die Bezirke Pfäffikon und Uster. Basel 1978, S. 528.

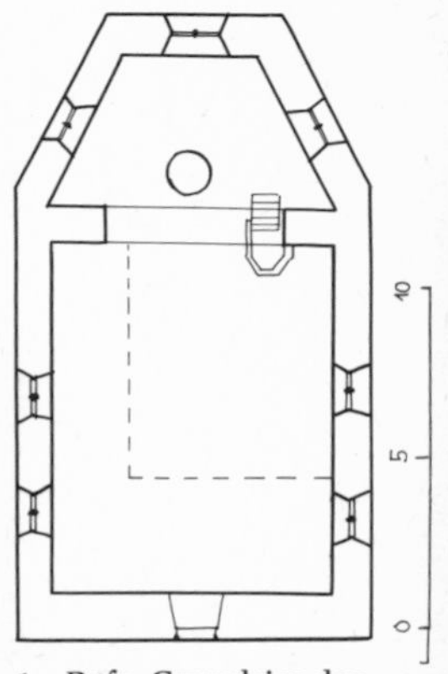

1 Rafz. Grundriss der Kirche. Bestand 1585. Rekonstruktion des Verfassers.

2 Rafz. Chorpartie von Süden mit dem Langhausjoch des Bestandes von 1585 (Masswerk).

muss, wenn man diese Frühphase des reformierten Kirchenbaus beurteilen will[16].

Die Gründe, wieso sich die Kirchenbauten des reformierten Stadtstaates eher an vorreformatorischen, traditionellen Vorbildern orientieren bzw. offenbar nahtlos an diese anschliessen, und sich nicht mit den Lösungen des protestantischen Nordens und Westens auseinandersetzten, lässt sich vorerst eher erahnen als klarlegen.

Es fällt aber auf, dass sich die führenden Reformatoren in Zürich mit dem Problem des Kirchenbaus kaum theoretisch auseinandersetzten. Ihre Aussagen zum Thema blieben vage, allgemein und offen interpretierbar. Das erste helvetische Bekenntnis sprach noch generell, die Verkündigung von Gottes Wort sei «an einem gemeinen und darzuo bestimpten ort teglich» vorzunehmen. Die «Confessio raetica» formulierte zwanzig Jahre später etwas griffiger: «Wir sehen es am liebsten, dass in der Kirche getauft wird. ... Dagegen verbieten wir es, sitzend in Scheunen oder auf freiem Felde oder im Walde oder an anderen unpassenden Orten zu taufen, wie es die gottlosen Anabaptisten tun.» Weitere dreizehn Jahre später verlangte das zweite helvetische Bekenntnis bereits: «Die Stätten, an denen die Gläubigen zusammen kommen, sollen aber würdig und der Kirche Gottes in jeder Hinsicht angemessen sein. Dafür sind geräumige Gebäude oder Kirchen zu wählen»[17].

Eine umfangreiche Literatur hat beschrieben, wie Zwinglis liturgischen Vorstellungen eng mit jenen des spätmittelalterlichen Gottesdienstes zusammenhängen und zudem aus der Situation des Leut-

[16] Zu diesen beiden Kirchen: AFTERGUT (wie Anm. 13); FIETZ (wie Anm. 9). – Der 5. Bericht der Zürcher Denkmalpflege 1966/67, S. 21–23, bringt den Beleg, dass der Turm vorreformatorisch ist, was Aftergut noch unterdrückte.

[17] GERMANN (wie Anm. 1).

3 Rafz. Blick gegen den Chor. Aufnahme vor der Renovation (1948).

priesters am Grossmünster in Zürich entwickelt wurden[18]. Die Form, welche Zwingli in seiner Kirche für Abendmahl und Verkündigung anwandte[19], fand zwar direkt nur wenige Nachfolger, prägte aber in ihrer symbolischen Bedeutung den nachreformatorischen Kirchenbau stark, wenn auch nicht im Sinne neuer baulicher Formen[20].

In dem zwinglianischen Verständnis des Gottesdienstes spielte die Stellung des Taufsteins und des Abendmahlstisches, als Zentren der liturgischen Handlungen, eine wichtige Rolle. Zwinglis Mitstreiter, Leo Jud, Pfarrer an St. Peter in Zürich, führte gar den archäologischen Nachweis, dass der Taufstein in seiner Kirche bereits früher (d.h. in vorreformatorischer Zeit) ursprünglich im Chor gestanden habe und erst später durch den Hochaltar ersetzt worden sei. Konsequenterweise beschloss 1529 der bernische Rat (!), der Taufstein solle künftig im Chor der Kirche aufgestellt werden[21].

Von gleicher Symbolträchtigkeit wie der Ersatz des Hochaltars durch den Taufstein ist die Schaffung der Predigtkanzel im Grossmünster. Hier liess ebenfalls die Obrigkeit die Altarfundamentsteine der städtischen Kirchen zusammentragen und errichtete auf deren Fundament die Kanzel Zwinglis[22].

[18] WALDENMAIER, HERMANN. Die Entstehung der evangelischen Gottesdienstordnungen Süddeutschlands im Zeitalter der Reformation. Leipzig 1916. – SCHMIDT-CLAUSING, FRITZ. Zwingli als Liturg. Berlin 1952. – SCHWEIZER, JULIUS. Reformierte Abendmahlsgestaltung in der Schau Zwinglis. Basel 1954.

[19] Vgl. dazu den Aufsatz von DANIEL GUTSCHER und MATTHIAS SENN in diesem Buch, S. 109–116, ebenso die in Anm. 18 zitierte Literatur.

[20] Vom symbolischen Gehalt dieser Aufstellung her waren neue Räume gar nicht notwendig, ja in einer ersten Phase sogar unerwünscht, da der Gehalt der Anordnung nicht mehr einsehbar war. – Vgl. auch die Erörterungen in: GUTSCHER, S. 160–162 (mit Abbildungen).

[21] GERMANN (wie Anm. 1), S. 23/24.

[22] GUTSCHER, S. 160–162. – GERMANN (wie Anm. 1), S. 23/24.

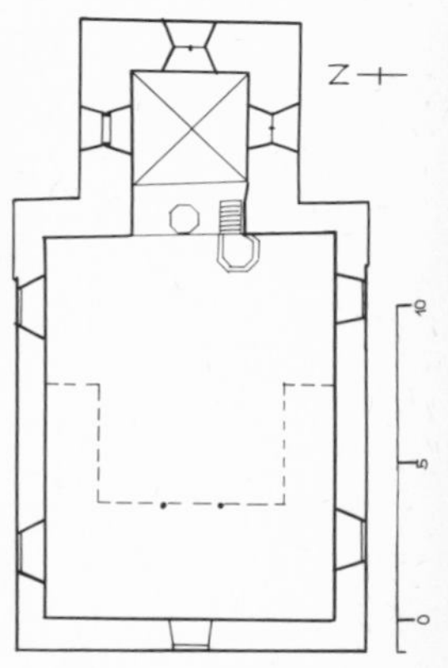

4 Rorbas. Grundriss der Kirche. Bestand 1586. Rekonstruktion des Verfassers.

5 Rorbas. Blick gegen den Chor. Aufnahme nach der Renovation 1973.

Praktisch handelte es sich bei diesen baulichen Umgestaltungen um die einzigen Massnahmen im Hinblick auf eine Raumgestaltung. Es ging den Reformatoren der ersten Generation nicht darum, für den Gottesdienst neue Räume zu schaffen, sondern die alten zu rekonstituieren.

Von hier aus lassen sich möglicherweise Erklärungsschichten finden. Wenn man in Rorbas einen stämmigen Chorturm baute, der auch in der Dimension des Mauerwerkes «romanische» Masse annahm, und in Buchs einen Chorturm aus älterer Zeit gezielt übernahm, um dem Taufstein eine fast wehrhafte, schützende Hülle zu geben, so erinnert dies an die Form der St.-Peter-Kirche, die als städtische Kirche hier möglicherweise eine Wirkung ausübte. Zudem knüpfte man mit dieser stilgeschichtlich unerklärbaren Form bewusst an den «ursprünglichen» Zustand, vor der «Verunklärung» im Spätmittelalter an, im Bewusstsein – wie Jud argumentierte –, dass man nur alte, aber vergessene Bräuche wiederhergestellt habe, die Reformation demnach an einen älteren und unverbildeten Zustand wieder anknüpfe.

Im anderen, beobachteten Typus des Kirchenbaus, vertreten durch Rafz, Volketswil, Uitikon, liesse sich der spätgotische Landkirchentypus als typologischer Anknüpfungspunkt bezeichnen, wenn auch hier die Gemeinsamkeiten sich eher auf den Innenraum beschränken.

Jedenfalls lassen sich diese Bauten nicht einfach als stilistische Spätlinge deklarieren, vor allem, wenn man beobachten kann, dass die Form auch ins 18. Jahrhundert übernommen wird. Ausgehend von der skizzierten Gruppe der frühen Bauten um 1585, erweist sich der reformierte Kirchenbau des Kantons Zürich im 17./18. Jahrhundert als relativ geschlossene Leistung. Die in Rafz gefundene Form hält sich in gut einem Dutzend Bauten, oder wird auf einfache Weise

6 Rorbas. Gesamtansicht des Kirchenbaus von 1585.

Abbildungsnachweis: 2, 3, 5, 6: Hochbauamt des Kantons Zürich. – 1, 4: Kunstdenkmälerinventarisation des Kantons Zürich.

variiert, indem die Chorbogenmauern ausgelassen werden, so dass Chor und Langhaus verstärkt zur Einheit zusammenwachsen (Oberglatt 1658, Affoltern 1683 bis Oberrieden 1761), ohne aber jene innige Verbindung zu erreichen, wie sie den lutheranischen Kirchen eigen ist[23]. Im Grunde geht die Lösung über die im ausgehenden 16. Jahrhundert durch Obmann Johannes Keller und Baumeister Antoni Oeri gefundene Form nicht hinaus. Die wenigen abseits der «Musterlösung» stehenden Kirchenbauten des 18. Jahrhunderts bilden im gesamten Feld des reformierten Kirchenbaus im Kanton Zürich demnach eher die Ausnahme; jedenfalls lassen sie sich nicht als «Erfüllung» einer systematischen Entwicklung begreifen[24].

[23] Hier wurde die Kanzel mit dem Altar zum Kanzelaltar verbunden, was zu ganz anderen Bezügen führte, wenn auch die Grundrissform verwandt bis identisch ist. Vgl. dazu: MAI, HARTMUT. Der evangelische Kanzelaltar. Geschichte und Bedeutung. Halle 1969. Die Konzentration auf ein liturgisches Zentrum führte bereits früh zu zentralisierten Lösungen.

[24] Zum Beispiel die zentralisierenden Bauten von Wädenswil, Horgen, Kloten, oder gar die Experimente David Vogels in Embrach, wo er 1779 die Sturm'schen Paradigmen rezipiert (1712 veröffentlicht); die Beispiele unter dem Sammelbegriff «Querkirchen» in GERMANN (wie Anm. 1), S. 107–144. Diese Kirchen sind eindeutig Überlagerungen des einheimischen Typus und nicht aus diesem herausgewachsen.

Zeittafel

(bearbeitet von CHRISTINE GÖTTLER und PETER JEZLER)

Im folgenden sind einzelne Daten, welche bisher falsch überliefert worden sind, stillschweigend korrigiert: z.B. das Datum der ersten reformatorischen Bildzerstörung, die am Vigiltag von Mariae Geburt vor der Mette morgens um 3 Uhr stattgefunden hat, also in der Nacht vom 6. zum 7. September und nicht vom 8. auf den 9., wie etwa GARSIDE (S. 106) angibt.

Seit **220**	besteht in Roms Katakomben eine christliche Laienkunst.
312	Nach Konstantins Sieg über Maxentius wird das Christogramm zum imperialen Zeichen; die christliche Kunst kann sich im kaiserlichen Rahmen entwickeln.
Frühjahr **393**	Epiphanius, Bischoff von Salamis auf Zypern, reisst einen bebilderten Kirchen-Vorhang (als Novum) empört hinunter.
um **400**	Reiche Entfaltung der christlichen Ikonographie.
599/600	Gregor der Grosse verteidigt in zwei Briefen die Bilder als Hilfe für die Ungebildeten.
726–843	Byzantinischer Bilderstreit.
726 ff.	Johannes von Damaskus entwirft die später kanonische Lehre der Ikone.
Ende **10. Jh.**	Im Westen Verbreitung von plastischen Kultbildern (Hl. Fides von Conques, Essener Madonna).
1126/27	Bernhard von Clairvaux polemisiert gegen die luxuriöse Bildausstattung von Cluny.
seit **12./13. Jh.**	Verwendung von Christusfiguren, welche das Festereignis sinnfällig machen (Palmesel, Grabchristus, Himmelfahrtschristus).
seit **14. Jh.**	Naturalismus und Leidensfrömmigkeit prägen die Kunst.
15. Jh.	Hussitische Bilderstürme.
1444	Konrad Witz, «Der wunderbare Fischzug»: erstes Landschaftsporträt in einem Sakralgemälde.
seit 2. Hälfte des **15. Jh.**	Anstieg der Bevölkerung im Kanton Zürich verursacht Landverknappung, Preissteigerungen und bis zur Reformationszeit Ausbreitung von Massenarmut.
Ende **15. Jh.**/Anfang **16. Jh.**	Grosse Zunahme der Kunstproduktion in Westeuropa: Auch im Kanton Zürich entstehen viele neue Landkirchen und Flügelaltäre.
1483, 10. November	Geburt Martin Luthers in Eisleben.
1484, 1. Januar	Geburt Huldrych Zwinglis in der Bauerngemeinde Wildhaus (Toggenburg).
1494	Zwingli wird in Basel von Magister Gregor Bünzli im Lateinischen unterrichtet.
	Sebastian Brandts ‹Narrenschiff› erscheint in Basel.
1496, Ende bis Sommer **1497**	Zwingli hält sich in Bern beim Humanisten Heinrich Wölfflin auf.
1498–1506	Studium Zwinglis in Wien und Basel. Abschluss mit der Promotion zum Magister.

1506, September 29. September	Zwingli wird in Konstanz zum Priester geweiht und hält am seine erste Messe in Wildhaus.
1506–1516	Pfarramt Zwinglis in Glarus (Diözese Konstanz).
1509	Erasmus von Rotterdam schreibt das ‹Lob der Torheit›.
1513	Zwingli beteiligt sich mit Glarner Truppen an der Schlacht von Novara.
1514, August –Mai **1516**	Erasmus lebt in Basel.
1515, Sommer	Zwingli begleitet Glarner Truppen nach Marignano.
seit **1515**	Zwingli liest intensiv Erasmische Schriften.
1515 **1515/1516**	Erasmus' ‹Lob der Torheit› erscheint erstmals mit ausführlichem Kommentar. Zwinglis späterer Mitstreiter Oswald Myconius erwirbt ein Exemplar und lässt es um die Jahreswende von Hans Holbein d. J., Ambrosius Holbein und anderen Künstlern illustrieren.
1516, wahrscheinlich Frühjahr	Persönliche Begegnung Zwinglis mit Erasmus (Z VII, 35 f.).
1516, Sommer	Oswald Myconius übersiedelt von Basel nach Zürich an die Grossmünsterschule.
1516, 26. November bis Ende Dezember **1518**	Zwingli versieht die Leutpriesterstelle an der Benediktinerabtei Einsiedeln.
1517	Zwingli beteiligt sich an einer Wallfahrt nach Aachen (GÄBLER, S. 36).
1517, 31. Oktober	Luther protestiert beim Bischof Albrecht von Mainz mit 95 Thesen gegen die Ablasspraxis der Kirche.
1518, 11. Dezember	Zwingli erhält die vakante Leutpriesterstelle am Grossmünster in Zürich. Sein Nachfolger in Einsiedeln wird Leo Jud.
1519, 1. Januar	Beginn der Predigttätigkeit Zwinglis. Zwingli beginnt mit einer fortlaufenden Auslegung des Evangeliums nach Matthäus (‹lectio continua›).
1519	Oswald Myconius wird nach Luzern berufen.
1520	
Juni	Luther: ‹Sermon von den guten Werken› (WA 6, 202–276).
15. Juni	Bannandrohungsbulle Papst Leos X. gegen Martin Luther.
21. Juni	Enthauptung des Uli Kennelbach aus der Grafschaft Toggenburg wegen Gotteslästerung und Bilderschändung (EAk 126).
	In drei Hauptschriften mit weitreichender gesellschaftlicher Konsequenz formuliert Luther seine Reformvorschläge zur Beseitigung kirchlicher Missstände:
August	‹An den christlichen Adel deutscher Nation von des christlichen Standes Besserung› (WA 6, 404–469).
Oktober	‹De captivitate Babylonica ecclesiae praeludium› (WA 6, 479–573). Die Schrift richtet sich gegen die traditionelle Auffassung der Messe als gutes Werk.
November	‹Von der Freiheit eines Christenmenschen› (WA 7, 21–38). Diese Schriften, in mehreren Ausgaben und Übersetzungen gedruckt, bewirken einen sprunghaften Anstieg der Buchproduktion.
14. November	Die Angehörigen der Schneiderzunft in Zürich werden angehalten, in Zukunft den Hl. Gutmann ohne Arbeitsausfall zu feiern (EAk 139).

10. Dezember	Luther verbrennt in Wittenberg öffentlich ein Druckexemplar der Bannandrohungsbulle zusammen mit kirchlichen Rechtshandbüchern, Beichtspiegeln und Schriften der Luthergegner Eck und Emser.
1521	Verbreitung der Flugschrift ‹Karsthans›. Die Figur des reformerischen Bauern wird sofort populär. Bei Christoph Froschauer d. Ä. in Zürich erscheinen im Druck: ‹Beschribung der götlichen müly...›, unter dem Pseudonym ‹zwei Schweizer Bauern› verfasst und entworfen von Hans Füessli und Martin Seger unter Mithilfe von Zwingli, und, als Reaktion darauf: ‹Ein kurtz gedicht so nüwlich ein thurgöwischer Pur / Docter Martin Lutrer unnd siner leer / zů lob ... gemacht hat›.
3. Januar	Über Luther wird der kirchliche Bann verhängt.
17./18. April	Luther lehnt auf dem Reichstag zu Worms den Widerruf ab.
29. April	Zwingli zum Chorherrn gewählt.
4. Mai	Luther gelangt nach fingiertem Überfall auf die Wartburg. Gerüchtweise wird er totgesagt. Unter dem Schutz des sächsischen Kurfürsten Friedrichs III. beginnt er mit der Übersetzung des Neuen Testaments.
8./26. Mai	Luther verfällt der Reichsacht. – Hans Baldungs Lutherporträt mit Nimbus und Hl.-Geist-Taube wird erfolgreich verkauft.
25. Mai	Brief Zwinglis an Myconius mit Rechtfertigung und Erläuterung seines Anteils an der Flugschrift der ‹Göttlichen Mühle› (Z VII, 457 f.).
1521/1522, Jahreswende	Radikalisierung von Luthers Anhängerschaft in Wittenberg unter Andreas Bodenstein gen. Karlstadt.
1522	Myconius muss als «Lutheraner» Luzern verlassen und gelangt nach kurzem Aufenthalt in Einsiedeln wieder nach Zürich.
28. Januar	Karlstadts bilderfeindlicher Traktat ‹Von abtuhung der Bylder› erscheint.
6. Februar	Bildersturm in Wittenberg.
6. März	Luther sieht aufgrund dieser bilderstürmerischen Aktionen sein Reformprogramm gefährdet und kehrt nach Wittenberg zurück.
Frühjahr	Der Chorherr Konrad Hofmann, der seit Zwinglis Berufung belastendes Material gegen ihn gesammelt hat, reicht beim Propst und Kapitel des Grossmünsters eine Klagschrift gegen Zwingli ein (EAk 213).
5. März (Aschermittwoch)	Heini Aberli isst im Zunfthaus ‹zum Weggen› einen Braten (EAk 233, 2).
9. März (1. Fastensonntag), Abend	Demonstratives Wurstessen im Hause des Buchdruckers Christoph Froschauer. Zwingli ist anwesend, isst aber nicht von den Würsten. – Froschauer rechtfertigt sich etwa am
21. März	vor dem Rat: er habe zuviel Arbeit, um seine Gesellen fasten lassen zu können, und nahrhafte Fastenspeise sei ihm zu teuer (EAk 233, II; 234).
23. März	Zwingli verteidigt den Fastenbruch durch eine Predigt, die am
16. April	unter dem Titel ‹Von Erkiesen und Freiheit der Speisen› gedruckt wurde (Z I, 74–136).
24. Mai	In einer schriftlichen Mahnung an Grossmünsterstift und städtische Obrigkeit bekräftigt der Bischof von Konstanz die traditionelle Position der Kirche.
1. Juni	Leo Jud wird zum Leutpriester an St. Peter gewählt.
seit Ende Juni	Zwinglis Parteigänger stören Predigten von Bettelordensleuten mit Zwischenrufen.

7. Juli	Der Rat untersagt Konrad Grebel, Klaus Hottinger, Heini Aberli und Bartlime Pur in Zukunft solche Ausfälle gegen Ordensleute (WYSS, S. 13–15; vgl. EAk 269).
12. Juli	Zwingli unterbricht den am angereisten Bettelmönch Franz Lambert von Avignon bei einer Predigt über die Fürbitte Mariae mit den Worten: «brůder, da irrest du» (WYSS, S. 15 f.).
21. Juli	Wegen dieser Sache kommt es vor dem Rat zu einer Disputation des Zürcher Klerus. Den Ordensleuten wird schriftgemässe Predigt im Sinne Zwinglis vorgeschrieben (WYSS, S. 17–19).
10. August	Der Bischof ermahnt die Zürcher Obrigkeit zur Einhaltung der kirchlichen Ordnung.
22./23. August	Zwingli widerlegt im ‹Apologeticus Archeteles› das bischöfliche Mahnschreiben vom 24. Mai 1522 (Z I, 249–327).
8. September	Erasmus reagiert in einem Brief an Zwingli mit Entsetzen auf den ‹Apologeticus Archeteles› (Z VII, 582).
17. September	Die Predigt ‹Von der ewig reinen Magd Maria› erscheint im Druck (Z I, 385–428). Zwingli lehnt darin die Heilsmittlerschaft Mariae ab.
2. Jahreshälfte	Bauern verweigern dem Grossmünsterstift den Zehnten; Verstösse gegen die Fastenordnung.
22. September	Zehntenmandat in der Landschaft (EAk 273, 2; 274).
31. Oktober (Vortag von Allerheiligen)	Der Pfarrer und spätere Täuferführer Wilhelm Röubli veranlasst verschiedene Leute, Fleisch zu essen. Diese werden später zwar vom Rat vermahnt, ihre Entschuldigung jedoch angenommen (EAk 285).
	Die Spannungen Zürichs mit dem Bischof und den eidgenössischen Partnern nehmen zu.
November	Auf der Tagsatzung werden die Vögte in den Gemeinen Herrschaften angewiesen, reformatorisch gesinnte Pfarrer anzuzeigen.
Dezember	In Strassburg erscheint bei Johann Grüninger Thomas Murners ‹Von dem großen Lutherischen Narren wie in doctor Murner beschworen hat›. Sofort nach Erscheinen werden gegen die Schrift Zensurmassnahmen erhoben.
15. Dezember	Die Tagsatzung in Baden beschäftigt sich erneut mit der Kirchenfrage: Die Bundesglieder sollen dafür schauen, «daß nu hinfür sölichen nüwen predigen nit mer beschechint» und dass besonders Zürich und Basel «by inen das drucken sölicher nüwen büechlin abstellen» (Eidg. Absch. IV/1a, 255, n.).
1522/1523	Melchior Küfer schmäht in Gesellschaft die Heiligen: «er schisse in die heiligen» und er «schisse in die alten und gemaloten götzen». Über die Karlsfiguren in und am Grossmünster äussert er sich vorsichtiger: «er schisse in den ouch, der in der kilchen sässe; aber der Karli daoben im himmel wäre im lieb». – Er wird mit sechs Tagen Gefangenschaft im Turm und mit einer Verwarnung bestraft (EAk 317).

1523

3. Januar	Der Grosse Rat lädt in einem Ausschreiben alle Geistlichen von Stadt und Landschaft sowie die Herren von Konstanz zu einem Gespräch auf den 29. Januar ein (EAk 318; Z I, 466–468).
29. Januar	1. Zürcher Disputation. Es versammeln sich rund 600 Teilnehmer, vorwiegend aus Zürich, und eine Abordnung des Bischofs unter der Leitung des Generalvikars Johannes Fabri. Unmittelbar davor verfasst Zwingli die ‹67 Artikel› (Z I, 458–465), die von Messopfer, Heiligenverehrung, Fastenordnung, Klosterwesen, Zölibat, Gelübde, Kirchenbann, geistlichen Abgaben, Zehnten usw. handeln, die Bilderfrage aber nicht berühren. Im Text des Ratsbeschlusses (Z I, 469–471) wird die evangelische Predigt Zwinglis und seiner Mitstreiter geschützt.

2. Februar	Amtsantritt Leo Juds als Leutpriester an St. Peter.
Fastnacht	Zwinglis Bild wird in Luzern verbrannt (LOCHER, S. 426).
22. Juni	Sechs Landsgemeinden verlangen vom Rat die Abschaffung des Zehnten. Der Rat geht darauf nicht ein, will sich aber dafür einsetzen, dass die Grossmünster-Chorherren den Zehnten nicht mehr missbräuchlich verwenden (EAk 368).
14. Juli	Zwinglis ‹Auslegen und Gründe der Schlussreden› (Z II, 1–457). Im 20. Artikel, der die Mittlerschaft der Heiligen ablehnt, erste schriftliche Äusserung zur Bilderverehrung (Z II, 218, 5–28).
30. Juli	‹Von göttlicher und menschlicher Gerechtigkeit› (Z II, 458–525). Zwingli verteidigt den Zehnten als eine Einrichtung menschlichen Rechts.
29. August	‹Versuch über den Messkanon› (Z II, 522–608). Zwingli bestreitet den Opfercharakter der Messe.
1. September (Hl. Verena)	Leo Jud predigt in St. Peter, «wie man uss der göttlichen gschrifft bewären möcht und recht wäre, dass man die götzen uss den kilchen tuon söllte» (EAk 416.3). Thoma Kleinbrötli kommentiert: «Er söllte (in) aller tüflen namen gen Strassburg gan und bild zerschlahen» (EAk 416.4).
6./7. September (Sonntag/Montag)	Während der Nacht erste reformatorische Bildzerstörungen. Als Hans Kolb morgens um 3 Uhr zur Mette in St. Peter eintritt, sieht er «ein wilds gerümpel, und namlich wie etlich tafelen, brief und ander gottsgezierden abgerissen wärint» (EAk 414.I).
11. September	Felix und Regula, Zürcher Kirchweihtag.
13. September (Sonntag)	Um 19 Uhr werfen Lorenz Hochrütiner, Wolfgang Ininger und ein Unbekannter im Fraumünster die Ewigen Lichter gegen eine Bildtafel und bespritzen sich mit Weihwasser (EAk 415).
14. September	Fest der Kreuzerhebung.
19. September (Samstag)	Die Fälle vom 6./7. bzw. 13. September werden verhandelt und die Verdächtigen aus dem Gefängnis entlassen (EAk 414.III).
22. September	Jakob Hottinger von Zollikon meint nach einer Messe zu seinen Nachbarn: er wolle «als mer ein küedreck ... sehen, als mess haben, wie man jetz (in traditioneller Weise) mess hett» (EAk 438.I). Ähnlich hatte sich schon sein Bruder Klaus Hottinger geäussert (EAk 438.II).
24. September	Die Predigt Ludwig Hätzers «Ein urteil gottes unsers eegemahels / wie man sich mit allen götzen und bildnussen halten sol / uß der heiligen gschrifft gezogen ...» erscheint bei Froschauer im Druck (LOCHER, S. 130 f., Anm. 73).
27. September (Sonntag)	Simon Stumpf predigt in Höngg, «ein gemeind söllte darzuo tuon, dass die bilder uss der kilchen kämind» (EAk 422, I.5).
27. September (Abend und Nacht)	Auf Stumpf Predigt hin werden in Höngg verschiedene Bilder zerstört (EAk 422, I.4). Kaspar Liechte entfernt selbst zwei Engel, welche seine Vorfahren gestiftet haben sollen (EAk 422, I.3). Trotz Vorsichtsmassnahmen seitens des Sigristen werden weitere Bilder weggeführt (EAk 422, II).
Ende September	Klaus Hottinger zerstört das Kruzifix in Stadelhofen (EAk 421; BULLINGER I, 127).
	Im Anschluss an eine Hochzeit in Höngg zerstören Thoman Scherer von Wipkingen, Grosshans, Ruotsch und Lienhart Baumgarter nachts in Wipkingen die Bilder (EAk 423).
29. September	Neuregelung der Grossmünsterordnung (EAk 426). – Der Rat setzt einen Ausschuss ein, welcher über die Kirchenzierden beraten soll. Dieser setzt sich aus acht führenden Ratsherren und den drei Leutpriestern Zwingli, Engelhart und Jud zusammen (EAk 424).
etwa 15. Oktober	Aus einer Kapelle in Eglisau werden Bilder entfernt (EAk 491).
23. Oktober	Wegen der Unruhen wird von den Ratsverordneten eine weitere Disputation beschlossen (EAk 430).

24. Oktober	Hans Pfleghar erhält eine Geldbusse, weil er die Ewigen Lichter im Fraumünster schmähte (EAk 435).
26.–28. Oktober	Zweite Zürcher Disputation über die Bilder und die Messe (Z II, 664–803).
um den 1. November	Verfügung der Bürgermeister und Räte. Einstweilen sind die Bilder in den Kirchen zu lassen; allein die Donatoren dürfen ihre Stiftungen entfernen (das Datum nach GÄBLER, S. 75; nach BULLINGER dagegen: 27. Oktober, vgl. EAk 436).
November?	In Altstetten beschliesst die Kirchgemeinde auf bildfeindliche Predigt ihres Priesters Hans hin, die Bilder einstweilen zu belassen. Dennoch kommt es zu einem heimlichen Bildersturm (EAk 440).
3. November	Simon Stumpf wird die Höngger Pfründe entzogen (EAk 441).
4. November	Klaus Hottinger wird wegen Beseitigung des Kruzifixes in Stadelhofen für zwei Jahre verbannt (EAk 442).
17. November	Zwinglis ‹Christliche Einleitung› (Z II, 626–663) gedruckt. Die Schrift wird an alle zur Disputation eingeladenen Räte versandt.
10. Dezember	Propst und Kapitel des Grossmünsters beschweren sich über Kapläne und Helfer, die keine Messe mehr halten wollen. Auch habe man Jahrzeitbücher fortgeschafft und Blätter aus dem Direktorium (liturgischer Jahreskalender) gerissen (EAk 456).
13. Dezember	«Diser verruckter tagen» halb wird das Ratsmandat über Bilder und Messe vom 27. Oktober wiederholt (EAk 458).
19. Dezember	Der Rat verfügt in der Kult- und Bilderfrage eine einstweilige Toleranz: Wie die Messe gehalten wird, bleibt den Geistlichen überlassen. Bilder dürfen (ausser von ihren Stiftern) nicht weggetragen, aber auch nicht mehr in den Kult einbezogen werden. Eine definitive Lösung wird für Pfingsten 1524 in Aussicht gestellt (EAk 460, V; EDLIBACH 4).
23. Dezember	Die Täter, welche den Palmeselchristus aus der Zolliker Kirche entführt und in den See versenkt haben, werden mit einer Geldbusse bestraft (EAk 462). – Simon Stumpf muss wegen seiner Predigttätigkeit zürcherisches Gebiet verlassen (EAk 463). – Das Bildermandat vom 13. Dezember/27. Oktober wird nochmals bestätigt (EAk 464).
28. Dezember	Die vom Rat getroffenen Verfügungen (vgl. 23./13. Dezember) werden von der Kanzel verlesen, damit Ruhe bleibt (EAk 464; 460.V).
1523/1524	Traditionelle Frömmigkeitsübungen nehmen erkennbar ab.
1524	
Januar	Luthers Schrift ‹An die Ratsherren aller Städte deutschen Lands, dass sie christliche Schulen aufrichten und halten sollen› erscheint in Wittenberg und wird noch im gleichen Jahr in ganz Deutschland nachgedruckt. Luther tadelt darin die «tollen unnůtzen schedlichen Můniche bůcher, Catholicon, Florista, Grecista, Labyrinthus, Dormi secure und der gleychen esels mist».
13./14. Januar	3. Disputation mit altgläubigen Chorherren.
vor der Fastnacht	Mandat: Auf kommende Fastnacht soll niemand durch Kostümierung Papst, Kaiser, Kardinäle, Eidgenossen, Landsknechte, Mönche, Pfaffen und andere Fürsten schmähen (EAk 467).
10. Februar (Aschermittwoch)	Heini Iringer und Gesellen werden mit einer Geldbusse und dem Verbot des Schlaftrunks bestraft: Sie haben nach einem Wirtshausbesuch die Bilder im Heiligenhäuschen an der Letze zu Obermeilen geschändet (EAk 497).
Fastenzeit	Die traditionellen Busspredigen werden abgeschafft. Anstelle der Bettelordensmönche predigen Zwingli im Fraumünster, Leo Jud im Oetenbachkloster und Kaspar Grossmann, gen. Megander im Predigerkloster (EDLIBACH 5).
25. Februar	Der Chorherr Anselm Graf erhält eine Geldstrafe, weil er reformatorische Lehren ketzerisch nannte (EAk 502).

9. März	Der aus Zürich verbannte Bilderstürmer Klaus Hottinger wird in Luzern hingerichtet. Die Spannung zwischen Zürich und den Eidgenossen verschärft sich (SCHÄRLI, S. 34).
Frühjahr	Erste Taufverweigerungen.
24. März (Gründonnerstag)	Am traditionellen Kommunionstag des Grossmünsters ging man nicht in ernster Kleidung und verschleiert, sondern in Festputz zur Kirche (EDLIBACH 8).
26. März	Zwinglis Predigt ‹Der Hirt› (gehalten am letzten Tag der 2. Disputation, dem 28. Oktober) erscheint im Druck (Z III, 1–68).
30. März	Nach Aussage des Wirtes zur ‹Rosen› haben zwei Leute, die sich an einem Bildstock vergreifen wollten, Schaden erlitten: der eine sei erblindet, der andere am Bein verletzt worden (EAk 511).
1. April	Tagsatzung in Luzern. Abgeordnete der Bischöfe von Konstanz, Basel und Lausanne beklagen die Untergrabung der kirchlichen Autorität durch die reformatorische Bewegung. Es kommt zu einer Parteienbildung zwischen Zürich, Schaffhausen und den Inneren Orten sowie Bern und Solothurn, welche die evangelische Predigt ohne tiefgreifende kirchliche Veränderungen zulassen wollen.
2. April	Zwingli vermählt sich nach zweijährigem Konkubinat mit Anna Reinhart.
April	Zwingli widerlegt den Vorwurf der Tagsatzung, die bürgerliche Ordnung werde durch die Reformation geschwächt: «Anmerkung zu: ‹Der drei Bischöfe Vortrag an die Eidgenossen›» (Z III, 69–85).
8. April	‹Übereinkunft von Beckenried›: Die Fünf Orte (Luzern, Uri, Schwyz, Unterwalden, Zug) vereinigen sich zur Abwehr der Reformation. Freiburg und Solothurn schliessen sich an.
20. April	Hans Füesslis umfangreiche Flugschrift ‹Antwurt eins Schwytzer Purens› erscheint im Druck. Füessli widerlegt darin die Argumente des Strassburger Schulmeisters Hieronymus Gebwyler, der in einer Schrift vom 21. März die traditionelle Position vertreten hat. Zwingli verfasst das Vorwort.
Mai	Trotz Verbot des Sigristen öffnet Jakob Graf die Bildertafeln in der Kirche von Knonau (EAk 524).
2. Mai	Zwingli kritisiert den Zusammenschluss der Fünf Orte: ‹Eine treue und ernstliche Vermahnung an die Eidgenossen› (Z III, 97–113).
14. Mai (Pfingstsamstag)	Weil der Rat es versäumt hat, den am 14. Dezember 1523 in Aussicht gestellten Entscheid über die Bilderfrage zu fällen, mahnt er zu Ruhe und Ordnung: Messe und Bilder sollen, wie früher geboten, unangetastet bleiben (EAk 530). Doch als Reaktion darauf werden am
15. Mai (Pfingsttag)	in Zollikon die «Bilder und Altar» zerschlagen (EAk 535). Deshalb wird am
16. Mai (Pfingstmontag)	zur Lösung der Bilderfrage eine Kommission, bestehend aus Ratsverordneten und Geistlichen, eingesetzt; Zwingli ist federführend (EAk 532).
21. Mai	Die Abschaffung des Fronleichnamtages (26. Mai) wird beschlossen. Nach der morgendlichen Predigt soll jeder arbeiten gehen (EAk 537).
Ende Mai	Im ‹Vorschlag wegen der Bilder und der Messe› (Z III, 114–131) fordert Zwingli die Abschaffung der Bilder. Wo ganze Gemeinden Altäre gestiftet haben, sollen sie nach Mehrheit entscheiden. Wo sich Gemeinden noch nicht zur Entfernung der Bilder entschliessen können, soll die Umstimmung durch Predigt erfolgen.
bis Anfang Juni	Hubmair lässt in Waldshut aus der Stadtkirche alle Bilder entfernen.
Anfang Juni	In der Druckschrift ‹Christliche Unterrichtung› (Z III, 146 f.) beschäftigt sich die bischöfliche Kurie mit Fragen von Messe und Bilderdienst.
3. Juni	Zwingli erläutert in einem Brief an Martin Bucer sein Bildverständnis.

8. Juni	Der Rat beschliesst, dass die Bilder aus den Kirchen zu entfernen sind; ihre Zerstörung aber wird noch nicht gefordert. Der Beschluss erweist sich als nicht durchführbar (EAk 543; EDLIBACH 18, 22; WYSS, S. 40 f.).
13./15. Juni	Innerhalb von drei Tagen sterben die beiden Bürgermeister, Felix Schmied und Marx Röist. Noch während Röist im Sterben liegt, wird am
15. Juni	das endgültige Mandat zur Zerstörung der Bilder erlassen (EAk 544, 546; EDLIBACH 22).
20. Juni bis 2. Juli	Während 13 Tagen erfolgt in Zürichs Kirchen die offizielle Zerstörung der Bildwerke hinter geschlossenen Türen: Unter der Leitung der drei Leutpriester «warend von der Constafel zwen man und sunst von jeder zunft ein man – on steinmetzen, zimberlüt und sunst ruchknecht – und fieng man an ob dem fronbogen das gros crüz und alle bild ab den altären ze thůn und das gmäl, so mit ölfarwen gemacht was, abzebicken mit steinaxen und wider zů verdünchen, das es nüt blibe» (WYSS, S. 42; vgl. auch EAk 552).
24. Juni	In der Nachbarschaft der Gemeinde Stammheim, einem damals berühmten St.-Annen-Wallfahrtsort, kommt es zu einem unkontrollierten Bildersturm (WYSS, S. 43).
30. Juni	Als am Donnerstag das Grossmünster wieder geöffnet wird, stürmt das Volk auf die übriggebliebenen Kirchenstühle und reisst sie heraus (EDLIBACH 23; WYSS, 43).
Juni	Liechti, arm und Vater vieler kleiner Kinder, erlaubt sich nach Absprache mit dem zuständigen Pfarrer in Rikon, eigenmächtig einen Kelch aus der Kirche zu tragen (EAk 548).
17. Juli	Der evangelische Prediger Johann Ulrich Oechsli wird von den Behörden gefangengenommen.
18. Juli	Aus Rache stürmen die Bauern die Kartause Ittingen, die in Flammen aufgeht. Die Anführer werden vom Zürcher Rat dem eidgenössischen Gericht in Baden überstellt und dort hingerichtet (EDLIBACH 16).
2. Jahreshälfte	In zahlreichen Dörfern der Landschaft Zürich kommt es zu Zehntenverweigerungen und tumultartigen Aufständen.
18. August	Zwingli beantwortet die Druckschrift der bischöflichen Kurie von Anfang Juni: ‹Christliche Antwort Zürichs› (Z III 146–229). Ende der offiziellen Beziehungen zwischen Zürich und dem Bischof.
26. September	Gerichtsverhandlung: Kleinbrötli meinte über Zwingli und Jud, sie sollen anderswo predigen gehen (EAk 581).
18. Oktober	In Strassburg stürmen die Bürger in verschiedenen Kirchen die Bilder (GARSIDE, S. 144, Anm. 12).
24. Oktober	Aufhebung des Fraumünsterstiftes.
November	Vortrag des Rates an die Gemeinden. Genaue Verordnungen betreffend Entfernung der Bilder werden verlangt (EAk 589).
8. Dezember	Neuplazierung des Grossmünster-Taufsteins in der Zwölfbotenkapelle (EDLIBACH 25).
28. Dezember	Zwingli: ‹Wer Ursache gebe zu Aufruhr› (Z III, 355–469).
Ende Dezember	Luther verteidigt die Bilder in ‹Wider die himmlischen Propheten, von den Bildern und Sakrament› (WA 18, 62–125; über die Bilder 67–84).
1525	Grossmünster und die Niederlassungen der Bettelorden hören auf, in der traditionellen Form zu existieren. – Beginn des Abendmahlsstreites zwischen Luther und Zwingli. Ausbreitung der Täuferbewegung.
15. Januar	Erlass der Almosenordnung: das Kirchengut soll für die Bedürftigen verwendet werden (EAk 619).
21. Januar	Die Täufer Konrad Grebel und Felix Manz erhalten Redeverbot (EAk 624.1); der Pfarrer Wilhelm Röubli, der Helfer Hans Brötli,

	Ludwig Hätzer und Andres uf der Stützen werden des Landes verwiesen (EAk 624.2).
1. März	Der Memminger Kürschner Sebastian Lotzer formuliert die ‹Zwölf Artikel der Bauernschaft in Schwaben›.
Frühjahr/Sommer	Die Beschwerden der Bauern aus der Landschaft Zürich häufen sich. In den an Bürgermeister und Räte von Zürich gerichteten Artikeln fordern sie unter anderem die Abschaffung der Leibeigenschaft, des (kleinen) Zehnten, Abbau der niederen Gerichtsbarkeit, Recht auf freie Pfarrerwahl und freies Jagd- und Fischrecht; das unnötig gewordene Kirchengut soll den Stifterfamilien zurückerstattet oder unter die Armen verteilt werden (EAk 703, 708, 710, 729).
Anfang April	Zur Neuregelung der Abendmahlsfeier schreibt Zwingli ‹Action oder bruch des Nachtmahls› (Z IV, 1–24).
11. April (Dienstag der Karwoche)	Zwingli verlangt vor dem Rat die Abschaffung der Messe (EDLIBACH 29).
12. April	Beschluss zur Neuregelung der Abendmahlsfeier mit knappem Stimmenmehr gefasst. – Man hielt die letzte Messe in Zürich (EDLIBACH 30) und nahm am
13. April (Gründonnerstag)	zum ersten Mal das reformierte Abendmahl ein (EDLIBACH 31, 32).
27. April	Zwinglis ausführlichste Schrift zur Bilderfrage an den ehemaligen Landschreiber von Uri (‹Antwort an Valentin Compar›, Z IV, 35–159).
10. Mai	Neue Eheordnung (EAk 711).
19. Juni	Eröffnung der Prophezei in Zürich.
14. August	Ein Mandat regelt die Zehntenfrage: Grosser und kleiner Zehnt, ebenso Kirchenzehnt müssen weiterhin bezahlt werden (EAk 799).
14. September	Der Zürcher Rat beschliesst, die Kirchenschätze in Stiften und Klöstern in der Stadt und auf dem Land unverzüglich einzuziehen (EDLIBACH 39).
17. September	Die Tagzeitenbücher am Grossmünster werden konfisziert (EDLIBACH 40).
2. Oktober	Nach längerem Widerstand (vgl. EAk 822) öffnen die Chorherren am Grossmünster den Stadtbehörden die Sakristei. – Soweit es sich nicht um verwertbares Edelmetall handelt, werden die Kirchenschätze verschachert. Aus den Paramenten und Edelsteinen werden Luxusgewänder verfertigt (EDLIBACH 39).
7. Oktober	Plünderung der Grossmünsterbibliothek. Die unerwünschten Bücher werden von Zwingli, Leo Jud und Heinrich Brennwald ausgesondert, entweder vernichtet, verkauft oder den Krämern und Apothekern als Verpackungsmaterial, den Buchbindern als Rohmaterial angeboten.
4. November	Der Bauernaufstand im Klettgau wird blutig niedergeschlagen (EDLIBACH 47).
18. November	Die Grabsteine müssen von den Stiftern in Monatsfrist nach Hause genommen werden; andernfalls werden sie von der Stadt als Baumaterial verwendet (EAk 865; EDLIBACH 49).
1526	Unter Vadian Entfernung der Bilder in St. Gallen.
24. Februar	Der Zürcher Rat beschliesst, das aus den Kirchenschätzen zusammengeschmolzene Silber zu verkaufen und den Erlös dem Seckelmeister und dem Almosen anzuvertrauen. Eine Nachricht über die tatsächliche Verwendung des Erlöses fehlt (EDLIBACH 43).
21. März	‹Satzung in Ehesachen›. Die Priester müssen ihre Konkubinen heiraten oder fortjagen; andernfalls verlieren sie ihre Pfründe (EAk 944; vgl. EDLIBACH 51).
28. März (Mittwoch vor Ostern)	Der Zürcher Rat erlässt eine radikal durchgreifende Feiertagsordnung und schafft etwa 30 arbeitsfreie Festtage ab (EAk 944; EDLIBACH 51).

1526	
19. Mai bis 9. Juni	Badener Disputation: Zwinglis Lehre wird als irrig verurteilt.
8. Juli	In den Kirchen der Stadt Zürich werden die Altäre und Sakramentshäuschen abgebrochen und als Baumaterial für den neuen Kanzel-Lettner im Grossmünster verwendet (BULLINGER I, 368; WYSS, 70f. nennt als Datum den 5.–7. September).
Sommer	Gerold Edlibach verfasst die ‹Aufzeichnungen über die Zürcher Reformation› (älteste Zürcher Reformations-Chronik).
11. September	1. Predigt Zwinglis auf der neuen Kanzel.
1527/1528	Verfolgung der Täufer.
1527	
7. Januar	Der Täufer Felix Manz wird gebunden in der Limmat ertränkt (WYSS 78, 2ff.).
10. Februar	Ketzerkalender von Murner. Der Holzschnitt der polemischen Schrift zeigt Zwingli als Kirchendieb am Galgen.
21. April (Ostern)	Unter dem Bürgermeister Vadian schafft St. Gallen als erste Stadt nach Zürich die Messe ab.
5. Oktober	Die Chorgestühle aus dem Barfüsser-, Prediger-, Augustiner- und Oetenbachkloster werden in St. Peter aufgebaut (WYSS 85f.).
9. Dezember	Die Grossmünsterorgel wird abgebrochen (WYSS, 86, 11ff.).
25. Dezember	Zürich und die Stadt Konstanz schliessen einen Vertrag zur Verteidigung der Reformation, das sog. ‹Christliche Burgrecht›. Später treten Bern und St. Gallen (1528), Basel, Schaffhausen, Biel und Mülhausen (1529) bei.
1528	Balthasar Hubmaier, der theologische Kopf der Täufer, in Wien verbrannt.
6.–26. Januar	Berner Disputation. Im Anschluss daran kommt es zum Bildersturm.
7. Februar	Reformationsordnung in Bern.
17. April	In Mülhausen werden zwei Tage nach einem Volksauflauf die Bilder entfernt.
21. April	1. Synode im Zürcher Ratshaus.
Herbst und Winter	Auf Druck von Zürich Bilderentfernung in Konstanz.
1529	
4. Februar	Der Täufer Ludwig Hätzer wegen Ehebruchs in Konstanz verbrannt.
9. Februar	Im Anschluss an die Fastnacht offener Bildersturm in Basel.
23. Februar	Bildersturm im Kloster St. Gallen.
Mitte Mai	Bilder und Altäre in Bremgarten zerstört.
29. Mai	Der aus Zürich gebürtige Prädikant Jakob Kaiser wird in Schwyz als Ketzer verbrannt (BULLINGER II, 148).
8. Juni	Kriegserklärung Zürichs an die Fünf Orte. Kappeler Milchsuppe (BULLINGER II, 183).
30. September/ 1. Oktober	Bildersturm in Schaffhausen.
1.–4. Oktober	Marburger Religionsgespräch. Bruch zwischen Zwingli und Luther in der Abendmahlsfrage.
1530	Reformationschronik von Bernhard Wyss. Bildentfernung im Strassburger Münster. Von Martin Bucer erscheint: ‹Das einigerlei Bild bei den Gotgläubigen› in Strassburg.

1531	
Juni	Messe und Bilder in Ulm verboten.
11. Oktober	Schlacht bei Kappel. Tod Zwinglis.
Dezember	Heinrich Bullinger zum Nachfolger Zwinglis bestimmt.
1535	Entfernung der Bilder in Genf.
seit **1538**	Aufschwung des Wohnbaus in Zürich, während der Kirchenbau seit der Reformation und noch bis 1585/86 vollständig ruht.
1563	Abschluss des Trienter Konzils. Bilderdekret am zweitletzten Tag verabschiedet.
1569	Ludwig Lavaters Schrift ‹Von Gespänsten, unghüren, fälen und anderen wunderbaren dingen...› erscheint bei Christoph Froschauer in Zürich.
1584	Gregorianische Kalenderreform von den katholischen Orten angenommen.
1585/86	In Rafz und Rorbas erste reformierte Kirchenbauten des Kantons Zürich.
1587, 9. Mai	Für Altäre in Sursee (Kanton Luzern) und Merenschwand (Kanton Aargau) bestimmte Heiligenfiguren werden auf der Durchfahrt in Zürich während einer nächtlichen bildersturmartigen Aktion geschändet und in einen Brunnen geworfen.
noch in der 1. Hälfte des **17. Jh.**	Klagen wegen Bildern, die in Kirchen des Kantons Zürich immer noch zu sehen sind.